LA RELÈVE APOCALYPTIQUE DU MESSIANISME

III

LE FILS DE L'HOMME NÉOTESTAMENTAIRE

BIBLIOTHECA EPHEMERIDUM THEOLOGICARUM
LOVANIENSIUM

LV

LA RELÈVE APOCALYPTIQUE
DU MESSIANISME ROYAL

III

LE FILS DE L'HOMME
NÉOTESTAMENTAIRE

PAR

JOSEPH COPPENS

PROFESSEUR À L'UNIVERSITÉ DE LOUVAIN

UITGEVERIJ PEETERS   LEUVEN
LEUVEN   UNIVERSITY PRESS

1981

ISBN 90 6186 117 9

Dépôt légal 1981/1869/10

Leuven University Press / Presses Universitaires de Louvain
Universitaire Pers Leuven
Krakenstraat 3, B-3000 Leuven-Louvain (Belgium)
Éditions Peeters, Postbus 41, B-3000 Louvain (Belgique)

PRÉFACE

Nous avons déjà réuni une abondante documentation et composé en première rédaction plusieurs contributions au volume : *Le Fils de l'homme néotestamentaire*, envisagé comme le troisième de la série *La Relève apocalyptique du Messianisme royal.* Comme à notre âge nous ne pouvons plus attendre de la Providence beaucoup d'années et de force, nous avons cru bien faire de réunir en une première approche les articles déjà publiés sur le sujet[1].

Après un Exposé du problème (chap. I), nous montrons comment le Fils de l'homme n'occupe pas de place dans la théologie paulinienne (chapitre II), puis nous essayons de monter comment l'évangile johannique a conservé une série de logia sur le Fils de l'homme susceptibles d'être préjohanniques et d'avoir constitué une sorte de florilège (chapitre III), enfin, après une note sommaire sur la Quelle, nous entreprenons de discuter le témoignage évangélique le plus ancien, celui de Marc (chapitre V).

Puisse cette «première approche» contribuer à mieux situer le Fils de l'homme néotestamentaire et à préparer la voie à de nouvelles recherches.

Louvain, le 19 mars 1981.

---

1. *De Mensenzoon-logia in het Markus-evangelie. Avec un résumé, des notes et une bibliographie en français,* ap. *Med. Kon. Acad. Wet. Lett. Sch. Kunsten van België,* Classe des lettres, t. XXXV, fasc. 3, Bruxelles, 1973. — *Les logia du Fils de l'homme dans l'évangile de Marc,* ap. M. SABBE (éd.), *L'Évangile selon Marc. Tradition et rédaction (BETL,* t. XXXIV), Gembloux, 1974, pp. 487-528 (chapitre V).
Le Fils de l'homme dans l'Évangile johannique, ap. *ETL,* 1976, t. LII, pp. 28-81 (chap. III). — *Le Fils de l'homme johannique,* ap. *ETL,* 1978, t. LIV, pp. 126-130 (note complémentaire).
Le Fils de l'homme dans le dossier paulinien, ap. *ETL,* 1976, t. LII, pp. 309-330 (chap. II).
Où en est le problème de Jésus «Fils de l'homme», ap. *ETL,* 1980, t. LVI, pp. 282-302 (chap. I).

NOTE DE L'ÉDITEUR

Mgr J. Coppens est décédé à Louvain le 23 mai 1981. Deux jours avant sa mort, il a achevé, dans un ultime effort, la Postface du présent ouvrage. Ce furent les dernières lignes écrites de sa main: «... si la Providence nous en donne encore le temps et les forces».

En 1979 il avait déjà rédigé un avertissement à ses lecteurs: «En mars 1979 je fus subitement, tout à l'improviste, atteint d'une maladie qui m'empêche de continuer mes recherches et rédactions et tend à ce que les volumes III/2 et III/3 ne voient pas le jour. ... Beaucoup d'articles préliminaires ont paru comme approches: tous ont besoin d'être complétés, nuancés, relus. D'autres articles existent déjà en première rédaction, mais eux aussi sont à relire, à compléter, à nuancer. ... Dès lors pour aider mes lecteurs à mieux me comprendre, voici l'itinéraire que je comptais suivre...»; signé J. Coppens, le 20 août 1979. La note fut imprimée en première épreuve pour le fascicule 4 des *Ephemerides Theologicae Lovanienses*, mais deux mois plus tard il l'a retirée et remplacée par une «note additionnelle» sur *Dan.*, VII,1-18 (p. 384). Il se sentait déjà suffisamment rétabli pour envisager la continuation de son travail. Dans chaque livraison de la revue, il publiera une ou deux contributions relatives à «La relève apocalyptique du messianisme royal»[1]. En 1980, fasc. 1: *Le livre de Daniel et ses problèmes*, pp. 1-9; *Le dossier non biblique de l'expression br 'nš*, pp. 122-124; 1980, fasc. 4: *Où en est le problème de Jésus «Fils de l'homme»*, pp. 282-302; 1981, fasc. 1: *Le Fils d'homme dans les traditions juives postbibliques hormis le Livre des Paraboles de l'Hénoch éthiopien*, pp. 52-82, *L'Élu et les élus dans les Écritures Saintes et les Écrits de Qumrân*, pp. 120-124.

Les trois volumes projetés de «La relève apocalyptique du messianisme royal» devaient former la troisième partie d'une *Histoire de l'attente messianique*[2]:

---

1. Voir également les recensions, en 1980, fasc. 1: R. Kearns, Vorfragen zur Christologie, pp. 168-169; 1980, fasc. 4: J. Gray, The Biblical Doctrine of the Reign of God, pp. 434-435; J. Carmignac, Le mirage de l'eschatologie, pp. 435-436; D.W. Suter, Tradition and Composition in the Parables of Enoch, p. 437; 1981, fasc. 1: P. Grelot, Les Poèmes du Serviteur, p. 174-175; K. Koch, Das Buch Daniel, pp. 175-176; M. Casey, Son of Man, pp. 176-177. J. Schlosser, Le règne de Dieu dans les dits de Jésus, pp. 177-179.
2. Le texte cité ici est celui d'un premier jet de la Préface du volume III/1. Comparer la rédaction finale du 1er octobre 1978: «Voici le troisième volume d'une

«Répondant à l'invitation nous adressée en 1967 par nos anciens condisciples et élèves, prolongeant d'ailleurs une recherche que nous n'avons jamais interrompue, nous avons entrepris de retracer les origines et la croissance de l'espérance messianique ainsi que son accomplissement dans la conscience de Jésus et la foi de l'Église apostolique.

Dans un premier volume que nous espérons dans l'avenir mettre au jour, nous avons étudié la forme la plus classique de l'attente messianique, celle se tournant vers la venue d'un Sauveur, Ben David, réalisant sur un plan principalement terrestre le salut d'Israel.

Puis un deuxième volume a recherché dans les Écritures comment s'est juxtaposée à cette première attente celle de la venue d'un sauveur prophétique appelé à réaliser le salut sur un plan plus spirituel et universel et comment cette deuxième espérance, qualifiée la relève prophétique du messianisme royal, l'a de plus en plus emporté.

À son tour la relève prophétique a reçu un complément, qui situa l'attente dans le cadre d'un accomplissement eschatologique et transcendant où a surgi comme Sauveur la figure transcendante du Fils de l'homme. Cette deuxième mutation du messianisme royal classique, nous l'avons appelée la relève apocalyptique. C'est, — écrit-il en 1978, — à l'étudier d'abord dans la documentation vétéro- et intertestamentaire, puis dans les écrits du Nouveau Testament que porteront désormais nos efforts».

synthèse de l'attente messianique qu'en 1967, à mon jubilé professoral, mon ancien condisciple, Mgr André Charue, m'invita à entreprendre» (*La royauté*, p. 9). Le volume est dédié à la mémoire de Mgr Charue (p. 7). Cfr *La carrière et l'œuvre scientifique d'un maître louvaniste. Hommage – Hulde J. Coppens 1927-1967* (ALBO, IV/49), 1969 : «qu'il me soit même permis d'émettre un vœu, à savoir que, dans les loisirs de son éméritat, il écrive le grand ouvrage que l'on attend de lui sur le Messianisme. Y a-t-il un autre exégète qui soit capable, comme lui, de composer un tel ouvrage?» (A. Charue, p. 82*). Ce fut le vœu unanime des orateurs : «l'espoir partagé par tant de biblistes qui attendent la publication sur ce sujet d'un ouvrage de Mgr Coppens, qui en a déjà publié les éléments en d'innombrables articles et brochures» (G. Ryckmans, p. 57*); «Te oordelen naar zijn laatste artikels over het Messianisme, mogen onze verwachtingen nog hoog gespannen blijven. Moge het hem gegund zijn, aldus de kroon op zijn werk te zetten» (A. Schoors, p. 28*). «Nous attendons des travaux définitifs sur le Messianisme ...» (G. Thils, p. 69*).

Histoire de l'attente messianique

I. *Le messianisme royal. Ses origines. Son développement. Son accomplissement* (Lectio divina, 54), Paris, Cerf, 1969, 288 p.[3].

   Cfr *NRT* 90 (1968) 30-49, 225-251, 479-512, 834-863, 936-975.

II. *Le messianisme et sa relève prophétique. Les anticipations vétérotestamentaires. Leur accomplissement en Jésus* (BETL, 38), Gembloux, Duculot, 1974, x-274 p.

   Cfr *ETL* 47 (1971) 117-143, 321-339; 48 (1972) 5-36, 343-371; 49 (1973) 5-35, 775-783.

III. *La relève apocalyptique du messianisme royal* :

   1. *La royauté, le règne, le royaume de Dieu. Cadre de la relève apocalyptique* (BETL, 50), Leuven, Peeters & University Press, 1979, 330 p.
      Cfr *ETL* 53 (1977) 1-23, 297-362; 54 (1978) 1-59.

   2. *Le Fils d'homme vétéro- et intertestamentaire. Le Fils d'homme daniélique. Le Fils d'homme hénochique. Le Fils d'homme dans les traditions juives ultérieures* (édition posthume en préparation par les soins du professeur J. Lust).
      Travaux préparatoires : *ETL* 37 (1961) 5-51; 39 (1963) 87-94, 94-114, 485-500; 40 (1964) 72-80; 44 (1968) 497-502; 45 (1969) 122-125, 172-182; 46 (1970) 112-116; 52 (1976) 346-349; 53 (1977) 187-191; 54 (1978) 301-322; 55 (1979) 384; 56 (1980) 1-9, 122-124; 57(1981) 58-82, 120-124. Cfr Postface, pp. 153-154.

   3. *Le Fils de l'homme néotestamentaire* (BETL, 55), Leuven, Peeters & University Press, 1981.

Les chapitres II, III et V ont paru en ordre inverse en 1974 (l'Évangile de Marc)[4], en juin 1976 (l'Évangile de Jean) et en décembre 1976 (le dossier paulinien). L'auteur comptait encore les revoir et compléter, mais il a finalement décidé de publier sans tarder le volume qui devait achever sa trilogie. Le texte du chapitre premier est d'une date plus récente (1980) et tient compte des dernières publications consacrées au problème de Jésus «Fils de l'homme».

À en juger d'après les papiers que Mgr Coppens nous a laissés, le projet initial était plus ambitieux. Il avait prévu entre autres des études spéciales sur les Actes des Apôtres (Ac 7,56) et sur l'Apo-

---

3. Voir également J. COPPENS, *Règne (ou Royaume) de Dieu. I. Ancien Testament et Apocryphes*, in *Supplément au Dictionnaire de la Bible*, t. X, fasc. 54 (1981), col. 1-58.
4. Texte revu par l'auteur.

calypse johannique. Le tout était mieux structuré[5] : Position du
problème ; le Fils de l'homme dans les Logia (ou la *Quelle*), dans
l'Évangile de Marc, dans les Évangiles de Matthieu et de Luc ; le Fils
de l'homme johannique ; Jésus et le Fils de l'homme. Dans le texte
qu'il a livré à l'imprimeur (pp. 1-154) la section sur la *Quelle* (chap. IV)
est extrêmement courte. Cela nous étonne d'autant plus qu'il gardait
dans son tiroir le texte d'un chapitre sur le Fils de l'homme dans la
Quelle. Le texte qui date, je crois, de 1975 ou 1976, est reproduit ici en
Appendice. Ce fut sans doute, à ses yeux, un texte «à relire et à
compléter». L'analyse de l'article de H. Schürmann, conservée sur
une feuille séparée, semble indiquer qu'il s'y préparait[6].

Je tiens à remercier M. Gilbert Van Belle qui a bien voulu rédiger
l'index des auteurs cités.

F. Neirynck

---

5. Il a plusieurs fois revu le titre et le plan de l'ouvrage en préparation. Seul l'ordre
des chapitres sur les Synoptiques n'a jamais varié : Logia (ou *Quelle*), Marc, Matthieu
et Luc, suivi ou précédé de Paul, Actes, Apocalypse et l'Évangile de Jean. Dans les
textes les plus anciens, il semble éviter l'appellation de *Quelle* et préfère parler de *Logia*.

6. Cfr *infra*, pp. 184-186. Il avait pris note également d'autres articles, sur Mt :
J. D. Kingsbury, *The Title «Son of Man» in Matthew's Gospel*, in *CBQ* 35 (1975)
193-202 ; sur Luc : G. Schneider, *Der Menschensohn in der lukanischen Theologie*, in
Jesus der Menschensohn. FS A. Vögtle, Freiburg, 1975, pp. 267-282 ; sur Ac 7,56 :
M. Sabbe, *The Son of Man Saying in Acts 7,56*, in J. Kremer (éd.), *Les Actes des
Apôtres. Traditions, rédaction, théologie* (BETL, 48), Gembloux-Leuven, 1979, pp. 241-
279 ; le livre de A. J. B. Higgins, *The Son of Man in the Teaching of Jesus* (SNTS
Monograph Series, 39), Cambridge, 1980 ; et sur Jean : F. J. Moloney, *The Johannine
Son of Man* (Biblioteca di scienze religiose, 14), Rome, 1976 ; ²1978 ; sur la première
édition : cfr *ETL* 52 (1976) 392-394.

Postface

Avec ce volume nous publions le tome III de ce que nous avons appelé *La Relève apocalyptique du Messianisme royal*. Il nous reste à achever le tome II : *Le Fils d'homme vétéro- et intertestamentaire* si la Providence nous donne encore le temps et les forces. Beaucoup de matériaux sont déjà rassemblés ; diverses parties sont même rédigées ; mais tout est à relire et à compléter. Surtout la section réservée au Fils d'homme hénochique n'est guère terminée.

***

Nous avons offert aux lecteurs des *Ephemerides Theologicae Lovanienses* les prémices de cette troisième et dernière partie : *Le Fils d'homme dans les traditions juives postbibliques hormis de deux des Paraboles de l'Hénoch éthiopien*, op. *ETL*, 1984 t. LVII, pp. 58- 62.

La Quelle

Parmi les documents de la tradition évangélique ausquels les synoptiques, du moins Matthieu et Luc, auraient eu te recours pour leur œuvre, un large contenu signale un recueil de paroles du Seigneur généralement désigné par le sigle Q, représentant ~~le~~ le terme Quelle, devenu l'appellation dominante de ce ~~du document~~ dans les travaux de langue allemande (1). C'est par l'examen des logia du Fils de l'homme contenus dans la Quelle que nous abordons l'étude des synoptiques.

(1) Voir M. Goguel, *Introduction au Nouveau Testament*, t. I : *Les Évangiles synoptiques*, Paris, 1923, p. 164 – 169, 272 – 273. — A. Wikenhauser – J. Schmid, *Einleitung in das Neue Testament*, 6e éd., Fribourg-en-Br., 1973, p. 272 – 289.

TABLE DES MATIÈRES

CHAPITRE I

POSITION DU PROBLÈME

OÙ EN EST LE PROBLÈME
DE JÉSUS « FILS DE L'HOMME »

De tous les titres christologiques répandus dans l'Église apostolique celui de « Fils de l'homme » est le plus ambigu et sans doute le plus controversé. Les avis touchant sa signification exacte et surtout touchant ses origines, éventuellement son usage par Jésus lui-même, sont des plus divergents.

À l'heure présente, nous pouvons, nous semble-t-il, classer les auteurs en cinq groupes. Un premier conteste radicalement que les logia sur le Fils de l'homme puissent remonter à Jésus : c'est la position attribuée à Ph. Vielhauer, H. Conzelmann, E. Käsemann[1]. Un deuxième groupe, non moins radical, soutient l'authenticité de toutes ces paroles[2]. G. Vermes n'y contredirait pas, quitte toutefois à comprendre l'expression, en fonction de son prétendu substrat araméen, comme employée par Jésus pour se désigner[3].

Pour la plupart des auteurs, il ne peut s'agir d'attribuer au Seigneur tous les logia où la mention du Fils de l'homme intervient. Il conviendrait de faire un choix entre les trois catégories qu'on se plaît communément à y distinguer. La première comprend ceux qui se rapportent à l'activité terrestre du Seigneur ; la deuxième contient ceux où figure une annonce de la passion et éventuellement de la résurrection ; la troisième groupe ceux qui visent l'avenir céleste du Fils de l'homme, son exaltation et son retour eschatologique ou parousie.

Plutôt rares sont les exégètes qui optent pour l'authenticité des logia relatifs au ministère terrestre du Seigneur[4]. Il n'est pas d'auteurs, semble-t-il, prêts à conserver comme authentiques les annonces de la passion, y compris éventuellement celles de la résurrection, à l'exclusion des autres. En revanche, une majorité d'exégètes accorde résolûment sa préférence aux logia sur le Fils de l'homme futur, eschatologique, « parousiaque ». Mais ces auteurs ne s'entendent pas sur le nombre de paroles à retenir comme authen-

---

1. Cf. Ch. PERROT, *Jésus et l'histoire*, ap. *Jésus et Jésus-Christ*, fasc. 11, Paris, 1979, pp. 246 et 270.

2. Ch. PERROT, *op. cit.*, pp. 245 et 270, attribue cette opinion à P. Benoit, A. Feuillet, F. H. Borsch, M. D. Hooker, O. Cullmann.

3. G. VERMES, *Jésus le Juif*, Paris, 1978, pp. 211-251.

4. C'est, d'après Ch. PERROT, *op. cit.*, pp. 245-270, le cas d'E. Schweizer et de J. P. Brown.

tiques[5] ni sur leur interprétation. Pour les uns, Jésus s'est distingué de la figure céleste et eschatologique[6]. Pour d'autres, le Seigneur s'est clairement identifié au Fils de l'homme futur, en insinuant que, par-delà la mort, il est lui-même ce Fils de l'homme glorieux[7]. Enfin, tout en rejetant l'identification entière, certains postulent au moins une corrélation entre Jésus et le Fils de l'homme par lui entrevu et annoncé[8].

* * *

La bibliographie du sujet est abondante. Dans notre étude : *De Mensenzoon-logia in het Markus-evangelie. Avec un résumé, des notes et une bibliographie en français*, parue dans les *Meded. Kon. Acad. Wet., Lett. en Schone Kunsten van België*, t. 85, fasc. 3, Bruxelles, Palais des Académies, 1973, nous en avons dressé un aperçu, de 1900 à 1973, comprenant quelque 220 numéros. Pour compléter ce relevé, voici énumerées diverses contributions, soit omises dans cette liste, soit plus récentes et donc postérieures à 1973.

RIESENFELD, H., *Till betydelsen av verbet arneisthai*, ap. *SEÅ*, 1945, X, 152-164.

RIESENFELD, H., *The Meaning of the Verb arneisthai*, ap. *Coniect. Neotest.*, 11 (Festschrift A. Fridrichsen), Lund-Copenhague, 1947, 207-219.

VIELHAUER, Ph., *Gottesreich und Menschensohn in der Verkündigung Jesu*, ap. *Festschrift G. Dehn*, Neukirchen, 1957, 51-79, et *Aufsätze zum NT (Theol. Bücherei*, 31), Munich, 1965, 55-91.

SCHWEIZER, E., *Der Menschensohn*, ap. *ZNW*, 1959, L, 185-209, et *Neotestamentica*, Zurich, 1963, 56-84.

HIGGINS, A.J.B., *Son of Man-Forschung since the «Teaching of Jesus»*, ap. *New Testament Essays. Studies in Memory of Th.W. Manson*, Manchester, 1959, 119-135.

TÖDT, H.E., *Der Menschensohn in der synoptischen Ueberlieferung*, Gütersloh, 1959.

MARXSEN, W., *Anfangsprobleme der Christologie*, Gütersloh, 1960.

COPPENS, J., *Le Fils de l'homme dans les Apocryphes et dans les Évangiles*, ap. J. COPPENS - L. DEQUEKER, *Le Fils de l'homme et les Saints du Très-Haut en Daniel VII, dans les Apocryphes et dans le Nouveau Testament*, ap. *ALBO*, série III, fasc. 23, Louvain, 1961, 73-101. — Cf. *Le Fils de l'homme daniélique et les relectures de Daniel VII, 13 dans les Apocryphes et les écrits du Nouveau Testament*, ap. *ETL*, 1961, XXXVII, 5-51.

---

5. Dans *Les logia du Fils de l'homme dans l'évangile de Marc*, ap. *L'Évangile selon Marc*, Gembloux, 1974, pp. 488-528, nous avons proposé de retenir comme étant le plus susceptibles d'être agréés comme authentiques *Mc.*, VIII, 38; IX, 12; XIII, 26 et XIV, 62. Cfr *infra*, p. 145, n. 176.

6. C'est la position attribuée à R. Bultmann, G. Bornkamm, H. Braun.

7. Ch. PERROT, *op. cit.*, p. 270, renvoie à A. Vögtle, A.J.B. Higgins, J. Coppens.

8. C'est, toujours selon Ch. PERROT, *op. cit.*, p. 270, le cas de J. Jeremias, H.E. Tödt, C. Colpe.

BLACK, M., *The Son of Man Problem in Recent Research and Debate*, ap. *BJRL*, 1962-1963, XLV, 305-318.

SCHWEIZER, E., *The Son of Man Again*, ap. *NTS*, 1962-1963, IX, 256-261.

HAHN, F., *Christologische Hoheitstitel*, ap. *FRLANT*, t. LXXXIII, Goettingue, 1963.

VIELHAUER, Ph., *Jesus und der Menschensohn. Zur Diskussion mit H.E. Tödt und E. Schweizer*, ap. *ZTK*, 1963, LX, 133-177, et *Aufsätze zum NT (Theol. Bücherei*, t. XXXI), Munich, 1963, 92-140.

GOPPELT, L., *Zum Problem des Menschensohns*, ap. *Mensch und Menschensohn. Festschrift K. Witte*, Hambourg, 1963, 20-32.

HIGGINS, A.J.B., *Jesus and the Son of Man*, Londres, 1964.

FULLER, R.H., *The Foundations of New Testament Christology*, Londres, 1965.

TEEPLE, H.M., *The Origin of the Son of Man Christology*, ap. *JBL*, 1965, LXXXIV, 213-250.

MARSHALL, I.H., *The Synoptic Son of Man Sayings in Recent Discussion*, ap. *NTS*, 1965-1966, XII, 327-351.

FORMESYN, R.E.C., *Was there a Pronominal Connection for the « Bar Nasha » Selfdesignation?*, ap. *NT*, 1966, VIII, 1-35.

HAUFE, G., *Das Menschensohnproblem in der gegenwärtigen wissenschaftlichen Diskussion*, ap. *Ev. Theol.*, 1966, XXVI, 130-141.

PERRIN, N., *The Son of Mans in Ancient Judaism and Primitive Christianity: A Suggestion*, ap. *BR*, 1966, XI, 17-28.

BORSCH, F., *The Son of Man in Myth and History*, Londres, 1967.

HOOKER, M.D., *The Son of Man in Mark. A Study of the Background of the Term « Son of Man » and its Use in St. Mark's Gospel*, Londres, 1967.

JEREMIAS, J., *Die älteste Schicht der Menschensohn-Logien*, ap. *ZNW*, 1967, LVIII, 159-172.

PERRIN, N., *Rediscovering the Teaching of Jesus*, Londres, 1967.

VERMES, G., *The Use of br nš/ br nš' in Jewish Aramaic. Appendix E*, ap. M. BLACK, *An Aramaic Approach to the Gospels and Acts*, 3ᵉ éd., Oxford, 1967, 310-330 = G. VERMES, *Postbiblical Jewish Studies*, Leyde, 1975, 147-165.

CORTÉS, J.B. - GATTI, F.M., *The Son of Man or the Son of Adam*, ap. *Bibl.*, 1968, XLIX, 457-502.

HIGGINS, A.J.B., *The Son of Man Concept and the Historical Jesus*, ap. *StEv*, 5 = *TU*, 1968, CIII, 14-20.

LEIVESTADT, R., *Der apokalyptische Menschensohn ein theologisches Phantom*, ap. *ASTI*, 1968, VI, 49-105.

LINDESKOG, G., *Das Rätsel des Menschensohnes*, ap. *StTh*, 1978, XXII, 149-175.

PERRIN, N., *The Son of Man in the Synoptic Tradition*, ap. *BR*, 1968, XIII, 1-25.

MADDOX, R., *The Function of the Son of Man according to the Synoptic Gospels*, ap. *NTS*, 1968-1969, XV, 45-74.

O'NEILL, J.C., *The Silence of Jesus*, ap. *NTS*, 1968-1969, XV, 153-167.

EDWARDS, R.A., *The Eschatological Correlative as a Gattung in the New Testament*, ap. *ZNW*, 1969, LX, 9-20.

COLPE, C., Ὁ υἱὸς τοῦ ἀνθρώπου, ap. *TWNT*, 1969, VIII, 403-481.

COLPE, C., *Der Begriff « Menschensohn » und die Methode der Erforschung messianischer Prototypen*, ap. *Kairos*, 1969, XI, 241-263; 1970, XII, 81-112; 1971, XIII, 1-17.

HIGGINS, A.J.B., *Is the Son of Man Problem Insoluble?*, ap. *Neotestamentica et Semitica. Festschrift M. Black*, Édimbourg, 1969, 70-87.

HORSTMANN, M., *Studien zur markinischen Christologie*, ap. *NTA*, nouv. sér., VI, Munster, 1969.

LÜHRMANN, D., *Die Redaktion der Logienquelle*, ap. *WMANT*, XXXIII, Neu-kirchen, 1969.

KÜMMEL, W.G., *Die Theologie des Neuen Testaments nach seinen Hauptzeugen. Jesus – Paulus – Johannes*, ap. *Grundrisse z. NT*, Goettingue, 1969.

BARRETT, C.K., *I am not Ashamed of the Gospel*, ap. *Foi et salut selon S. Paul* (*Anal. Bibl.*, XLII), Rome, 1970, 19-50, 22ss.

BORSCH, F.H., *The Christian and Gnostic Son of Man*, ap. *Stud. Bibl. Theol.*, 2ᵉ sér., fasc. 14, Londres, 1970.

MARSHALL, I.H., *The Son of Man in Contemporary Debate*, ap. *EvQ*, 1970, XLII, 67-87.

COLPE, C., *Traditionsüberschreitende Argumentation zu Aussagen Jesu über sich selbst*, ap. *Tradition und Glaube. Festschrift K.G. Kuhn*, Goettingue, 1971, 230-245.

JEREMIAS, J., *Neutestamentliche Theologie. I. Die Verkündigung Jesu*, Gütersloh, 1971.

MICHEL, O., *Der Menschensohn. Die eschatologische Hinweisung. Die apoka-lyptische Aussage. Bemerkungen zum Menschensohn-Verständnis des Neuen Testaments*, ap. *TZ*, 1971, XXVII, 81-104.

MILIK, J.T., *Problèmes de la littérature hénochique à la lumière des fragments araméens de Qumrân*, ap. *HTR*, 1971, LXIV, 353-370.

HOFFMANN, P., *Studien zur Theologie der Logienquelle*, ap. *NTA*, nouv. sér., VIII, Munster, 1972.

LEIVESTADT, R., *Exit the Apocalyptic Son of Man*, ap. *NTS*, 1972, XVIII, 243-267.

MADDOX, R., *Methodenfragen in der Menschensohnforschung*, ap. *EvTh*, 1972, XXXII, 143-160.

MÜLLER, U.B., *Messias und Menschensohn in jüdischen Apokalypsen und in der Offenbarung des Johannes*, ap. *StNT*, VI, Gütersloh, 1972.

NEUGEBAUER, F., *Jesus und der Menschensohn. Ein Beitrag zur Klärung der Wege historischer Wahrheitsfindung im Bereich der Evangelien*, ap. *AzTh*, I, 50, 1972.

SCHULZ, S., *Q. Die Spruchquelle der Evangelisten*, Zurich, 1972.

WALKER, W.O., *The Origin of the Son of Man Concept as Applied to Jesus*, ap. *JBL*, 1972, XCI, 428-490.

MÜLLER, K., *Menschensohn und Messias. Religionsgeschichtliche Vorüberlegungen zum Menschensohnproblem in den synoptischen Evangelien*, ap. *BZ*, 1972, XVI, 159-187; 1973, XVII, 52-66.

HAMERTON-KELLY, R.G., *Pre-existence, Wisdom, and the Son of Man*, ap. *Stud. N.T. Soc. Monogr. Series*, XXI, Cambridge, 1973.

SEITZ, O.J.F., *The Future Coming of the Son of Man: Three Midrashic Formulations in the Gospel of Mark*, ap. *StEv* 6 = *TU*, 1973, CXII, 478-494.

MOULE, C.F.D., *Neglected Features in the Problem of the « Son of Man »*, ap. *Neues Testament und Kirche. Festschrift R. Schnackenburg*, Fribourg-en-Br., 1974, 413-428.

KÜMMEL, W. G., *Das Verhalten Jesu gegenüber und das Verhalten des Menschensohnes. Markus 8,38 par und Lukas 12,8f par Matthäus 10,32f*, ap. *Jesus und der Menschensohn. Festschrift A. Vögtle*, Fribourg-en-Br., 1975, 210-224.

MÜLLER, K., *Der Menschensohn im Danielzyklus*, ap. *Jesus und der Menschensohn. Festschrift A. Vögtle*, Fribourg-en-Br., 1975, 37-79.

WEIMAR, P., *Daniel 7. Eine Textanalyse*, ap. *Jesus und der Menschensohn. Festschrift A. Vögtle*, Fribourg-en-Br., 1975, 11-36.

SCHWEIZER, E., *Menschensohn und eschatologischer Mensch im Frühjudentum*, ap. *Jesus und der Menschensohn. Festschrift A. Vögtle*, Fribourg-en-Br., 1975, 100-116.

THEISOHN, J., *Der auserwählte Richter. Untersuchungen zum traditionsgeschichtlichen Ort der Bilderreden des Aethiopischen Henoch*, ap. *StUNT*, XII, Goettingue, 1975.

COPPENS, J., *Le Fils d'homme dans le Judaïsme de l'époque néotestamentaire*, ap. *OLP*, 1975-1976, VI-VII, 59-73.

ARENS, E., *The HΛΘON-Sayings in the Synoptic Tradition. A Historicocritical Investigation*, ap. *OBO*, X, Fribourg (Suisse), 1976.

CASEY, M., *The Son of Man Problem*, ap. *ZNW*, 1976, LXVII, 147-154.

CASEY, M., *The Use of the Term « Son of Man » in the Similitudes of Henoch*, ap. *JSJ*, 1976, VII, 11-29.

BLACK, M., *The Throne-Theophany Prophetic Commission and the « Son of Man ». A Study in Tradition-History*, ap. *Jews, Greeks and Christians. Festschrift W. D. Davies*, ap. *SJLA*, 1976, XXI, 57-73.

LINDARS, B., *Re-enter the Apocalyptic Son of Man*, ap. *NTS*, 1976, XVIII, 243-267.

BOWKER, J., *The Son of Man*, ap. *JTS*, 1977, XXVIII, 19-48.

BROWN, J. P., *The Son of Man : « This Fellow »*, ap. *Bibl.*, 1977, LVIII, 361-387.

GREENFIELD, J. C. – STONE, M. E., *The Enochic Pentateuch and the Date of the Similitudes*, ap. *HTR*, 1977, LXX, 51-66.

LÉGASSE, S., *Jésus historique et le Fils de l'homme. Aperçu sur les opinions contemporaines*, ap. *Apocalypses et Théologie de l'Espérance*, ap. *Lectio divina*, XCV, Paris, 1977, 271-298.

MÜLLER, M., *Ueber den Ausdruck « Menschensohn » in den Evangelien*, ap. *StTh*, 1977, XXXI, 65-82.

BLACK, M., *Jesus and the Son of Man*, ap. *Journal for the Study of the New Testament*, 1978, I, 4-48.

GRELOT, P., *L'Espérance juive à l'heure de Jésus*, ap. *Jésus et Jésus-Christ*, VI, Paris, 1978.

HOOKER, M. D., *Is the Son of Man Problem Really Insoluble?*, ap. *Text and Interpretation. Festschrift M. Black*, Cambridge, 1978, 155-168.

KEARNS, R., *Vorfragen zur Christologie. I. Morphologische und semasiologische Studie zur Vorgeschichte eines eschatologischen Hoheitstitel*, Tubingue, 1978.

MEARNS, Ch. L., *The Parables of Enoch. Origin and Date*, ap. *ET*, 1978, LXXXIX, 118-119.

PESCH, R., *Ueber die Autorität Jesu. Eine Rückfrage anhand des Bekenner- und Verleugnerspruchs, Lk 12,8f. par*, ap. *Die Kirche des Anfangs. Festschrift H. Schürmann*, Fribourg-en-Br., 1978, 25-55.

TÖDT, I., *Der « Menschensohn » und die Folgen*, ap. *Schöpferische Nachfolge. Festschrift H. E. Tödt*, Heidelberg, 1978, 541-560.

VERMES, G., *The Present State of the « Son of Man » Debate*, ap. *JJS*, 1978, XXIX, 123-134.

WILSON, F. M., *The Son of Man in Jewish Apocalyptic Literature*, ap. *SBTh*, 1978, VIII, 28-52.

FITZMYER, J. A. F., *The New Testament Title « Son of Man »*, ap. J. A. F. FITZ-MYER, *A Wandering Aramean. Collected Aramaic Essays*, ap. *SBLMS*, Missoula, 1979, XXV, 143-160.

KNIBB, A. M., *The Date of the Parables of Enoch : A Critical Review*, ap. *NTS*, 1979, XXV, 345-359.

MEARNS, Ch. L., *Dating the Similitudes of Enoch*, ap. *NTS*, 1979, XXV, 360-369.

SCHMITHALS, W., *Die Worte vom leidenden Menschensohn. Ein Schlüssel zur Lösung des Menschensohn-Problems*, ap. *Theologia Crucis – Signum Crucis. Festschrift E. Dinkler*, Tubingue, 1979, 417-445.

JAZ, M., *Hénoch et le Fils de l'homme*, ap. *La Revue Réformée*, 1979, XXX, 105-109.

KÜMMEL, W. G., *Jesusforschung seit 1965*, V. *Der persönliche Anspruch Jesu. Die Menschensohnfrage*, ap. *TR*, 1980, XLV, 50-84.

*
* *

Plusieurs des contributions citées nous livrent d'excellents aperçus du problème et des solutions y apportées : C'est le cas de A. J. B. Higgins (1959), I. H. Marshall (1965-1966), G. Haufe (1966), I. H. Marshall (1970), S. Légasse (1977), W. G. Kümmel (1980).

Nous inspirant de ces aperçus, en particulier de celui de W. G. Kümmel[9] et de nos propres recherches, nous essayerons à notre tour de dresser un état de la question et d'esquisser les voies susceptibles de conduire à une solution. Nous nous efforcerons de dégager en la matière les tendances dominantes et de préciser vers quelle solution, — dans la mesure où celle-ci s'avère possible[10], — les recherches les plus récentes s'orientent.

*
* *

Deux enquêtes préalables conditionnent en partie la solution du problème. La première d'ordre linguistique concerne la diffusion et la signification de l'expression araméenne correspondante, *bar nāšā'*, à l'époque et dans le milieu de Jésus et du Christianisme naissant. La deuxième tourne autour de la question de savoir dans quelle mesure était répandue, dans la même période et dans les mêmes

---

9. W. G. KÜMMEL, *Jesusforschung seit 1965. Die Menschensohnfrage*, ap. *TR*, 1980, t. XLV, pp. 50-84.

10. Aussi bien A. J. B. HIGGINS, *Is the Son of Man Problem Insoluble?*, ap. *Neotestamentica et Semitica. Festschrift M. Black*, Édimbourg, 1969, pp. 80-87 que M. D. HOOKER, *Is the Son of Man Problem Really Insoluble?*, ap. *Text and Interpretation. Festschrift M. Black*, Cambridge, 1978, pp. 155-168, posent le problème.

milieux, la notion et l'attente d'une figure sotériologique, eschatologique, céleste, intitulée « Fils d'homme ». En l'occurrence, les discussions se concentrent surtout autour de la date du *Livre des Paraboles*, un des recueils conservés dans l'*Hénoch éthiopien*.

Sur le plan linguistique, il y a lieu de nous arrêter d'abord à l'enquête de R. KEARNS : *Vorfragen zur Christologie. I. Morphologische und semasiologische Studie zur Vorgeschichte eines eschatologischen Hoheitstitels*[11]. L'auteur s'enquiert des origines et de la signification de l'expression araméenne *bar nāš*, « fils d'homme ». Il distingue une tradition araméenne orientale et occidentale. Dans cette dernière, l'expression dériverait aux origines d'un terme hourrite : *bnš*. Reprise dans la langue ougaritique, elle y aurait évolué par dissimilation en *brnš*, et, de là, elle aurait passé dans l'araméen occidental pour y désigner, avec des nuances il est vrai fort diverses, le concept de vassalité. Des spécialistes de la linguistique sémitique doutent du bien-fondé des spéculations de R. Kearns[12]. Ils observent d'ailleurs que dans les textes judéo-araméens allégués, *br nš* se traduit aussi bien « homme », et qu'en toute hypothèse, l'araméen oriental avait déjà fourni à l'araméen juif le vocable *br nš* au sens d'« homme » tout court.

Alors que Kearns a voulu éclairer l'usage judéo-araméen de *br nš* à la lumière de ce qu'il estimait les origines du vocable, G. VERMES[13] et J. A. FITZMYER[14] ont abordé l'analyse de l'expression directement en fonction de son usage à l'époque du Christianisme naissant. Ils ont abouti à des conclusions divergentes. Selon Vermes, il est sûr que *br nš // br nš'* ne figure pas comme titre messianique dans l'araméen juif. Il y remplace dans le discours le pronom de la première personne. Pour ces deux raisons, l'interprétation des textes néotestamentaires où le Fils de l'homme intervient, serait à revoir. J. A. Fitzmyer concède à Vermes l'absence d'un usage de « fils d'homme » comme titre messianique dans les textes araméens, mais il conteste que l'expression apparaît dans la documentation araméenne du premier siècle comme substitut du pronom de la première personne[15].

11. Tubingue, 1978.

12. Cf. l'avis du professeur de Marbourg W. W. MÜLLER rapporté dans *TR*, 1980, t. XLV, p. 62.

13. G. VERMES, *The Use of br nš / br nš' in Jewish Aramaic. Appendix E*, ap. M. BLACK, *An Aramaic Approach to the Gospels and Acts*, 3ᵉ éd., Oxford, 1967, pp. 310-330. — *Postbiblical Jewish Studies*, Leyde, 1975, pp. 147-165. — *The Present State of the « Son of Man » Debate*, ap. *JJS*, 1978, t. XXIX, pp. 123-34.

14. J. A. FITZMYER, *The New Testament Title « Son of Man » Philological Considered*, ap. *A Wandering Aramean. Collected Aramaic Essays* (*SBLMS*, t. XXV), Missoula, 1979, pp. 143-160.

15. Il y aurait tout au plus une seule indication toute indirecte à l'appui de cet usage : cf. J. COPPENS, *Le dossier non biblique de l'expression br 'nš*, dans *ETL*, 1980, t. LVI, pp. 122-124.

Bien plus large et varié est l'éventail des opinions touchant le prétendu témoignage du *Livre des Paraboles* sur la présence de Fils d'homme dans le milieu contemporain de Jésus et sur la valeur de titre qu'il importerait d'accorder à l'expression. La divergence de vues s'est notablement accrue depuis l'intervention de J.T. Milik dans le débat[16]. Le savant interprète des documents qumrâniens qualifia le *Livre de Paraboles* de composition chrétienne à dater des alentours de 270 de notre ère. Cette hypothèse nouvelle n'a pas recueilli jusqu'à présent beaucoup d'adhésions. Elle n'est pas suivie par K. Müller, U.B. Müller, J. Theisohn[17]. Elle est contestée par J.C. Greenfield et M.E. Stone[18]. Nous même avons émis des doutes et réserves dans un article des *Mélanges Joseph Vergote*[19]. Il n'en reste pas moins que les vues sur la date du *Livre des Paraboles* sont devenues à l'heure actuelle fort flottantes. Nous avons jadis défendu l'origine juive préchrétienne[20], et cette manière de voir est partagée par K. Müller, U.B. Müller, J. Theisohn[21]. En revanche, C.F.D. Moule n'est pas partisan d'une origine ancienne du recueil[22]. B. Lindars songe pour la datation au début de l'ère chrétienne[23]. R. Leivestadt propose le premier siècle de notre ère, mais postule néanmoins une origine juive du document[24]. Pour Ch.L. Mearns, le Fils d'homme du *Livre des Paraboles* traduit une conception répandue dans certains milieux juifs antérieurs à l'ère chrétienne, mais le document lui-même pourrait être une œuvre judéo-chrétienne à dater vers 40 après Jésus-

---

16. J.T. Milik, *Problèmes de la littérature hénochique à la lumière des fragments araméens de Qumrân*, ap. *HTR*, 1971, t. LXIV, pp. 333-378. — *The Books of Enoch. Aramaic Fragments of Qumrân Cave 4*, Oxford, 1976, p. 89 et suiv. — Signalons que M.A. Knibb vient de publier une nouvelle édition de l'Hénoch éthiopien : M.A. Knibb – E. Ullendorf, *The Ethiopic Book of Enoch. A New Edition in the Light of the Aramaic Dead Sea Fragments*, Oxford, 1978.

17. Cf. *supra*, la bibliographie, pp. 4, 5.

18. J.C. Greenfield – M.E. Stone, *The Enochic Pentateuch and the Date of the Similitudes*, ap. *HTR*, 1977, t. LXX, pp. 51-66.

19. J. Coppens, *Le Fils de l'homme dans le Judaïsme de l'époque néotestamentaire*, ap. *Orientalia Periodica Lovaniensia*, 1975-1976, t. VI-VII, pp. 59-73. — L'hypothèse Milik a été également critiquée par M.A. Knibb, *The Date of the Parables of Enoch. A Critical Review*, ap. *NTS*, 1979, t. XXV, pp. 345-359.

20. J. Coppens, *art. cit.*, *supra*, note 19.

21. Cf. *supra*, la bibliographie, pp. 4, 5.

22. C.F.D. Moule, *Neglected Features in the Problem of the « Son of Man »*, ap. *Neues Testament und Kirche. Festschrift R. Schnackenburg*, Fribourg-en-Br., 1974, pp. 413-428.

23. B. Lindars, *Re-enter the Apocalyptic Son of Man*, ap. *NTS*, 1976, t. XXII, pp. 52-72.

24. R. Leivestadt, *Der apokalyptische Menschensohn ein theologisches Phantom*, ap. *ASTI*, 1968, t. VI, pp. 49-105; — *Exit the Apocalyptic Son of Man*, ap. *NTS*, 1972, t. XVIII, pp. 242-267.

Christ[25]. Aussi nouvelle que singulière est l'opinion de Michel Jaz[26] suggérant de voir dans les *Paraboles* une œuvre juive préoccupée de combattre les traditions évangéliques qui ont revendiqué pour Jésus le titre et la fonction du Fils d'homme daniélique. P. Grelot voit dans le Christianisme le catalyseur qui a influencé la rédaction définitive des *Paraboles*[27]. Enfin, dans son article de 1976 M. Casey défend l'origine juive et préchrétienne de l'apocryphe tandis qu'E. Schweizer, tout en maintenant son attribution aux milieux juifs, suggère en 1975 de le situer vers 150 de l'ère chrétienne.

Non seulement la date du *Livre des Paraboles* mais également le caractère de «titre» de l'expression Fils d'homme y attestée fait l'objet des controverses. M. Müller[28] et surtout R. Leivestadt[29] contestent qu'il puisse s'agir d'une vraie titulature[30]. En tout cas, aussi bien M. D. Hooker[31] que C. F. D. Moule[32] affirment que Jésus s'est référé directement à *Dan.*, VII, 13 sans recourir au *Livre des Paraboles*, quand il a fait appel à la figure du Fils d'homme pour illustrer sa mission.

Observons que pour un certain nombre d'exégètes, le problème de savoir si le Judaïsme néotestamentaire atteste la croyance en la figure

---

25. Ch. L. MEARNS, *The Parables of Enoch. Origin and Date*, ap. *ET*, 1978, t. LXXXIX, pp. 118-119.

26. *Hénoch et le Fils de l'homme*, ap. *La Revue réformée*, 1979, t. XXX, pp. 105-119. — Pour M. Black le caractère juif du *Livre des Paraboles* n'est guère douteux : *The Throne-Theophany Prophetic Commission and the Son of Man. A Study in Tradition-History*, ap. *Jews, Greeks and Christians. Festschrift W. D. Davies*, 1976, *SJLA*, t. XXI, pp. 57-73.

27. P. GRELOT, *L'espérance juive à l'heure de Jésus*, ap. *Jésus et Jésus-Christ*, t. VI, Paris, 1968.

28. M. MÜLLER, *Ueber den Ausdruck « Menschensohn » in den Evangelien*, ap. *StTh*, 1977, t. XXXI, pp. 65-82.

29. Cf. *supra*, note 24.

30. Pour J. A. FITZMYER (cité ap. *TR*, 1980, t. XLV, p. 61), l'expression «Fils d'homme» ne figure pas dans des textes araméens antérieurs aux écrits du Nouveau Testament comme titre d'une figure sotériologique ou apocalyptique. Comme par ailleurs, selon le même auteur, l'expression n'y est pas présente comme substitut de la première personne, sa valeur de titre bien attestée dans les évangiles ne peut dériver d'une version et d'une interprétation de *bar nāšā'*. Dès lors il s'agit dans ὁ υἱὸς. τοῦ ἀνθρώπου d'une création chrétienne où l'emploi de deux déterminations fait problème. La question de savoir si la création remonte à Jésus lui-même reste ouverte.

Le τοῦ ἀνθρώπου pose-t-il encore de problème si, comme G. Vermes l'affirme, *bar nāš* et la forme définie *bar nāsā'* s'équivalent? Quant à l'article initial, il renverrait au *bar nāšā'* bien circonscrit de *Dan.*, VII, 13.

31. M. D. HOOKER, *The Son of Man in Mark. A Study of the Background of the Term « Son of Man» and its Use in St. Mark's Gospel*, Londres, 1967. — *Is the Son of Man Problem Really Insoluble*, ap. *Text and Interpretation. Festschrift M. Black*, Cambridge, 1978, pp. 155-166.

32. C. F. D. MOULE, cf. *supra*, note 22.

d'un Fils d'homme céleste et eschatologique n'a guère d'importance, vu qu'à leurs yeux, le Fils de l'homme des Évangiles ne relève pas d'une telle représentation. Pour J. M. Ford par exemple, l'expression n'est qu'un euphémisme pour « fils de Dieu »[33]. A suivre J. B. Cortés et F. M. Gatti[34], le terme *anthropos* viserait Adam, « l'homme par excellence », et l'expression grecque, susceptible de dériver de Jésus lui-même, désignerait le Sauveur comme le nouvel homme par excellence, celui qui est tout à fait homme mais d'une manière unique, comprenant en quelque sorte en sa personne tous les hommes. Se ralliant aux conclusions de G. Vermes[35] sur le sens générique de *bar naša'* dans l'araméen contemporain du Christianisme naissant mais les depassant, J. Bowker[36] estime que le Judaïsme de cette époque inclinait à se servir de l'expression pour désigner l'homme en contraste avec Dieu, et, à ce titre, né pour mourir. A cette vue très particulière de Bowker, M. Black s'est rallié en 1978[37], sans toutefois rendre l'hypothèse plus vraisemblable. Mentionnons enfin, pour compléter le tableau, l'opinion de deux auteurs qui tendent à supprimer tout problème dans l'usage de « Fils de l'homme ». Le premier, J. P. Brown[38], estime que l'expression dérive de la manière dont les adversaires de Jésus le désignaient : « cet homme-là ». Le Sauveur aurait adopté pour se désigner cette façon ironique de parler de lui, et ce fut la communauté chrétienne primitive qui donna à l'expression sa portée théologique. Le second, M. Müller[39], croit que la tradition évangélique tend à employer l'expression tout simplement pour accentuer le pronom personnel. Cette opinion rejoint en partie celle de P. M. Casey[40]. *Bar 'enaš*, estime ce dernier, pouvait être employé chaque fois qu'on entendait signifier une donnée se rapportant à sa propre personne.

Ces divers essais pour minimiser la portée de l'expression n'ont guère obtenu la faveur des exégètes. La plupart d'entre eux continuent justement à attribuer à « Fils de l'homme » la portée d'un vrai titre. La question surgit alors de savoir dans quelle mesure cette

---

33. J. M. FORD, « *The Son of Man* » — *a Euphemism?*, ap. *JBL*, 1968, t. LXXXVII, pp. 257-266.

34. J. B. CORTÉS – F. M. GATTI, *The Son of Man or the Son of Adam*, ap. *Bibl.*, 1968, t. XLIX, pp. 457-502.

35. Cf. G. VERMES, *supra*, note 13.

36. J. BOWKER, *The Son of Man*, ap. *JTS*, 1977, t. XXVIII, pp. 19-48.

37. M. BLACK, *Jesus and the Son of Man*, ap. *Journ. for the Study of the New Testament*, 1978, t. I, pp. 4-18.

38. J. P. BROWN, *The Son of Man : « This Fellow »*, ap. *Bibl.*, 1977, t. LVIII, pp. 361-387.

39. Cf. *supra*, note 28.

40. M. CASEY, *The Son of Man Problem*, ap. *ZNW*, 1976, t. LXVII, pp. 147-154. — *The Use of the Term « Son of Man » in the Similitudes of Enoch*, ap. *JSJ*, 1976, t. VII, pp. 11-29.

façon de le comprendre remonte à Jésus, à ses *ipsissima verba* ou, du moins, à sa *vox ipsissima*[41].

N. Perrin y répond d'une façon négative radicale. Selon lui, aucun logion du Fils de l'homme ne remonterait à une parole authentique du Sauveur[42]. Peu d'auteurs sont prêts à se rallier à une manière de voir aussi extrémiste. C'est pourtant le cas de R. A. Edwards[43]. On peut en rapprocher également les vues de H. M. Teeple[44] et de J. C. O'Neill[45]. D'après ce dernier, le silence de Jésus fut radical touchant son messianisme. Si le Sauveur fit parfois appel à l'expression « Fils de l'homme », c'était dans des circonstances solennelles pour la préférer au pronom de la pemière personne.

Dans une contribution à la *Festschrift E. Dinkler*, W. Schmithals développa une prise de position fort personnelle[46]. Jésus, estime-t-il, a parlé du Fils de l'homme tout en se distinguant de ce personnage. Seuls des disciples galiléens du Sauveur auraient conservé de cet enseignement le souvenir fidèle. Par contre, les données actuelles des Évangiles n'exprimeraient qu'une relecture théologique de logia authentiques aujourd'hui perdus.

Divers auteurs entreprennent de se replier sur des positions moins radicales. C'est notamment le cas de H. E. Tödt dont l'ouvrage *Der Menschensohn in der synoptischen Tradition*[47] retint beaucoup l'attention. Reprenant la distinction des logia du Fils de l'homme en trois catégories concernant respectivement l'activité terrestre de Jésus, la prédiction de sa mort et de sa résurrection, l'annonce de son retour glorieux ou parousie, Tödt n'accepte que la dernière classe de paroles comme susceptibles de pouvoir remonter jusqu'à Jésus. Il ajoute toutefois que le Sauveur s'est distingué du personnage eschatologique.

41. La distinction entre l'*ipsissima vox* et l'*ipsissimum verbum* de Jésus a été proposée par E. ARENS, *The êlton-Sayings in the Synoptic Tradition. A Historicocritical Investigation*, ap. *OBO*, t. X, Fribourg (Suisse), 1976. Dans *TR*, 1980, t. XLV, pp. 49-50, W. G. KÜMMEL n'est guère porté à la reprendre pour son compte.

42. N. PERRIN, *The Son of Man in Ancient Judaism and Primitive Christianity. A Suggestion*, ap. *BR*, 1966, t. XI, pp. 17-28. — *The Son of Man in the Synoptic Tradition*, ap. *BR*, 1968, t. XIII, pp. 1-25.

43. R. A. EDWARDS, *The Eschatological Correlative as a Gattung in the New Testament*, ap. *ZNW*, 1969, t. LX, pp. 9-20.

44. H. M. TEEPLE, *The Origin of the Son of Man Christology*, ap. *JBL*, 1965, t. LXXXIV, pp. 213-250.

45. J. C. O'NEILL, *The Silence of Jesus*, ap. *NTS*, 1968-1969, t. XV, pp. 153-167.

46. W. SCHMITHALS, *Die Worte vom leidenden Menschensohn. Ein Schlüssel zur Lösung des Menschensohn-Problems*, ap. *Theologia Crucis – Signum Crucis. Festschrift E. Dinkler*, Tubingue, 1979, pp. 417-445.

47. Gütersloh, 1954.

On découvre l'influence de Tödt par exemple dans l'écrit d'A. J.B. Higgins[48] et dans l'article de R. E. C. Formesyn[49].

D'autres réactions au scepticisme minimalisant les logia susceptibles de dériver du Sauveur ne tardèrent pas à se manifester. En 1965, R. H. Fuller[50] déclara que «Fils de l'homme» était le seul titre auquel Jésus semble avoir eu recours. Le Sauveur se serait rapproché lui-même du Fils de l'homme eschatologique aussi étroitement que cela était possible dans le cadre de l'apocalyptique juive[51]. En 1967, F. Borsch conclut lui aussi que «Fils de l'homme» fut par excellence le titre employé par Jésus. La plupart des passages des évangiles synoptiques lui parurent authentiques. Toutefois à son avis, le Sauveur ne précisa pas adéquatement le rapport qui l'unit au Fils de l'homme. Quant au contenu recouvert par l'expression, Borsch rassembla un matériel comparatif important, en négligeant toutefois de le soumettre à un tri critique, tout comme il omit de pousser bien loin l'analyse critique des textes évangéliques. W. G. Kümmel lui reconnaît le mérite d'avoir souligné, à l'encontre de la thèse de J. Jeremias, que la mention du Fils de l'homme dans un passage évangélique où le parallèle ne la possède pas, n'est pas un indice du caractère secondaire[52].

En la même année 1967 parut un second ouvrage en réaction contre l'extrémisme critique, à savoir la monographie de M. D. Hooker sur le Fils de l'homme en l'évangile de Marc[53]. A suivre les conclusions de Hooker, les trois classes de logia sur le Fils de l'homme sont à retenir. Jésus se serait référé directement à Daniel ; il aurait associé à la conception du Fils de l'homme, moyennant la notion de *corporate personality*, celle d'Israël, et il se serait abstenu de toute allusion à une figure eschatologique. Ces conclusions vaudraient en premier lieu pour Marc, mais les passages des autres évangiles n'y contrediraient pas. Kümmel[54] n'apprécie guère la synthèse de Hooker. Il lui reproche notamment un manque de sens critique, aussi bien dans l'analyse des textes néotestamentaires que dans le recours au concept de *corporate personality* pour rendre compte de l'emploi de l'expression «Fils de l'homme» par Jésus.

Le manque de sens critique ne peut pas valoir pour une dernière série de travaux qu'il nous reste à présenter.

48. A. J. B. HIGGINS, *Jesus and the Son of Man*, Londres, 1964.

49. R. E. C. FORMESYN, *Was there a Pronominal Connection for the « Bar Nasha » Selfdesignation?*, ap. *NT*, 1966, t. VIII, pp. 1-35.

50. R. H. FULLER, *The Foundations of New Testament Christology*, Londres, 1965.

51. *TR*, 1980, t. XLV, p. 43.

52. *TR*, 1980, t. XLV, p. 56; cf. p. 74.

53. M. D. HOOKER, *The Son of Man in Mark. A Study on the Background of the Term « Son of Man » and its Use in St. Mark's Gospel*, Londres, 1967.

54. *TR*, 1980, t. XLV, pp. 79-81.

Deux logia : *Mc.*, VIII, 38 par. *Lc.*, IX, 26 et *Lc.*, XII, 8-9 par. *Mt.*, X, 32-33 ont fait l'objet d'enquêtes de la part de G. Lindeskog[55], J. M. McDermott[56] et R. Pesch[57]. Selon Lindeskog, c'est le reproche d'avoir rougi de Jésus qui conserve la forme la plus authentique du logion. Jésus n'aurait pas résolu pour ses auditeurs le problème de l'éventuelle identité de sa personne avec le Fils de l'homme. Pesch estime, lui aussi, que le Sauveur laissa à ceux qui l'écoutaient le soin et la possibilité de résoudre l'énigme. A ses yeux, la forme la plus ancienne du logion est plutôt celle de la *Quelle*, et primitivement cette parole aurait été introduite par un ἀμὴν λέγω ὑμῖν : ce que Kümmel conteste[58].

Ce n'est plus à quelques passages seulement que J. Jeremias[59] et C. Colpe[60] se sont arrêtés. Ils esquissent une solution globale du problème.

Dans l'article de 1969, dont le contenu est repris en gros dans sa théologie du Nouveau Testament, J. Jeremias conclut que le noyau le plus ancien des logia sur le Fils de l'homme comprend ceux qui envisagent sa venue eschatologique.

L'article de C. Colpe dépasse de loin celui de Jeremias. A tout considérer, il représente l'apport le plus important aux controverses récentes sur la présence du Fils de l'homme dans la prédication de Jésus. Quel que soit le jugement à porter sur l'authenticité des passages des évangiles synoptiques où la figure énigmatique apparaît, ces textes constituent à tout le moins selon Colpe, à côté du livre de Daniel, du Livre des Paraboles et du IVe Livre d'Esdras, la preuve de l'existence d'une tradition juive sur le Fils de l'homme répandue à l'époque de Jésus et du Christianisme naissant.

Colpe distingue, parmi les passages des évangiles quelques-uns où la mention du Fils de l'homme résulte de la relecture inexacte d'une simple référence par Jésus à « l'homme » en général, et d'autres où la mention vise incontestablement le Fils d'homme comme figure sotériologique de l'avenir. Parmi les premiers, il y aurait lieu de ranger *Mc.*, II, 10 par. *Mt.*, IX, 6; *Lc.*, V, 24; — *Mt.*, VIII, 20 par. *Lc.*, IX, 58;

---

55. G. LINDESKOG, *Das Rätsel des Menschensohnes*, ap. *StTh*, 1968, t. XXII, pp. 149-175.

56. J. M. McDERMOTT, *Luke XII, 8-9 : Stone of Scandal*, ap. *RB*, 1977, t. LXXXIV, pp. 523-537.

57. R. PESCH, *Ueber die Autorität Jesu. Eine Rückfrage anhand des Bekenner- und Verleugnerspruch Lk 12,8f. par.*, ap. *Die Kirche des Anfangs. Festschrift H. Schürmann*, Fribourg-en-Br., 1978, pp. 25-55.

58. *TR*, 1980, t. XLV, p. 46, note 6.

59. J. JEREMIAS, *Die älteste Schicht der Menschensohn-Logien*, ap. *ZNW*, 1967, t. LVIII, pp. 159-172.

60. C. COLPE, Ὁ υἱὸς τοῦ ἀνθρώπου, ap. *TWNT*, 1969, t. VIII, pp. 403-481. — *Der Begriff « Menschensohn » und die Methode der Erforschung messianischer Prototypen*, ap. *Kairos*, 1969, t. XI, pp. 241-263; 1970, t. XII, pp. 81-112; 1971, t. XIII, pp. 1-17.

— *Mt.*, XI, 19 par. *Lc.*, VII, 34; parmi les seconds, Colpe range huit paroles sur la venue du Fils de l'homme. Ils forment selon lui une image apocalyptique bien circonscrite de ce personnage, et ils résistent à toute analyse qui mettrait en doute leur authenticité.

Il n'est pas facile de dégager de l'article de C. Colpe les huit paroles jugées authentiques qu'il sélectionne. Il s'agit, semble-t-il, des passages suivants : un logion de la triple tradition, *Mc.*, XIV, 62 par. *Mt.*, XXVI, 64; *Lc.*, XXII, 69 sous sa forme lucanienne; cinq logia lucaniens, *Lc.*, XVII, 24 par. *Mt.*, XXIV, 27; *Lc.*, XVII, 26 par. *Mt.*, XXIV, 37; *Lc.*, XVII, 30; *Lc.*, XVIII, 8; *Lc.*, XXI, 36; et, si nous comprenons bien l'exposé de Colpe, deux logia matthéens, *Mt.*, X, 23 et XXIV, 30a. Il n'en résulterait pas que Jésus s'est clairement identifié avec le Fils de l'homme de l'avenir eschatologique, mais il en ressort pour le moins qu'il a utilisé le recours au personnage comme symbole de sa certitude d'amener la plénitude des temps, comme «Symbol der Vollendungsgewissheit»[61].

Quant à W.G. Kümmel, il a exposé ses vues dans un article de la *Festschrift Anton Vögtle*[62], où il reprend et précise sa pensée. Il n'est pas douteux, estime-t-il, que toute enquête historique doit débuter par l'étude des deux logia où le Sauveur paraît se distinguer du personnage visé par l'expression, à savoir, dans la triple tradition, *Mc.*, VIII, 38, par. *Mt.*, XVI, 27; *Lc.*, IX, 26, et, dans la *Quelle*, *Mt.*, X, 32-33, par. *Lc.*, XII, 8-9.

Examinant le logion de la triple tradition où seul Luc présente un parallélisme adéquat, Kümmel conclut à la priorité du texte marcien. Il l'estime peu altéré par des traits rédactionnels propres à Marc. De ce point de vue, seuls les mots «et mes paroles» (cf. *Mc.*, X, 29; XIII, 31) se présentent comme une addition due au rédacteur de l'évangile[63]. Kümmel ajoute que la parole apparaît comme un logion isolé, un *Einzellogion*, qu'au regard de la *Traditionskritik* il importe de l'expliquer indépendamment du contexte marcien actuel[64].

Abordant le logion de la *Quelle* : *Mt.*, X, 32-33; *Lc.*, XII, 8-9, Kümmel découvre comme éléments rédactionnels matthéens ou luca-

61. *TR*, 1980, t. XLV, p. 76, note 43, avec renvoi à C. COLPE, *TWNT*, 1969, t. VIII, pp. 406-407, 422, 431-433, 435, 440, 443 et *Kairos*, 1971, t. XIII, p. 16.

62. W.G. KÜMMEL, *Das Verhalten Jesu gegenüber und das Verhalten des Menschensohnes*, ap. *Jesus und der Menschensohn. Festschrift A. Vögtle*, Fribourg-en-Br., 1975, pp. 210-224. L'article a été repris dans W.G. KÜMMEL, *Heilsgeschehen und Geschichte*, t. II, ap. *MThSt*, t. XVI, 1978, pp. 201-214. Voir aussi du même auteur la théologie du Nouveau Testament, 3e éd., 1976, pp. 68 et suiv.

63. *Ibid.*, p. 213. — Cf. B.H. STREETER, *The Four Gospels. A Study of Origins Treating of the Manuscript Tradition, Sources, Authorship, and Dates*, Londres, 1924, p. 521, qui signale la tendance de Marc, de la Quelle et de Matthieu à rendre plus emphatique et conventionnelle l'enseignement eschatologique du Sauveur.

64. W.G. KÜMMEL, *art. cit.*, p. 213.

niens : en *Mt.*, X, 32 et 33 «mon Père qui est dans les cieux» (cf. *Mt.*, VII, 21; XII, 50; XV, 30; XVIII, 35) et en *Lc.*, XII, 9, la suppression du titre «Fils de l'homme» et l'introduction d'une forme verbale passive[65]. Il en déduit le substrat originel suivant : «Celui qui se déclare pour moi devant les hommes, pour celui-là le Fils de l'homme se déclarera devant les anges de Dieu. Qui me renie devant les hommes, le Fils d'homme le reniera devant les anges de Dieu»[66].

Kümmel se demande ensuite lequel des deux logia : celui de Marc ou celui de Q a le plus de chance d'être le plus ancien. Il accorde pour une large part la priorité à la version marcienne. Il y soupçonne comme données primitives la mention «cette génération adultère et pécheresse»[67] à la place de la simple référence aux «hommes» (Matthieu et Luc), la présence du verbe ἐπαισχύνεσθαι qu'il ne faut pas interpréter, à la suite de E. Käsemann, comme un vocable «grécisant»[68], ainsi que le renvoi à la parousie[69] : «quand il viendra dans la gloire de son Père avec les saints anges», où seuls les vocables «de son Père» représentent un ajout[70]. En revanche, Marc a tort d'avoir omis la version positive du logion[71], mais il n'est pas exclu que dans cette forme les vocables ὁμολογεῖν et ἀρνεῖσθαι soient secondaires[72]. Bref, par rapport au logion de la *Quelle*, celui de *Mc.*, VIII, 38 apparaît plus ancien[73]. Kümmel le reconstruit en ces termes : «Qui rougit de moi en cette génération adultère et pécheresse, le Fils de l'homme en rougira quand il viendra (en gloire?) avec les saints anges»[74]. Le logion positif complémentaire, ajoute-t-il[75], doit être conçu de façon analogue. En tenant compte de la version déjà proposée aux pages 215-216 et de l'éventuelle priorité de l'expression «génération adultère et pécheresse», on sera tenté de lire : «Celui qui se déclare pour moi devant cette génération adultère et pécheresse, pour celui-là le Fils de l'homme se déclarera devant les anges de Dieu. Qui me renie devant cette génération adultère et pécheresse, le Fils de l'homme le reniera devant les anges de Dieu».

Ainsi restitué sous sa forme censément la plus primitive, le logion implique d'abord que le Sauveur a proclamé l'adhésion à sa personne

---

65. *Ibid.*, pp. 213-216.
66. *Ibid.*, pp. 215-216, avec renvoi à F. H. BORSCH, *The Christian and Gnostic Son of Man*, p. 18.
67. *Ibid.*, p. 216. L'expression ne relève pas de la rédaction marcienne et elle diffère de *Mt.*, XII, 39 et *Lc.*, XI, 29.
68. *Ibid.*, p. 217.
69. *Ibid.*, pp. 218-219.
70. *Ibid.*, p. 219.
71. *Ibid.*, pp. 216 et 219.
72. *Ibid.*, p. 218.
73. *Ibid.*, p. 219, note 43 contre S. Schulz et p. 212, note 13 contre F. H. Borsch.
74. *Ibid.*, p. 219.
75. *Ibid.*, p. 219.

comme norme appelée à intervenir au jugement eschatologique, puis qu'il se référa à cette norme dans un cadre où le Fils de l'homme figurait. Dès lors, pour que l'on puisse plaider pour l'historicité du logion, c'est-à-dire pour la possibilité qu'il remonte jusqu'à Jésus, il convient selon Kümmel qu'on soit à même d'établir suffisamment que ces deux implications ne sont pas étrangères à ce que nous savons par ailleurs de Jésus, en d'autres termes qu'elles se situent dans ce que l'on estime pouvoir revendiquer le cadre authentique de sa vie et de son message.

Pour notre auteur, il n'est pas trop malaisé de montrer que Jésus a de fait réclamé l'adhésion à sa personne comme un élément décisif dont le jugement eschatologique tiendrait compte. A cet effet, il croit pouvoir renvoyer à quelques textes suffisamment probants[76]. D'après *Mt.*, XII, 28 par. *Lc.*, XI, 20; *Mt.*, XIII, 16-17 par. *Lc.*, X, 23-24, les paroles et l'action de Jésus ont anticipé la venue et la présence de la souveraineté divine[77]. Quiconque vient à Jésus, écoute et accomplit ses paroles, s'édifie une maison solide, bâti sur le roc (*Lc.*, VI, 47-48). Le petit troupeau qui s'est rassemblé autour du Seigneur, obtiendra le Royaume (*Lc.*, XII, 32). En revanche, pour ceux qui n'acceptent pas son message, Jésus devient une occasion de chute (*Mt.*, XI, 6 par. *Lc.*, VII, 23). Bref, Jésus ne s'est pas contenté de présenter l'ère nouvelle inaugurée par ses paroles et par ses actions comme l'irruption de l'avenir eschatologique; il a en même temps proclamé la prise de position envers sa personne comme conditionnant essentiellement l'acquisition ou la perte du salut des derniers temps[78].

Ainsi que Kümmel le reconnaît pleinement, il est beaucoup plus malaisé de trouver des textes où, dans le cadre de l'avenir eschato-logique, Jésus s'identifie avec le Fils de l'homme. Kümmel retient en l'occurrence trois textes: *Mc.*, VIII, 38 par., *Mt.*, XIX, 28 et *Mc.*, XIV, 62 par.[79]. Mais l'attribution de *Mt.*, XIX, 28 est très contestée[80], et même, sans doute à tort selon Kümmel, le logion de *Mc.*, XIV, 62 par. a été fortement soumis à la critique[81]. En toute hypothèse, il reste, ainsi que A. Vögtle le reconnaît[82], le logion de *Lc.*, XII, 8-9 par. comme appui sûr pour établir que Jésus a eu recours à un titre, à savoir celui de Fils de l'homme, pour exprimer le mystère de sa mission.

Y a-t-il moyen d'utiliser, au-delà de *Lc.*, XII, 8-9 par., d'autres logia

---

76. *Ibid.*, p. 223.
77. *Ibid.*, p. 283.
78. *Ibid.*, p. 223.
79. *Ibid.*, p. 223.
80. *Ibid.*, p. 222.
81. *Ibid.*, p. 223.
82. *Grundlagen zweier neuen Jesusbücher*, ap. *TR*, 1958, t. LIV, p. 104.

du Fils de l'homme attribués au Seigneur pour les situer dans un essai critique de se représenter son message et sa carrière? Nous avons entrepris de le faire dans deux études consacrées à la présence du Fils de l'homme dans l'évangile de Marc[83].

Faisant appel aux critères les plus reçus et le mieux établis pour découvrir les logia susceptibles de remonter à Jésus[84], nous estimons pouvoir retenir comme paroles du Seigneur quatre logia où il serait servi de l'expression «Fils de l'homme», à savoir *Mc.*, VIII, 38 par. *Lc.*, IX, 26[85], *Mc.*, XIII, 26[86], *Mc.*, XIV, 62[87], *Mc.*, IX, 12[88]. Il s'agit d'une parole relative au jugement eschatologique, puis de deux logia touchant la parousie et d'un quatrième visant la passion. En revanche, *Mc.*, II, 10 et II, 28, nous ont paru comme le fruit d'une relecture rédactionnelle complétant une tradition plus primitive[89], ou comme un ajout dû à une relecture christologique[90]. Au reste, en *Mc.*, II, 10 et 28, «Fils de l'homme» se présente comme un vrai titre christologique: indice complémentaire d'une addition rédactionnelle. «A retenir les quatre logia, il ressort, — telle du moins était notre conclusion, — que Jésus partagea la conviction de ceux qui interprétaient le Fils de l'homme daniélique comme une figure eschatologique susceptible d'être pour le moins rapprochée de celle du Messie. L'association du Fils de l'homme à l'attente messianique permit au Seigneur de donner à celle-ci une portée transcendante, céleste, spirituelle, et de substituer aux espérances terrestres et nationalistes de ses contemporains juifs, l'espoir en la venue du règne de Dieu. Elle lui permit aussi, par le biais de *Dan.*, VII, 21, 25, d'inclure la croyance que le Sauveur des derniers temps aurait à assumer, tout comme son peuple, une part de souffrances. De cette façon, elle l'engagea à en rapprocher une troisième figure eschatologique de l'Ancien Testament, celle du Serviteur souffrant»[91].

Un des derniers auteurs à chercher le sens précis de l'expression Fils de l'homme dans les évangiles est Charles Perrot, professeur à l'Institut catholique de Paris[92]. Il constate que «Fils de l'homme»

---

83. *Les logia du Fils de l'homme dans l'évangile de Marc*, ap. M. SABBE (éd.), *L'Évangile selon Marc* (*BETL*, t. XXXIV), Gembloux, 1974, pp. 487-528. — *De Mensenzoon-logia in het Markus-evangelie. Avec un résumé, des notes et une bibliographie en français*, ap. *Meded. Kon. Acad. Wet. Lett. Sch. Kunsten van België*, t. XXXV, n° 3, Bruxelles, Palais des Académies, 1973. Cf. *infra*, pp. 109-149.

84. Cf. *infra*, pp. 119-120.

85. *Ibid.*, pp. 125-126.

86. *Ibid.*, pp. 128-130.

87. *Ibid.*, pp. 130-134.

88. *Ibid.*, pp. 136-139.

89. *Ibid.*, p. 141.

90. *Ibid.*, p. 142.

91. *Ibid.*, p. 143-144.

92. *Jésus et l'histoire*, dans Collection *Jésus et Jésus-Christ*, Tournai, 1979.

n'y fonctionne pas comme prédicat, ni comme titre dans une confession de la dignité de Jésus, comme c'est le cas de Christ, Kyrios, Fils de Dieu, ni *a fortiori* d'une façon absolue comme vrai titre christologique. Elle intervient uniquement sur les lèvres de Jésus. Perrot relève ensuite que l'expression disparaît dans les écrits pauliniens, qu'elle survient isolée dans un seul texte des *Actes* : VII, 56, qu'elle résurgit dans l'*Apocalypse* : I, 13 et qu'elle a survécu dans le milieu judéo-chrétien comme le prouvent l'*Évangile des Hébreux*, l'*Évangile de Thomas*, les *Écrits clémentins*. Il incline à penser avec O. Cullmann que l'expression pourrait avoir trouvé sa première diffusion dans un milieu judéo-chrétien helléniste[93].

Le substrat du titre est à coup sûr *bn 'dm*, *br 'nš*, et, pour le terme grec ὁ υἱὸς τοῦ ἀνθρώπου, sans doute la forme emphatique *br 'ns'*. Par sa formation et ses premières acceptions, l'expression est fortement ambiguë. Elle contient deux « sèmes », à savoir ceux de la filiation et de l'humanité[94] ; elle peut servir comme substitut de la première personne du singulier ou se référer soit à l'homme tout court, soit peut-être à un « fils d'homme particulier », celui de *Dan.*, VII, 13.

La communauté primitive accepta pour Jésus le titre « Fils de l'homme », parce que, selon la tradition, l'expression n'avait figuré que sur les lèvres de Jésus. Elle-même s'en servit pour désigner le Sauveur comme le juge eschatologique par excellence[95], pour le reconnaître comme le bénéficiaire et le porteur de la puissance divine[96], pour signifier sa souveraineté sans impliquer dans celle-ci une portée politique telle que le messianisme juif populaire le comprenait[97].

A tout compter, Perrot admet qu'en parlant de Jésus comme du Fils de l'homme, la Communauté chrétienne mémorisa une authentique manière de parler du Seigneur lui-même, d'une part son *Je* étrange dans la pauvreté impuissante de sa vie et, de l'autre, son attente immédiate du Fils de l'homme qu'il était appelé à devenir[98]. Bref, bien qu'aux yeux de Perrot une réponse « au niveau de la conscience de Jésus » ne soit pas à tous les égards possible[99], il ne la récuse pas partiellement.

* * *

Pour prolonger toute recherche en vue de retrouver les logia critiquement valables sur le Fils de l'homme et les intégrer dans un

---

93. *Op. cit.*, p. 270, note 15.
94. *Ibid.*, p. 253.
95. *Ibid.*, p. 267.
96. *Ibid.*, p. 267.
97. *Ibid.*, p. 267.
98. *Ibid.*, p. 269.
99. *Ibid.*, pp. 266-267.

essai de reconstituer les linéaments pincipaux de la carrière de Jésus, il faut, ce nous semble, tenir compte de trois préalables importants.

Il n'est pas étonnant que la transmission des souvenirs évangéliques, une fois reçu comme bien établi l'usage de « Fils de l'homme » par Jésus, ait dans la suite multiplié la présence de ce titre dans les paroles du Seigneur. Dès lors il n'est pas exclu que l'expression s'est parfois substituée à la simple mention d'« homme », par exemple dans les logia signalés de ce point de vue par C. Colpe, à savoir *Mc.*, II, 10 par. *Mt.*, IX, 6; *Lc.*, V, 24; — *Mt.*, VIII, 20 par. *Lc.*, IX, 58; — *Mt.*, XI, 19 par. *Lc.*, VII, 34. Mais chaque cas est à examiner séparément. W. G. Kümmel[100] conteste à juste titre J. Jeremias quand celui-ci essaie de montrer « que partout où un logion avec Fils de l'homme est en concurrence avec un parallèle où ce titre fait défaut, ce dernier mérite d'être considéré comme plus primitif »[101]. S'il y eut des cas d'addition, ceux de suppression ne sont pas à exclure.

Et voici un second préalable : l'exégète-historien n'a pas à tenir compte de la vision béatifique de Jésus, vision qui par définition transcende le contingent, ni de ce que les théologiens appellent la science infuse, dont, faute de données, il n'est pas possible de circonscrire le contenu et l'ampleur. En revanche, conformément d'ailleurs à l'enseignement de la foi et du magistère, nous ne pouvons pas perdre de vue que Jésus possédait une science humaine, puis que celle-ci pouvait et devait croître au cours du temps et qu'en matière d'exégèse, elle a pu s'accommoder aux méthodes d'interprétation, par voie de *midrash* ou de *péšèr*, répandues dans le milieu juif. Il est par conséquent possible, voire tout naturel, qu'en se référant à *Dan.*, VII, 13, le Sauveur n'ait pas réalisé de prime abord, au plan de sa science humaine, la relation à établir entre lui-même et la figure énigmatique de *Dan.*, VII, 13-14. Dès lors, une évolution dans l'emploi du titre « Fils de l'homme » par le Seigneur n'offrirait rien de surprenant.

Enfin il importe, — troisième préalable, — de souligner que l'affirmation, souvent répétée à la suite de Ph. Vielhauer, selon laquelle, la notion de Royaume de Dieu et celle du Fils d'homme appartiennent à deux thématiques différentes, voire totalement étrangères l'une à l'autre, n'est guère fondée. Bien au contraire, déjà au chapitre VII de Daniel, l'avènement du personnage énigmatique et la venue du Royaume de Dieu sont étroitement unis, et cette connexion n'a jamais cessé d'être reconnue et affirmée. Dans ces conditions, il est obvie que Jésus a fait allusion au Fils de l'homme dans ses logia sur la parousie. Il n'est pas non plus surprenant qu'il ait évoqué le personnage quand il a accompli quelque action, telle la rémision des péchés : *Mc.*, II, 5 par. *Mt.*, IX, 2; *Lc.*, V, 20, manifestant la venue de la

100. *Art. cit.*, p. 214.
101. *Art. cit.*, p. 214.

basileia divine. Et serait-il exagéré de penser que la référence de Jésus à *Dan.*, VII, 13-14 ait même pu l'amener à mettre le Fils de l'homme en relation avec l'annonce de sa passion? D'après *Dan.*, VII, 25, les « Saints du Très-Haut » et les « saints », préfigurés et symbolisés par le Fils d'homme, seront « livrés » aux épreuves de la persécution. Jésus pouvait en déduire que lui-même, en tant qu'annoncé par le Fils d'homme, ne pouvait arriver à la gloire qu'à travers l'épreuve de sa passion. Il n'est même pas interdit de penser que Jésus a pu rattacher l'annonce de sa résurrection à sa vocation de Fils de l'homme, du moins si nous sommes autorisé, en fonction d'une exégèse globalisante de *Dan.*, VII-XII, de rapprocher des « saints » de *Dan.*, VII, 25 les « doctes » et « les maîtres de justice » de *Dan.*, XII, 3. Le rapprochement a été proposé de nos jours par l'exégète anglais Matthew Black dans sa contribution à la *Festschrift Vögtle*[102]. Nous ne sommes guère tenté de souscrire à l'opinion y exprimée. Mais le fait que le rapprochement a pu venir à l'esprit d'un lecteur critique de Daniel, nous incline à penser qu'il a pu se présenter tout aussi bien à un lecteur de ce livre, tel Jésus, familiarisé avec l'exégèse globalisante et actualisante, midrashique et péchèrique, de son temps.

CONCLUSIONS

De notre aperçu se dégagent, nous semble-t-il, quelques conclusions à tout le moins provisoires.

1. Il n'est pas douteux que Jésus s'est servi de l'expression « Fils de l'homme » et qu'il l'a employée comme un titre. En effet, il est invraisemblable que les communautés chrétiennes primitives aient forgé et introduit dans la tradition évangélique l'expression aussi bizarre ὁ υἱὸς τοῦ ἀνθρώπου, d'autant moins qu'après l'avoir introduite, elles l'auraient presque aussitôt abandonnée, vu qu'elle est absente des écrits pauliniens.

2. De tous les logia où l'expression apparaît, ceux où elle concerne la figure d'un personnage dont la venue marquerait la fin des temps et l'avènement du règne de Dieu, paraissent offrir le plus de garantie d'authenticité.

3. En se servant de l'expression dans un cadre eschatologique, Jésus semble s'être référé directement au Fils d'homme daniélique (*Dan.*, VII, 13). Une relation avec les traditions juives transmises par le *Livre des Paraboles* n'est pas établie, bien qu'une dépendance de cet

---

102. *Die Apotheose Israels : eine neue Interpretation des danielischen « Menschensohn »*, ap. *op. cit.*, pp. 92-99.

écrit ait été postulée pour certains passages du *Sondergut* matthéen :
XIII, 27-43; XIX, 28; XXV, 31.

4. Le contexte dans lequel Jésus s'est servi de l'expression, n'est
pas celui de l'avenir d'Israël en fonction d'un recours au concept
de *corporate personality*, mais celui de l'avènement de la plénitude des
temps, de l'avènement du règne de Dieu, de la *basileia* divine.

5. La question se pose de savoir si à la suite de la relation étroite
du Fils de Dieu avec l'avènement du Règne de Dieu, Jésus n'a pas pu
utiliser parfois le titre pour souligner certaines actions de sa carrière
terrestre, actions anticipant en quelque sorte le règne de Dieu, telle
la rémission des péchés. Nous n'oserions l'exclure, bien que la présence
du titre dans les passages en question puisse résulter d'une relecture
s'appuyant sur une réinterprétation du simple vocable « homme... ».

6. Encore plus difficile à résoudre est le problème de la présence
authentique du titre dans les annonces que Jésus aurait faites de sa
passion. Pour l'appuyer, on peut faire valoir en premier lieu que Jésus
prit conscience, d'une manière de plus en plus vive, de devoir assumer
le rôle de prophète-martyr, voire celui du Serviteur souffrant deutéro-
isaïen, et dès lors qu'il a été amené à préciser, pour le cercle des
Douze, la carrière terrestre paradoxale du Fils de l'homme. On peut
ensuite faire remarquer que le contexte intégral du livre de Daniel
a pu amener le Sauveur à songer à la passion et à la résurrection du
Fils d'homme. En effet, le contexte prochain : *Dan.*, VII, 21, 25b est
susceptible d'évoquer éventuellement la passion du Fils d'homme,
tandis qu'un texte éloigné, *Dan.*, XII, 3, laisse entrevoir pour les
docteurs de la justice, à rapprocher des « saints », une résurrection
glorieuse. Concédons toutefois que ces considérations, quelle que soit
leur probabilité, ne suffisent pas pour emporter la conviction.

CHAPITRE II

LE FILS DE L'HOMME
DANS LE DOSSIER PAULINIEN

Que le dossier paulinien, c'est-à-dire les lettres communément attribuées à saint Paul[1], se réfère par endroits au Fils de l'homme, pas mal d'exégètes l'affirment[2]. Certes, en-dehors de l'épître aux

1. Pour prendre connaissance de l'évolution de l'exégèse des lettres pauliniennes on peut se reporter à M. GOGUEL, *Les Épîtres pauliniennes*, 2 vol., ap. *Introduction au Nouveau Testament*, t. IV, Paris, 1925-1926. — B. RIGAUX, *Saint Paul et ses lettres. État de la question*, ap. *Studia neotestamentica. Subsidia*, II, Paris-Bruges, 1962. — A. WIKENHAUSER - J. SCHMID, *Einleitung in das Neue Testament*, 6ᵉ éd., Fribourg-en-Br., 1973. Voir aussi l'article *Paul* dans *DBS*, 1961-1962, fasc. 36-37, col. 156-387.

Pour l'énumération des commentaires cfr le *DBS, art. cit.*, et les introductions de M. GOGUEL et A. WIKENHAUSER - J. SCHMID. Dans les *Études bibliques* ont paru : B. RIGAUX, *Les Épîtres aux Thessaloniciens*, Paris, 1956. — E.-B. ALLO, *Première Épître aux Corinthiens*, Paris, 1935 ; 2ᵉ éd., 1956. — *Seconde Épître aux Corinthiens*, Paris, 1937 ; 2ᵉ éd., 1956. — M.-J. LAGRANGE, *Épître aux Galates*, Paris, 1918 ; 2ᵉ éd., 1925. A compléter par A. VIARD, *Saint Paul. Épître aux Galates*, ap. *Sources Bibliques*, Paris, 1964. — M.-J. LAGRANGE, *Épître aux Romains*, Paris, 1916 ; 6ᵉ éd., 1950. — C. SPICQ, *Les Épîtres pastorales*, Paris, 1947. — C. SPICQ, *L'Épître aux Hébreux*, 2 vol., Paris, 1952.

Dans les fascicules séparés de la *Bible de Jérusalem* furent publiés L. W. DEWAILLY - B. RIGAUX, *Les Épîtres de saint Paul aux Thessaloniciens*, Paris, 1954. — E. OSTY, *Les Épîtres de saint Paul aux Corinthiens*, 3ᵉ éd., Paris, 1959. — S. LYONNET, *Les Épîtres de saint Paul aux Galates, aux Romains*, 2ᵉ éd., Paris, 1959. — P. BENOIT, *Les Épîtres de saint Paul aux Philippiens, à Philémon, aux Colossiens, aux Galates*, 3ᵉ éd., Paris, 1959. — P. DORNIER, *Les Épîtres de saint Paul à Timothée et à Tite*, 2ᵉ éd., Paris, 1958. — C. SPICQ, *L'Épître aux Hébreux*, Paris, 1950 ; 2ᵉ éd., 1952.

Pour la théologie de saint Paul, renvoyons, en-dehors des théologies néotestamentaires déjà citées antérieurement en cours de route, à E. KÄSEMANN, *Paulinische Perspektiven*, Tubingue, 1969 et à la trilogie de L. CERFAUX. *La Théologie de l'Église suivant saint Paul*, 2ᵉ éd., ap. *Unam Sanctam*, t. LIV, Paris, 1965. — *Le Christ dans la théologie de saint Paul*, ap. *Lectio divina*, t. VI, Paris, 1951. — *Le chrétien dans la théologie paulinienne*, ap. *ibid.*, t. XXXIII, Paris, 1962. — Observons que la trilogie paulinienne de Cerfaux n'a pas obtenu toute l'attention qu'elle mérite. Puis il importe de la consulter dans le texte français originel et non dans les traductions qui souvent ne rendent pas les nuances du style et de la pensée du maître. Elles lui sont même plus d'une fois infidèles.

2. C'est le cas de K. SMITH, *Heavenly Man and Son of Man in St Paul*, ap. *Studiorum Paulinorum Congressus Internationalis Catholicus 1961*, ap. *Analecta Biblica*, XVII-XVIII, Rome, 1963, t. I, p. 219-230. — L'auteur invoque en ordre principal la notion de « l'homme céleste » et seulement indirectement celle du « Fils de l'homme ». A ses yeux : *art. cit.*, p. 230, la théologie du Fils de l'homme fut une théologie déficiente ;

Hébreux, il ne s'agit pas de mentions explicites, mais l'Apôtre, observent-ils, a pu ou même a dû parler du Fils de l'homme. A diverses reprises, il y ferait allusion, notamment par le biais de ses réflexions sur l'homme céleste ou sur le nouvel Adam[3].

il fallut que Paul l'enrichît par celle de l'Homme céleste pour qu'elle fût applicable au Verbe incarné.

3. Dans « Der Menschensohn » und die paulinische Christologie, ap. Studiorum Paulinorum Congressus, t. I, pp. 199-218, A. VÖGTLE cite une série d'auteurs partisans d'une influence de la notion d'Homme céleste – Fils de l'homme sur la pensée paulinienne, à savoir F.J. FOAKES JACKSON-K. LAKE, The Beginnings of Christianity, t. I: Prolegomena I. The Jewish, Gentile and Christian Backgrounds, Londres, 1920, p. 380 — A.E.J. RAWLINSON, The NT Doctrine of the Christ, Londres, 1926, p. 75. — J. HÉRING, Kyrios Anthropos, ap. Rev. Hist. Phil. Rel., 1936, t. XVI, p. 197ss. — J. JEREMIAS, Anthrôpos, ap. TWNT, I, 367, 7ss. — W. STAERK. Soter, t. I, Gütersloh, 1933, p. 157. — T.W. MANSON, The Teaching of Jesus, 2ᵉ éd., Cambridge, 1935, p. 233. — E. STAUFFER, Die Theologie des Neuen Testaments, 3ᵉ éd., Stuttgart, p. 91, note 325. — O. CULLMANN, Die Christologie des NT, 2ᵉ éd., Tubingue, 1958, p. 176. — O. MICHEL, Die Entstehung der paulinischen Christologie, ap. ZNW, 1929, t. XXVIII, p. 329. — J. HÉRING, Le Royaume de Dieu et sa venue, 2ᵉ éd., Paris, 1959, pp. 88-110, 147-170. — E. LOHMEYER, Kyrios Jesus, ap. Sitz. Heid. Akad. Wiss. Phil. Hist. Klasse, 1928, pp. 68-76.

Déjà dans ses Untersuchungen über die Entstehung des vierten Evangeliums, t. I, pp. 68-72, Tubingue, 1902, J. GRILL estima découvrir dans l'ἄνθρωπος ἐπουράνιος, l'ἄνθρωπος ἐξ οὐρανοῦ, un correspondant du Fils de l'homme. Si Paul ne mentionne nulle part explicitement la figure daniélique, c'est que, selon J. GRILL, il n'envisage jamais le Fils de l'homme uniquement en lui-même, totalement isolé dans sa transcendance céleste (ibid., p. 68).

Pour Grill, l'homme céleste constitue l'élément transcendant de Jésus, l'élément lui conférant sa personnalité propre, l'élément lui assurant, au lendemain de sa mort, la métamorphose de son corps et la résurrection. Cet élément apparaît à l'Apôtre si fondamental qu'en se référant à lui, il affirme la préexistence du Christ : II Cor., VIII, 9 ; Phil., II, 5ss. ; Col., I, 16, 17.

Ajoutons toujours selon Grill que Paul, dans la relecture de Dan., VII, 13, songea d'une part, à l'encontre du sens originel, à un homme et non à un ange, mais, d'autre part, qu'en insistant sur le caractère d'«image de Dieu» de cet homme, conformément aux spéculations helléniques, telles que nous les trouvons par exemple chez Philon relatives à l'ἄνθρωπος οὐράνιος, le ὁ κατ' εἰκόνα ἄνθρωπος, l'Apôtre introduisit, à la place de la similitude humaine, une similitude divine. Dans la mesure où cette dernière affirmation contient une part d'exactitude, elle pourrait contribuer à rendre compte de l'absence paulinienne de toute référence explicite à Dan., VII, 13.

Remarquons que dans le développement des relations de Jésus avec l'Homme céleste – Fils de l'homme, les auteurs cités ne suivent pas tous la même voie. Les uns en appellent à la notion de personnalité collective ; d'autres mettent en avant l'idée du nouvel Adam, fils d'Adam, homme idéal prétendûment envisagé par le Ps. VIII ; d'autres enfin en appellent surtout à l'Homme céleste préexistant appelé à jouer le rôle d'Homme eschatologique. Cette dernière conception se trouve diversément exposée chez J. HÉRING (cfr A. VÖGTLE, art. cit., p. 199), J. JEREMIAS (ibid.,

Quelques auteurs sont d'autant plus portés à découvrir dans la théologie paulinienne des allusions au Christ-Fils de l'homme qu'ils sont tentés de substituer une anthropologie à la christologie classique, ou qu'ils sont impressionnés par la diffusion de la croyance en l'Homme céleste à l'époque et dans les milieux où l'Apôtre prêcha son évangile[4]. Tout ou plus conviendrait-il d'hésiter touchant l'image concrète de l'Homme céleste ou primitif qui servit d'arrière-fond à la pensée paulinienne. S'agit-il du mythe commun de l'Anthrôpos, ou de celui de son avatar vétérotestamentaire, le Fils de l'homme daniélique, ou d'un concept davantage néotestamentaire, celui du nouvel Adam, personnage eschatologique, susceptible d'être rapproché du Fils de l'homme daniélique ou même de l'Anthrôpos des sectes gnostiques?[5].

Nous aborderons en premier lieu l'examen des lettres pauliniennes où la mention explicite du Fils de l'homme fait défaut, puis nous passerons à l'analyse de *Hebr.*, II, 5-9, seul passage des lettres communément attribuées à l'Apôtre s'y référant distinctement par l'entremise, il est vrai, d'une citation du *Ps.* VIII.

I. *Le dossier paulinien en-dehors d'Hebr., II, 5-9.*

Dans l'article du *Theologisches Wörterbuch zum Neuen Testament* sur le Fils de l'homme, article dont le contenu offre un bon exposé du problème, C. Colpe résume en trois pages ce qu'il estime être les vues principales du corpus paulinien[6].

1. Il ne convient pas, — telle est une observation en quelque sorte préliminaire de l'auteur, — d'exclure à priori que le terme ἄνθρωπος puisse correspondre parfois dans les écrits pauliniens à ὁ υἱὸς τοῦ

---

p. 201) et O. CULLMANN (*ibid.*, pp. 201-202). — Dans son ouvrage: *Le Christ Sagesse de Dieu*, ap. *Études bibliques*, Paris, 1966, A. FEUILLET a recours lui aussi par endroits à la notion d'Homme céleste – Fils de l'homme.

4. K. SMYTH (*art. cit.*, pp. 222-223) évoque le Gayomart de l'Awesta, le Fils de l'homme de *Dan.*, VII, 13, celui des *Similitudes d'Hénoch*; *Hén. éth.*, XXXVII-LXXI, les spéculations philoniennes, hermétiques, mandéennes, le système gnostique attesté par HIPPOLYTE, *Elenchus*, V, 6ss.; V, 7, 30; V, 7, 36, et le recours à la notion de l'Homme céleste dans la christologie origénienne: *In Joannem*, I, 32, ap. *GCS*, X, p. 42; *In Joannem*, VII, 40, ap. *GCS*, X, p. 341; *Contra Celsum*, V, 39, ap. *GCS*, III, p. 43.

5. Comme nous l'avons noté dans les notes 3 et 4, il faut tenir compte de ces diverses représentations de l'Homme céleste dans l'étude des auteurs qui s'y réfèrent pour expliquer la pensée paulinienne.

6. Article υἱὸς τοῦ ἀνθρώπου ap. *Theol. Wörterb. NT.*, 1967, t. VIII, fasc. 7-8, pp. 475-477.

ἀνθρώπου. Ce serait en particulier le cas en *Rom.*, V, 15 et en *I Cor.*, XV, 21, 47[7], mais nullement en *Phil.*, II, 7[8]. Pour appuyer son affirmation, Colpe note que par exemple en *I Tim.*, II, 5-6 l'hagiographe substitue sans scrupule le terme ἄνθρωπος à ὁ υἱὸς τοῦ ἀνθρώπου de *Mc.*, X, 45, passage auquel *I Tim.*, II, 5-6 pourrait se référer.

2. Pour saisir la pensée paulinienne, affirme ensuite C. Colpe, il convient de se concentrer en tout premier lieu sur la doctrine exprimée en *I Cor.*, XV, 21, 27-28, 45-49 et en *Rom.*, V, 12-21, puis d'y joindre l'analyse de la notion du Christ en tant qu'*eikôn* et *sôma*, notion qui s'offre à nous en *II Cor.*, IV, 4 et *Col.*, I, 15-20[9].

3. Dans l'interprétation de *I Cor.*, XV, il importerait pour bien saisir les affirmations de l'Apôtre de distinguer entre XV, 21; XV, 27-28 et XV, 45-49. En XV, 21, Paul paraît avoir créé et par conséquent utilisé pour la première fois l'antithèse Adam-Christ. En XV, 27-28, son exposé est moins personnel; pour l'interprétation christologique du *Ps.* VIII, 7-8, il y dépendrait du concept préexistant du « Fils de l'homme ». Enfin, en XV, 45-49, il développerait ses vues sur un nouvel arrière-fond bien différent que E. Brandenburg aurait réussi à dégager parfaitement[10]. L'Apôtre y combinerait des spéculations sur le Fils de l'homme à d'autres touchant le nouvel Adam. Ce rapprochement lui aurait permis d'élaborer son propre concept du Christ-nouvel Adam et d'attribuer au Seigneur ainsi entrevu le caractère d'un véritable homme céleste. Mais, se distançant des vues juives en la matière, Paul se garda de qualifier le nouvel Adam de « premier homme ». Survenant en effet au cours d'un développement historique, ce fut en qualité et au titre de « deuxième homme » que le Sauveur fit son apparition parmi nous.

4. En *Rom.*, V, 12-21, l'Apôtre prendrait son départ d'autres prémisses: non pas de vues messianiques centrées sur la venue du Fils de l'homme[11], ni de l'arrière-fond présent à ses réflexions en *I Cor.*, XV, 45-49[12], mais de l'antithèse esquissée en *I Cor.*, XV, 21[13].

7. *Ibid.*, p. 475.

8. *Ibid.*, p. 475, note 472.

9. *Ibid.*, p. 475.

10. *Adam und Christus. Exegetisch-religionsgeschichtliche Untersuchung zu Römer 5, 12-21 (1 Kor 15)*, ap. *WMANT*, VII, Neukirchen, 1962, allégué ap. C. Colpe, *art. cit.*, p. 475, notes 475 et 476.

11. C. Colpe, *art. cit.*, p. 476.

12. *Ibid.*, p. 477.

13. *Ibid.*, p. 477.

Le Christ y est décrit comme le prototype d'une nouvelle humanité, et c'est à partir et en fonction de cette notion et vocation qu'y surgirait dans la pensée de l'Apôtre l'antithèse avec Adam, le premier homme.

5. Dans les vues de *II Cor.*, IV, 4 et de *Col.*, I, 15-20 touchant le Christ-*eikôn* et -*sôma*, la théologie du corpus paulinien accomplit selon C. Colpe d'ultérieurs progrès. Le Christ y est décrit comme l'homme à la fois céleste et eschatologique. En outre, dans l'épître aux Colossiens et surtout dans celle aux Éphésiens, le corps du Christ acquiert une dimension cosmique [14].

6. S'appuyant sur tous les indices recueillis, C. Colpe conclut que le Fils d'homme du dossier paulinien a fini par évoluer d'homme ressuscité et eschatologique en homme pneumatique, nettement céleste, voire, d'après Colossiens et surtout Éphésiens, en homme macrocosmique [15].

Ne perdant pas de vue les positions nettes du professeur Colpe, positions qui tiennent largement compte des résultats auxquels l'exégèse des lettres pauliniennes estime pouvoir aboutir, nous aurons d'abord à nous demander si l'Apôtre n'entrevoit et ne situe pas le personnage daniélique tantôt à l'arrière-fond de ses spéculations sur l'homme nouveau, c'est-à-dire sur l'homme intérieur et spirituel, à revêtir comme vêtement par les chrétiens [16], tantôt à l'arrière-plan de ses réflexions sur le corps mystique du Christ [17]. Puis nous aurons à nous enquérir de la présence éventuelle de la même figure céleste dans les considérations pauliniennes sur le Christ – εἰκὼν θεοῦ [18], image divine que l'Apôtre découvre en premier lieu dans Jésus, puis subsidiairement, par participation, dans les fidèles lui unis par la justice et la grâce. Et le personnage ne pourrait-il pas se profiler également derrière le Christ nouvel Adam, notamment dans la mesure où cet Adam vérifie l'homme parfait, celui qui fut envisagé par Dieu aux origines et

---

14. *Ibid.*, p. 477.

15. *Ibid.*, p. 475.

16. K. SMYTH, *art. cit.*, p. 225, avec renvoi à la notion de « vêtement » = « le moi céleste » = « l'Homme » et à *Gal.*, III, 27; *Rom.*, XIII, 14; *Col.*, III, 9ss.; *Eph.*, IV, 24.

17. K. SMYTH, *art. cit.*, p. 226, à propos de l'idée de corps mystique du moins telle qu'elle apparaît dans les lettres aux Colossiens et aux Éphésiens: « It is of course in Colossians and Ephesians that one school of exegetes sees the Anthropos-concept most fully employed by St Paul, to express his revelation of Christ as head of the body, a body which is *de facto* the Church and *de iure* the whole cosmos ».

18. Cfr K. SMYTH, *op. cit.*, pp. 224-225 et les vues d'O. CULLMANN, exposées par A. VÖGTLE, *art. cit.*, pp. 201-202 et discutées *ibid.*, pp. 214-216.

qui, sous cet aspect, est susceptible d'être qualifié d'«homme céleste»? Enfin, dans l'interprétation de l'hymne christologique de l'épître aux Philippiens, la notion de *morphè* ne devrait-elle pas s'expliquer à la lumière de certains textes gnostiques qui précisément se servent de ce terme grec pour désigner l'Archanthrôpos céleste[19]?

Concédons qu'au premier abord les expressions «homme nouveau, homme intérieur, homme spirituel» offrent sinon une correspondance littérale parfaite, du moins quelque affinité avec des termes ou des tournures auxquelles les spéculations gnosticisantes ont recours pour présenter leur Homme idéal et céleste, entrevu à la fois comme primitif et comme eschatologique. Mais si l'enveloppe paraît identique ou semblable, la réalité qui s'y cache est bien différente. La divergence la plus nette et profonde consiste sans doute en ce que la qualité paulinienne d'être nouveau, d'être intérieur et spirituel, — qualité susceptible de pouvoir évoquer l'Homme céleste et dès lors également le Fils de l'homme, — dérive, tant pour le Christ que pour les fidèles appelés à partager les privilèges du Sauveur, de l'événement et du mystère

---

19. Cfr E. LOHMEYER, *Der Brief an die Philipper*, 10ᵉ éd., Goettingue, 1954. — J. HÉRING, *Le Royaume de Dieu et sa venue*, 2ᵉ éd., Paris, 1959, pp. 88-110, 147-170.

Parmi les auteurs qui exposent des vues plus ou moins apparentées signalons encore: H. SCHLIER, *Christus und die Kirche im Epheserbrief*, Tubingue, 1930; *Untersuchungen zu den Ignatiusbriefen*, Giessen, 1929; H. SCHLIER - V. WARNACH, *Die Kirche im Epheser-brief*, Munster-en-W., 1949; *Der Brief an die Epheser. Ein Kommentar*, 5ᵉ éd., Dusseldorf, 1965; *Corpus Christi*, ap. *RAC*, t. III, 437-453. — N.A. DAHL, *Das Volk Gottes*, 2ᵉ éd., Darmstadt, 1963. — R. BULTMANN, *Theologie des Neuen Testaments*, 5ᵉ éd., Tubingue, 1965. — P. POKORNY, *Der Epheserbrief und die Gnosis. Die Bedeutung des Haupt-Glied-Gedankens in der entstehenden Kirche*, Berlin, 1965.

L. CERFAUX ne se rallia guère à ces positions: *Le Christ dans la théologie de Saint Paul*, ap. *Lectio divina*, t. VI, Paris, 1951, pp. 186-187, 396-397 et *La théologie de l'Église suivant saint Paul*, nouvelle édition, ap. *Unam Sanctam*, t. LIV, Paris, 1965, pp. 238, 316-317. Voir également les réserves de C. COLPE, *Die religionsgeschichtliche Schule. Darstellung und Kritik ihres Bildes vom gnostischen Erlösermythus*, Goettingue, 1961 et un exposé succinct de la question dans J. ERNST, *From the Local Community to the Great Church Illustrated from the Church Patterns of Philippians and Ephesians*, ap. *Bibl. Theol. Bull.*, 1976, t. VI, pp. 237-257.

Dans *Colossians and Ephesians. A Commentary on the Epistles to the Colossians and to Philemon*, ap. *Hermeneia. A Critical and Historical Commentary on the Bible*, Philadelphie, 1971, pp. 41, 141-143, E. LOHSE écarte lui aussi une référence au Fils de l'homme, mais il signale que chez Philon la Sagesse est rapprochée du Logos et Celui-ci de l'homme-image de Dieu: ἀρχὴ καὶ ὄνομα τοῦ θεοῦ καὶ λόγος καὶ ὁ κατ᾽ εἰκόνα ἄνθρωπος καὶ ὁ ὁρῶν, Ἰσραήλ, προσαγορεύεται, (*De conf. ling.*, 146). — Voir sur les derniers travaux consacrés à la lettre aux Colossiens E. SCHWEIZER, *Die neueste Forschung am Kolosserbrief (seit 1970)*, ap. *Theol. Berichte*, 1976, t. V, pp. 163-191.

de la résurrection. C'est comme ressuscité que Jésus est devenu et appelé «céleste», ἐπουράνιος en *I Cor.*, I, 45 (cfr I, 42-43). De même, c'est comme destinés à participer à la résurrection de Jésus: *I Cor.*, XV, 22-23, 42-43, 48, et comme y participant mystérieusement déjà dès cette vie que les chrétiens seront à leur tour gratifiés d'une métamorphose leur accordant une existence céleste. Or, faut-il y insister, la résurrection, événement fondamental et notion-clef des vues pauliniennes en la matière, est totalement absente des spéculations sur le Fils de l'homme alléguées comme parallèles pour expliquer la théologie de l'Apôtre[20].

En tenant compte de cette divergence capitale, les références à l'Homme céleste, daniélique, hénochique ou gnostique, pour rendre compte de l'homme paulinien intérieur et spirituel s'avèrent d'avance fallacieuses[21]. Certes l'homme intérieur constitue en quelque sorte l'être chrétien des fidèles et il s'enracine en eux jusque dans leur moi le plus profond, là où la conscience et la vraie vie se situent[22]. Mais il n'y surgit qu'au moment où ce moi est enrichi d'une nouvelle réalité, une réalité d'éternité[23], une réalité qui, en attendant son parachèvement définitif, se renouvelle sans cesse: *II Cor.*, IV, 16, s'épanouissant de jour en jour[24]. Et cette réalité, rappelons-le, ne se développe dans le chrétien uni au Christ que sous l'influx vital émanant précisément du Sauveur ressuscité.

S'il convient de songer à quelque parallèle distant dont l'Apôtre aurait pu s'inspirer, c'est la notion platonicienne d'homme intérieur qui se présente le plus à l'esprit[25]. Mais, notons-le tout de suite, l'homme intérieur paulinien n'est pas celui de Platon. Pour l'Apôtre, c'est l'homme dont la vie est unie à celle du Christ[26], c'est l'homme recréé par Dieu à l'image du Christ[27], c'est l'homme en quelque

---

20. Cfr A. VÖGTLE, *art. cit.*, pp. 209-210.

21. *Col.*, III, 10. — Voir E. LOHSE, *Colossians and Philemon. A Commentary on the Epistles to the Colossians and to Philemon. Translated by* W. R. POEHLMANN *and* R. J. KARRIS, ap. *Hermeneia*, Philadelphie, 1971, p. 142. Le concept de νέος ἄνθρωπυς, note l'auteur, est sans parallèle. Il est à rapprocher du καινὸς ἄνθρωπος d'*Eph.*, II, 15; IV, 24. Selon L. CERFAUX, *Le chrétien dans la théologie paulinienne*, pp. 318-319, l'homme nouveau n'est pas distinct de l'homme intérieur. Cfr *ibid.*, p. 179.

22. L. CERFAUX, *op. cit.*, p. 173 et p. 178, note 3.

23. *Ibid.*, p. 173.

24. *Ibid.*, p. 173.

25. *Ibid.*, p. 178 et p. 178, note 1.

26. *Ibid.*, p. 178.

27. *Ibid.*, p. 179 et p. 318 avec références à *Col.*, III, 10 et *I Cor.*, XV, 49.

sorte transmuté, comme nous venons dé le noter, grâce à l'apport d'un élément nouveau que la théologie chrétienne postérieure appellera la grâce sanctifiante et que l'Apôtre lui-même désigne plus d'une fois par le terme et la notion de «gloire», δόξα[28]. Cet élément pénètre le moi naturel, il l'enveloppe[29], et c'est pour notifier le changement ainsi survenu que précisément l'appellation d'«homme nouveau» fait son entrée dans le dossier paulinien, surtout dans les épîtres de la captivité[30].

Pour maintenir coûte que coûte que Paul met bel et bien l'homme nouveau, l'homme intérieur et spirituel, en rapport étroit avec l'Homme céleste, certains font appel à l'insistance de l'Apôtre sur le qualificatif ἐπουράνιος: *I Cor.*, XV, 47, 48, 49 et ils se plaisent à relever en *I Cor.*, XV, 27 le renvoi à l'homme entrevu au *Ps.* VIII, 5-7.

A propos de ces deux remarques rappelons d'abord les observations déjà faites touchant le rapport explicite et formel établi par saint Paul entre la qualité d'ἐπουράνιος et la résurrection aussi bien pour le Christ[31] que pour les fidèles[32]: *I Cor.*, XV, 20-23, 42-44, 45. Puis soulignons que la sujétion de tout l'univers au Christ, censément annoncé pas le *Ps.* VIII, 5-7, est elle aussi distinctement entrevue et affirmée en étroit rapport avec les événements qui ont clôturé la carrière terrestre de Jésus, c'est-à-dire sa résurrection et son intronisation céleste: *I Cor.*, XV, 23a; *Phil.*, II, 10. Si par conséquent le Christ a le pouvoir de s'assujétir l'univers, c'est en ressuscité qu'il le possède et qu'il l'exerce: *Phil.*, III, 10-11, 21.

Mais, objecte-t-on, un rapprochement entre le Christ et l'Homme céleste ne s'impose-t-il pas à la suite de leur relation commune à l'Homme primitif? A cet homme, le Christ est en effet assimilé dans les réflexions pauliniennes sur le Christ-nouvel Adam. Or, en tant que nouvel Adam, le Christ incarnerait l'homme primordial, l'homme idéal que de toute éternité le Créateur a entrevu comme Sauveur de l'humanité. Envisagé ainsi, c'est-à-dire comme l'homme par excellence, comme le représentant parfait du genre humain, comme l'incarnation d'un prototype céleste, Jésus posséderait tout ce qui est requis à pouvoir passer pour le Fils de l'homme qui fit l'objet de tant de spéculations judaïques et hellénistiques[33].

---

28. *Ibid.*, p. 179.
29. *Ibid.*, p. 179.
30. *Ibid.*, pp. 318-319.
31. Cfr A. Vögtle, *art. cit.*, pp. 209-210.
32. *Ibid.*, p. 210.
33. Sur le Christ-nouvel Adam lire L. Cerfaux, *Le Christ dans la théologie pauli-*

De fait, l'Apôtre élabora le parallèle Adam-Christ, notamment dans le cadre de deux controverses, l'une engagée avec les juifs à propos de la justification, l'autre avec les grecs de Corinthe au sujet de la résurrection. Dans aucun de ces débats, l'antithèse typologique ne postule la représentation d'un Christ incarnant, en tant que nouvel Adam, un Anthrôpos mythique, au point que la christologie paulinienne pourrait se présenter comme l'adaptation d'un mythe oriental à la personne de Jésus[34]. Loin de modeler Jésus sur un Adam quelconque, l'Apôtre se représente le seul Adam auquel il se réfère, l'Adam censé historique, sur le modèle du Christ[35]. Et puis la position et la fonction de Christ-nouvel Adam, le Sauveur en est redevable une fois de plus à la donnée historique, absente des traditions apocalyptiques sur le Fils de l'homme[36], à savoir sa résurrection messianique[37]. C'est elle qui lui assura le rôle de nouvel Adam en le constituant comme ressuscité le premier exemplaire d'une humanité en quelque sorte nouvelle[38].

Puis, en stricte rigueur de termes, — et l'Apôtre lui-même ne manque pas de le relever, — le Christ n'est pas à qualifier sans plus de premier homme. Il est seulement le premier des ressuscités. Par rapport à Adam c'est l'appellation de « second homme » qui seule puisse s'imposer[39].

---

nienne, p. 182. — A. VÖGTLE, *Die Adam-Christus-Typologie und « der Menschensohn »*, ap. *Trier. Theol. Zeitschr.*, 1951, t. XXX, pp. 309-328. — U. WILCKENS, *Christus, der 'letzte Adam' und der Menschensohn. Theologische Ueberlegungen zum überlieferungsgeschichtlichen Problem der paulinischen Adam-Christus-Antithese*, ap. R. PESCH-R. SCHNACKENBURG-O. KAISER, *Jesus und der Menschensohn*, Fribourg-en-Br., 1975, pp. 387-403. — Voir déjà les réflexions de É. TOBAC, *Le Christ nouvel Adam dans la théologie de saint Paul*, ap. *Rev. Hist. Eccl.*, 1925, t. XXI, pp. 249-260 et A. VITTI, *Christus-Adam. De paulino hoc conceptu interpretando eiusque ab extraneis fontibus independentia vindicanda*, ap. *Biblica*, 1926, t. VII, pp. 121-145, 270-285, 384-401.

34. Hypothèse écartée par L. CERFAUX, *Le Christ*, pp. 176-177.

35. *Ibid.*, p. 177.

36. *Ibid.*, p. 57.

37. *Ibid.*, p. 57: « L'idée du nouvel Adam, faiblement insinuée dans le judaïsme, pourra prendre du relief dans la pensée paulinienne. *La résurrection* (c'est nous qui soulignons) assurera ce rôle au Christ. En même temps, *la résurrection des chrétiens* se coordonnera avec *la résurrection du Christ.* » — U. WILCKENS (*art. cit.*, pp. 392-393, 396) s'accorde pleinement avec le rôle qui revient en la matière au facteur « résurrection ». Lui aussi y voit un trait différenciant les vues pauliniennes des spéculations hénochiques: *art. cit.*, pp. 393-395.

38. Voir sur le Christ-nouvel Adam surtout *Rom.*, V, 14 et *I Cor.*, XV, 22, 45.

39. L. CERFAUX, *Le Christ*, p. 182 et *ibid.*, note 1.

Ajoutons que le Christ n'est pas devenu seulement le chef d'une nouvelle humanité; il en est aussi le principe[40]. C'est lui qui la fait surgir en conférant à ses fidèles la justice, source d'une vie nouvelle[41]. D'où la différence capitale avec la situation des élus dans les spéculations hénochiques. Si le Fils de l'homme des Paraboles d'Hénoch accueille les élus dans son royaume eschatologique, c'est qu'au préalable ils possédaient la justice, une justice acquise par eux-mêmes, antérieurement et indépendamment de toute intervention de la part d'un Sauveur[42].

Mais voici une nouvelle instance: puisque selon la doctrine paulinienne Jésus devient le chef et le principe d'une nouvelle humanité et qu'ainsi se forme un corps mystique[43], n'avons-nous pas à tenir compte d'une de ces réalités qu'on se plaît à ranger dans la catégorie des « personnalités corporatives »?[44]. Comme par ailleurs précisément un corps mystique se profilerait à l'arrière-fond ou même se trouverait à la base de la conception judaïque, hellénistique ou gnostique, du Fils de l'homme, l'Apôtre ne verserait-t-il pas par ce biais, et malgré des apparences parfois contraires, dans les spéculations protologiques sur l'Anthrôpos mythique?[45].

Même ce chemin, vrai chemin des écoliers, ne conduit pas au terme envisagé. D'abord le concept de la personnalité corporative est une notion vague, mal fondée, dont on a lamentablement abusé[46]. Puis, même à y souscrire, il n'est pas prouvé qu'elle s'applique au

---

40. L. CERFAUX, *Le Christ*, p. 180.

41. *Ibid.*, p. 180 et *ibid.*, n. 2.

42. U. WILCKENS, *art. cit.*, pp. 395, 400-401, le met bien et fortement en lumière.

43. Sur la notion de «corps mystique» dans la pensée paulinienne relisons les exposés critiques de W. GOOSSENS, *L'Église corps du Christ d'après saint Paul*, Paris, 1949 et de J. HAVET, *La doctrine paulinienne du «Corps du Christ». Essai de mise au point*, ap. *Littérature et théologie pauliniennes* (*Rech. bibliques*, t. V), Bruges-Paris, 1960, pp. 185-216.

44. La notion de personnalité corporative fut soutenue ex professo par J. DE FRAINE dans son ouvrage *Adam et son lignage*, ap. *Museum Lessianum*, Bruxelles, 1959, ouvrage dont les arguments et les conclusions n'ont pas emporté notre conviction. — Pour une appréciation critique de la notion voir J. W. ROGERSON, *The Hebrew Conception of Corporate Personality: a Reexamination*, ap. *JTS*, nouv. sér., 1970, t. XXI, pp. 1-16.

45. U. WILCKENS (*art. cit.*, p. 395) n'écarte pas entièrement la notion de *corporate personality* mais il la trouve en toute hypothèse trop imprécise.

46. Un de nos élèves, LAZARE DIGOMBE, aborda une étude critique de la notion: *La notion hébraïque de «personnalité corporative». Une hypothèse sur la solidarité entre individu et communauté dans les traditions bibliques d'après Henri Wheeler Robinson (1872-1945)* (Diss. Lic. Théol.), Louvain, 1968. Voir également *supra*, note 44.

Fils de l'homme[47], ou qu'elle rend service pour expliquer ce qu'on est convenu d'appeler le corps mystique du Christ[48].

Mais voici qu'on en appelle à la notion d'image de Dieu, εἰκὼν τοῦ θεοῦ, appliquée tantôt au Christ, tantôt à ses fidèles, pour justifier dans la christologie paulinienne une certaine référence au Fils de l'homme[49].

L'Apôtre, on ne l'ignore pas, distingue deux images de Dieu, celle que tous les chrétiens portent en eux et celle particulièrement présente dans le Christ ou plus exactement l'image qu'est la personne elle-même du Christ. L'image de Dieu présente dans les chrétiens : *II Cor.*, III, 18 ; *Col.*, III, 10, est en réalité celle de son Fils : *Rom.*, VIII, 29 et, à ce titre, elle est de fait appelée en *I Cor.*, XV, 49, l'image de l'homme céleste[50]. Mais l'homme céleste dont il est question, n'est pas, répétons-le, un quelconque Anthrôpos mythique. Il n'est autre, comme nous avons essayé de le montrer plus haut, que le Christ ressuscité, prémices de ceux qui, unis à lui, ressusciteront à leur tour : *I Cor.*, XV, 23 ; *Col.*, I, 18. La ressemblance avec le Christ, les fidèles ne l'assumeront dans toute sa plénitude que lors de la résurrection universelle[51]. Si dans l'entretemps ils la possèdent partiellement, en germe, c'est uniquement en tant qu'unis à un Sauveur et Seigneur déjà pleinement glorifié, dont ils reçoivent l'influx vital, sanctifiant leur être et le transformant[52].

Quant à l'image de Dieu qu'est le Christ lui-même, la théologie de l'Apôtre se concentre, semble-t-il, autour de deux vues capitales. Quand Paul considère Jésus dans sa venue et sa carrière terrestres, historiques, s'achevant et culminant dans une glorification posthume,

---

47. Même U. WILCKENS, *art. cit.*, p. 395, ne l'admet pas sans réserves.

48. L'application est exclue par W. GOOSSENS et J. HAVET (voir *supra*, n. 43) pour le corps mystique du Christ dans la pensée paulinienne ; toutefois J. Havet ne l'écarterait pas entièrement pour le développement théologique de la notion du corps mystique, tel que par exemple L. MALEVEZ l'explique : *L'Église, Corps du Christ. Sens et provenance de l'expression chez saint Paul*, ap. *Science religieuse. Travaux et recherches*, Paris, 1944, pp. 27-94. Cfr J. HAVET, *art. cit.*, p. 216.

49. Voir K. SMYTH, *art. cit.*, pp. 224-225.

50. Cette image, déjà présente dans le chrétien dès sa vie mortelle, ne sera pleinement assumée qu'à la résurrection. Cfr L. CERFAUX, *Le chrétien*, p. 318. D'après *I Cor.*, XV, 44-49, nous ne devons «prendre la ressemblance avec l'homme céleste que lors de la résurrection des morts».

51. L. CERFAUX, *op. cit.*, p. 168 : «L'image de l'homme céleste est le corps ressuscité, semblable à celui du Christ ressuscité, qui est Esprit, sans cesser d'être incarné dans un véritable corps sorti du tombeau.»

52. L. CERFAUX, *op. cit.*, p. 169 : «Le corps ressuscité *germera* (nous soulignons) du corps jeté en terre.»

il l'appelle «image de Dieu» non par similitude mais par opposition avec Adam, dans la mesure où il lui attribue une nature humaine qui, en revanche de celle d'Adam, ne fut ni pécheresse ni même, semble-t-il, capable de pécher. Cet état privilégié qui exclut en Jésus l'hypothèse d'une déchéance, en suppose un autre plus profond, où le Christ est image de Dieu en vertu d'une relation avec Dieu qui n'est plus de l'ordre créé[53]. L'Apôtre vise alors le Christ *sub specie aeternitatis.* Il lui confère d'être l'image de Dieu par le droit de sa propre nature[54], par droit par conséquent de naissance éternelle et divine[55], au point qu'on est autorisé à dire que «le fait d'être image constitue le Christ dans sa réalité de personne»[56].

Comme toile de fond de cette vision du Christ image éternelle du Père, l'Apôtre n'évoque nullement des traditions gnostiques[57]. Des accointances littéraires apparaissent sans doute avec l'exégèse juive de la Genèse[58] et surtout avec des thèmes de la sagesse juive[59]. Et s'il ne convient pas d'écarter tout parallélisme avec les spéculations platoniciennes[60], le rapprochement est plus réel avec Philon[61] et la parenté la plus étroite est avec le livre de la Sagesse au point que l'hagiographe pourrait s'en être inspiré[62]. En tout cas, concluait Lucien Cerfaux, le milieu alexandrin et l'influence qui s'en dégagea sur le judaïsme[63] de la Diaspora expliquent suffisamment l'affinité, au reste plus verbale que réelle, de la pensée paulinienne sur l'image de Dieu qu'est le Christ avec la notion d'image de la philosophie platonicienne.

Il reste à examiner un dernier texte mis en avant pour introduire le Fils de l'homme dans le cadre des réflexions pauliniennes, à savoir l'hymne christologique: II, 5-11 de la lettre aux Philippiens[64]. On affirme en effet y découvrir non seulement une allusion à l'Homme

---

53. L. CERFAUX, *Le Christ*, p. 326.
54. *Ibid.*, p. 326.
55. *Ibid.*, p. 386.
56. *Ibid.*, p. 387.
57. *Ibid.*, p. 326, note 3.
58. *Ibid.*, p. 326, note 3.
59. *Ibid.*, p. 326, note 3 et p. 387. Cfr p. 387; «Le meilleur commentaire de la phrase des Colossiens (I, 15 sq.) est probablement *Sap.*, VII, 25 sqq., où les termes émanation, reflet, miroir, voisinent avec 'image'.»
60. *Ibid.*, p. 387 avec renvoi à PLATON, *Timée*, 92c et à PHILON, *Leg. All.*, I, 43.
61. *Ibid.*, p. 387.
62. *Ibid.*, p. 387.
63. *Ibid.*, p. 387.
64. Fait curieux: cette donnée, K. SMYTH, *art. cit.*, pp. 225-226, l'exclut de son

céleste préexistant mais même une référence à cet Homme pour expliquer l'abaissement et l'humiliation subis par Jésus dans son incarnation[65]. La «forme de Dieu», μορφὴ τοῦ θεοῦ, dans laquelle le Sauveur est censé avoir existé avant de s'incarner, désignerait précisément la condition d'Homme céleste que celui-ci posséda avant d'assumer une nature humaine mortelle. L'hymne se référerait donc à un Homme-dieu préexistant au ciel[66], en qui se vérifiait l'image parfaite de Dieu[67]. C'est l'incarnation de cet Homme céleste que l'hymne célébrerait, ainsi que le confirmerait l'expression ἐν ὁμοιώματι ἀνθρώπων, où toutefois il n'y aurait pas à chercher un renvoi à *Dan.*, VII, 13[68].

L'hymne christologique de l'épître aux Philippiens n'est pas, faut-il le rappeler, d'une explication facile. Il n'y a pas de consensus touchant la toile de fond sur laquelle la christologie de la péricope se détache. Dans sa monographie: *Carmen Christi. Philippians II. 5-11*[69], R.P. Martin examina avec soin les arguments versés au débat pour situer sur cette toile la présence de deux personnages, celle du Serviteur de Yahvé deutéro-isaïen et celle aussi du Fils de l'homme daniélique[70]. Il n'écarta donc pas absolument tout rapprochement avec *Dan.*, VII, 13-14 mais, à tout prendre, il resta indécis.

De fait, une fois de plus une nette réserve s'impose touchant une prétendue référence au personnage daniélique[71]. Si l'on adopte la leçon εν ομοιωματι ανθρωπων, un premier argument en faveur de cette référence disparaît. L'affirmation: εὑρεθεὶς ὡς ἄνθρωπος ne nous rapproche pàs davantage de *Dan.*, VII, 13[72]. Quant à découvrir dans

dossier. En revanche, A. FEUILLET, *Le Christ Sagesse de Dieu*, pp. 346-347 l'y inclut, mais en s'écartant des vues exagérées de E. Lohmeyer.

65. O. CULLMANN, *Christologie du Nouveau Testament*, ap. *Bibliothèque théologique*, Neuchatel, 1968, p. 153.

66. *Ibid.*, p. 153.

67. *Ibid.*, p. 153.

68. Cfr E. LOHMEYER, *art. cit.*, pp. 39-41. — *An die Philipper*, Goettingue, 1929, pp. 94-96. Notons qu'A. FEUILLET (*op. cit.*, pp. 346-348) conteste l'interprétation suggérée par E. Lohmeyer pour ὡς ἄνθρωπος et σχήματι εὑρεθεὶς ὡς ἄνθρωπος.

69. Cambridge, 1967.

70. *Op. cit.*, pp. 207-211. — Aux pages 209-210, R.P. Martin discute les vues de E. Lohmeyer: cfr *supra*, note 68.

71. R.P. MARTIN relève entre autres la difficulté suivante, *op. cit.*, p. 227: «The poet cannot call Him a man simpliciter as he might describe himself or his fellow-men. This accounts for the cumbersome language and the adopting of a periphrastic style.»

72. Cfr A. FEUILLET. *op. cit.*, p. 347. — Notons qu'A. Feuillet dans la mesure où il tend à retrouver dans l'hymne une allusion à l'Homme céleste, est tenté de le rapprocher du Logos et de la Sagesse: *op. cit.*, p. 331, 359, 389.

la μορφὴ τοῦ θεοῦ une allusion à l'existence et à la nature d'un Homme céleste de condition divine, c'est prêter au texte un sens difficile à accepter[73]. Si le Christ avait déjà qualité d'homme antérieurement à son incarnation, comment l'hymne pourrait-il le considérer comme abaissé par sa venue parmi nous, en vertu du simple σχήματι εὑρεθεὶς ὡς ἄνθρωπος? Pour que la seule et simple qualité d'ἄνθρωπος puisse signifier et impliquer pour le Christ un abaissement, il est requis, semble-t-il, qu'antérieurement il ne l'ait possédée d'aucune façon. Au reste, le ὁ υἱὸς τοῦ ἀνθρώπου qu'on voudrait voir se profiler à l'horizon, n'est évoqué ni de près ni de loin par le ὡς ἄνθρωπος ou le ἐν ὁμοιώματι τῶν ἀνθρώπων (ou ἀνθρώπου). Bref, à lire l'hymne sans opinion préconçue et à ne pas céder à l'impact de matériaux versés en vrac, sans discernement critique, dans la discussion, celui qui «est trouvé comme un homme», σχήματι εὑρεθεὶς ὡς ἄνθρωπος, n'est pas un quelconque Fils d'homme céleste mais au sens formel le propre Fils de Dieu[74].

* * *

Concluons: aucun des textes ou des thèmes communément invoqués pour découvrir dans le dossier paulinien la présence d'allusions nettes à un Fils d'homme, Homme céleste, proto – ou eschatologique, n'est probant[75]. Les traits distinctifs d'un tel homme et ceux du Christ paulinien sont essentiellement différents. Certes, aux premiers contacts quelques affinités retiennent l'attention[76]. L'un et l'autre sont conçus

---

73. C'est pourtant la position prise par O. CULLMANN, *op. cit.*, p. 154. Le professeur de Bâle y renvoie à l'étude dite capitale d'E. LOHMEYER, *Kyrios Jesus. Eine Untersuchung zu Phil. 2. 5-11*, ap. *SB Heid. Akad. Wiss.*, phil.-hist. Kl. 1927-1928 ainsi qu'à J. HÉRING, *Kyrios Anthropos*, ap. *RHPR*, 1936, t. XVI, pp. 196ss.; *Le Royaume de Dieu et sa venue*, 1937, p. 162s.; *Les bases bibliques d'un humanisme chrétien*, ap. *RHPR*, 1945, t. XXIV, pp. 17ss.

74. L. CERFAUX, *Le Christ*, p. 291 : «Il faut dire que ἐν μορφῇ θεοῦ, d'une certaine manière, circonscrit l'être du Christ. Celui-ci n'a pas d'autre réalité que celle d'être dans la substance de Dieu, il existe à ce titre.» À comparer *I Cor.*, XI, 7 : εἰκὼν καὶ δόξα θεοῦ ὑπάρχων.

75. A. VÖGTLE, *art. cit.*, p. 217 : «Paulus lehrt die wahre Menschwerdung des präexistenten Gottessohnes. Er bezeichnet wohl *den auferweckten und vom Himmel her sich offenbarenden Christus* — nous soulignons — als den 'himmlischen Menschen'; aber er kennt nicht die Vorstellung des *Homo homo factus est.* »

76. U. Wilckens relève lui aussi diverses analogies: le Fils de l'homme hénochique est comme le Christ en quelque sorte un homme nouveau (*art. cit.*, p. 398), il est un personnage eschatologique (*ibid.*, p. 396), et comme tel il confère le salut à ceux qui

préexistants. L'épiphanie des deux est située aux temps eschatologiques et leur rôle consiste à assurer aux élus dont ils sont les chefs un bonheur parfait et éternel, parfois même conçu comme ne se réalisant qu'au lendemain d'une résurrection universelle. Mais à côté de ces analogies s'imposent des divergences radicales. Tandis que l'Homme céleste n'a pas d'histoire, Jésus est un personnage dont la mission salvifique est liée à son incarnation, sa passion et sa résurrection[77]. Puis alors que le Fils de l'homme est sauveur en raison d'un caractère céleste résultant uniquement d'une prétendue préexistence, le Christ l'est spécifiquement en tant que ressuscité, en vertu de la puissance et de l'influx de grâce émanant de sa résurrection. Puis encore, alors que dans les Paraboles d'Hénoch les élus sont réputés justes pour avoir acquis eux-mêmes la justice, dans la conception paulinienne tous les hommes sont pécheurs et le restent aussi longtemps qu'ils ne reçoivent pas du Christ une justice qui dérive de leur union avec lui et, en dernière instance, de la victoire remportée par le Christ sur le péché et la mort par le drame de sa passion et le mystère de sa résurrection[78]. Ajoutons encore que l'antithèse paulinienne Adam-Christ n'a pas de vrai correspondant et que le rôle judiciaire du Fils de l'homme ne recouvre pas celui du Christ au jugement eschatologique. Dans ces conditions, on comprend que l'Apôtre évite de nommer le Fils de l'homme même dans un contexte tel *I Thess.*, IV, 15-17, où tout paraissait devoir en amener la mention. On comprend que l'on a même émis l'hypothèse qu'il combattrait une certaine conception du Fils de l'homme répandue, ajoute-t-on, à Corinthe et menaçant d'y introduire une christologie faisant fausse route.

N'en déduisons pas pourtant que l'Apôtre n'a d'aucune façon connu le thème du Fils de l'homme ou qu'il a ignoré sa présence dans le kérygme christologique de certaines communautés ou traditions chré-

lui seront unis (*ibid.*, p. 396). En outre, la christologie paulinienne évoq :e structurellement celle de la christologie du Fils de l'homme (*ibid.*, p. 400) et l'arrière-fond eschatologique de *I Cor.*, XV, 20-28 fait penser à l'attente du Fils de l'homme attestée dans les communautés judéo-chrétiennes hellénistiques (*ibid.*, p. 399).

77. Ainsi que l'observe, d'accord avec nous, U. WILCKENS (*art. cit.*, p. 402) en *I Cor.*, XV, 20-28 Paul fonde l'influence sotériologique du Christ, nouvel Adam, homme céleste eschatologique, sur la résurrection tandis qu'en *Rom.*, V, 12-17 l'Apôtre se réfère à la passion du Sauveur qu'il vient d'évoquer aux versets immédiatement précédents: 6-11.

78. U. WILCKENS, *art. cit.*, pp. 391, 392, 396, 401, insiste également sur les différences notables entre la sotériologie et la christologie pauliniennes d'une part et, de l'autre, les spéculations sur le Fils de l'homme dans les milieux du christianisme naissant.

tiennes. Concédons plutôt que par endroits le thème a pu influencer dans une certaine mesure, qui n'est plus guère critiquement perceptible, son raisonnement, sinon son vocabulaire. N'écartons pas par exemple qu'il ait amené l'Apôtre, ainsi que A. Vögtle le nota en passant [79], à donner au *Ps.* VIII, 5-7 une portée eschatologique et christologique. Mais pour des raisons qu'il serait téméraire de prétendre déceler avec certitude [80], Paul préféra ne pas recourir au thème du Fils de l'homme, tout comme il négligea de s'étendre sur d'autres notions qui pourtant se présentèrent à son esprit ou même sous sa plume. En toute hypothèse, gardons-nous · scrupuleusement de développer à sa place des *topoi* que lui-même s'est contenté simplement d'amorcer. Dans l'étude critique du dossier paulinien, tout comme dans toute autre recherche historique, la seule ambition à nourrir, est de « retourner au chantier, et d'apprendre à manier les matériaux comme Paul les a maniés lui-même ».

II. *Le Fils de l'homme en Hebr., II, 5-9.*

Si de tous les textes pauliniens examinés aucun n'atteste ou n'implique nettement une allusion au Fils de l'homme, n'en và-t-il pas autrement d'un passage de l'épître aux Hébreux, à savoir *Hebr.*, II, 7? [81].

79. *Art. cit.*, p. 217.

80. L. CERFAUX, *Le Christ*, p. 71.

81. Parmi les commentaires renvoyons à E. RIGGENBACH, *Der Brief an die Hebräer*, ap. *KNT*, XIV, 2e et 3e éd., Leipzig, 1922. — H. WINDISCH, *Der Hebräerbrief*, ap. *HNT*, 14, 2e éd., Tubingue, 1931. — C. SPICQ. *L'épître aux Hébreux*, 2e éd., ap. *Études bibliques*, Paris, 1952. — O. MICHEL, *Der Brief an die Hebräer*, ap. *Meyer Komm.*, Goettingue, 1966. — H. STRATHMANN, *Der Brief an die Hebräer*, ap. *NTD*, 9, Goettingue, 1963. — F.J. SCHIERSE, *Der Brief an die Hebräer*, ap. *Geistliche Schriftlesung*, 18, Dusseldorf, 1968. — *Épître aux Hébreux. Traduction œcuménique de la Bible*, Paris, 1969. — P. ANDRIESSEN-A. LENGLET, *De Brief aan de Hebreeën*, ap. *Het Nieuwe Testament*, Ruremonde, 1971. — G. N. BUCHANAN, *To the Hebrews*, ap. *The Anchor Bible*, New York, 1972.

Parmi les études concernant plus spécialement l'exégèse de *Hebr.*, II, 7: J. KÖGEL, *Der Sohn und die Söhne. Eine exegetische Studie zu Hebr. 2, 5-18*, Gütersloh, 1904. — F.J. SCHIERSE, *Verheissung und Heilsvollendung. Zur theologischen Grundfrage des Hebräerbriefes*, ap. *MThSt*, I, 9, Munich, 1955. — E. KÄSEMANN, *Das wandernde Gottesvolk. Eine Untersuchung zum Hebräerbrief*, 4e éd., ap. *FRLANT*, 55, Goettingue, 1971. — S. KISTEMAKERS, *The Psalm Citations in the Epistle to the Hebrews*, Amsterdam, 1961. — U. LUCK, *Himmlisches und irdisches Geschehen im Hebräerbrief. Ein Beitrag zum Problem des « historischen Jesus » im Urchristentum*, ap. *Nov. Test.*, 1963, t. VI, pp. 192-215. — A. VANHOYE, *La structure littéraire de l'Épître aux Hébreux*, ap. *Studia Neotest.*, I, Paris, 1963. — F. SCHRÖGER, *Der Verfasser des Hebräerbriefes als*

Les avis sont partagés. Il est des auteurs indécis[82] ; d'autres plaident pour la présence du titre[83] ; d'autres contestent qu'il en soit ainsi[84]. Concrètement il s'agit du sens à attribuer à l'expression : υἱὸς ἀνθρώπου figurant dans la citation du *Ps.* VIII, 5-7 selon la version de la Septante :

τί ἐστιν ἄνθρωπος ὅτι μιμνήσκῃ αὐτοῦ ;
ἢ υἱὸς ἀνθρώπου ὅτι ἐπισκέπτῃ αὐτόν ;
ἠλάττωσας αὐτὸν βραχύ τι παρ' ἀγγέλους,
δόξῃ καὶ τιμῇ ἐστεφάνωσας αὐτόν,
πάντα ὑπέταξας ὑποκάτω τῶν ποδῶν αὐτοῦ[85].

Qu'est-ce que l'homme que tu te souviennes de lui,
ou le fils de l'homme pour que tu le prennes en considération?
Tu l'as un moment abaissé au-dessous des anges.
Tu a tout soumis sous ses pieds[86].

Le verset appartient à un contexte comprenant deux chaînes de citations vétérotestamentaires : I, 5-14 et II, 5-18, interrompues par une péricope parénétique : II, 1-4, chaînes qui l'une et l'autre tendent à établir la condition et la fonction de Jésus, fils de Dieu, par rapport aux cohortes angéliques.

Schriftausleger, ap. *Biblische Untersuchungen,* 4, Ratisbonne, 1968. — A. VANHOYE, *Situation du Christ. Hébreux* 1-2, ap. *Lectio divina,* 58, Paris, 1969. — B. KLAPPERT, *Die Eschatologie des Hebräerbriefes,* ap. *ThExH,* 156, Munich, 1969. — G. KLEIN, *Hebr 2, 10-18,* ap. *Bibelkritik als Predigthilfe,* pp. 61-69, Gutersloh, 1971. — H. FELD, *Der Humanistenstreit um Hebr 2, 7 (Ps 8, 6),* ap. *Arch. Reform. Gesch.,* 1971, t. LXI, pp. 5-3. — E. GRÄSSER, *Das Heil als Wort. Exegetische Erwägungen zu Hebr 2, 1-4,* ap. *Neues Testament und Geschichte* (Festschrift Cullmann), Zurich, 1972, pp. 261-274. — E. GRÄSSER, *Hebr 1, 1-4. Ein exegetischer Versuch,* ap. *Text und Situation. Gesammelte Aufsätze z. NT,* Gutersloh, 1972, pp. 182-228. — LE MÊME, *Zur Christologie des Hebräerbriefes. Eine Auseinandersetzung mit Herbert Braun,* ap. *Neues Testament und christliche Existenz* (Festschrift Braun), Tubingue, 1973, pp. 195-206. — LE MÊME, *Beobachtungen zum Menschensohn in Hebr 2, 6,* ap. *Jesus und der Menschensohn* (Festschrift Vögtle), Fribourg-en-Br., 1975, pp. 404-414. — Pour une bibliographie plus complète cfr P. ANDRIESSEN-A. LENGLET, *op. cit.,* pp. 28-34.

82. Fr. SCHRÖGER cit. ap. E. GRÄSSER, *Beobachtungen* (cité désormais *Beobachtungen*), p. 405.

83. H. STRATHMANN, A.J.B. HIGGINS, E. KÄSEMANN, ap. *Beobachtungen,* p. 404 et 405.

84. E. RIGGENBACH, *ibid.,* p. 404 et E. GRÄSSER, *Beobachtungen,* pp. 412-414.

85. C'est une des rares citations de l'épître aux Hébreux qui correspondent à la Septante. E. GRÄSSER, *Beobachtungen,* p. 407, renvoie encore à I, 5, 13 ; V, 6 ; XI, 18.

86. Cfr *La Bible de Jérusalem. La Sainte Bible traduite en français sous la direction de l'École biblique de Jérusalem,* nouvelle édition revue et augmentée, Paris, 1974, p. 1730.

La première chaîne: I, 5-14 développe, à l'aide de sept citations, — et surtout à partir de celle énonçant la raison principale, à savoir l'héritage d'un nom incomparable, celui de Fils (v. 5 comparé au v. 4), — la supériorité de Jésus sur les anges. La deuxième vise à réfuter les objections qu'on peut être tenté de soulever contre cette supériorité, à savoir l'abaissement du Fils à la condition humaine, condition inférieure à l'angélique, et la soumission à la mort qu'il a subie et dû subir: v. 9. Elle y répond d'abord en faisant observer que la participation à la nature humaine: vv. 11-12, 14, 17 et l'assomption des souffrances et de la mort: v. 10, étaient voulues par Dieu et nécessaires à l'œuvre du salut: vv. 9, 10, 14, 17, 18. Puis elle ajoute que l'humiliation ainsi endurée fut seulement passagère: elle n'a duré qu'«un moment» (v. 9)[87] et elle a déjà été remplacée par une intronisation glorieuse: vv. 8a et 9, dont les dernières conséquences, il est vrai, n'ont pas encore été toutes réalisées (v. 8b).

C'est précisément dans le développement des arguments tendant à contredire l'infériorité de Jésus par rapport aux anges que l'hagiographe allègue les versets 6-7 du Psaume VIII. Il est entendu que le texte hébreu du poème ne pouvait servir les desseins de l'hagiographe, car il énonce clairement l'infériorité de l'homme par rapport aux *élôhîm* et, au surplus, il ne parle pas distinctement d'anges[88]. C'est pourquoi l'épître renvoie au texte grec, à la version de la Septante, qui elle se réfère explicitement aux milices célestes, substituant les ἄγγελοι aux *élôhîm*. D'où le problème: le texte grec renverse-t-il les rapports entre les hommes et les anges, ou contient-il par hasard un élément permettant de résoudre l'infériorité y affirmée de la condition humaine? C'est précisément pour trouver cet élément que divers auteurs proposent d'entendre «le fils d'homme» du «Fils de l'homme» proclamé nettement par les traditions juives et chrétiennes supérieur aux cohortes célestes.

A ce qu'il nous semble, tout concourt à montrer que l'hagiographe continue à comprendre, tels les textes hébreu et grec, l'«homme» et le «fils d'homme» du *Ps.* VIII, 5 d'un représentant de la nature humaine, et par conséquent qu'il ne donne nullement à υἱὸς τοῦ ἀνθρώπου y figurant la portée d'un titre christologique.

87. Cfr E. GRÄSSER, *Beobachtungen*, p. 409. Depuis la controverse humaniste sur le sens d'*Hebr.*, II, 7, le sens temporel de βραχύ τι s'est imposé: *ibid.*, p. 409, note 23.

88. Cfr parmi les commentaires les plus récents J. VAN DER PLOEG, *Psalmen uit de grondtekst vertaald en uitgelegd*, ap. *BOT*, VII, b, Ruremonde, 1971, p. 71 et L. JACQUET, *Les Psaumes et le Cœur de l'homme. Étude textuelle, littéraire et doctrinale. Introduction et Premier Livre du Psautier. Psaumes 1 à 41*, Gembloux, 1975, pp. 316-319.

Qu'il ne s'agisse pas d'un tel titre, plusieurs considérations le rendent d'avance vraisemblable. Ni la version grecque ni l'original hébreu n'envisagent dans la mention du « fils d'homme » l'homme primitif ou l'homme céleste idéal[89], et même l'interprétation rabbinique ne paraît pas avoir donné au psaume une portée messianique[90]. L'épître aux Hébreux lit υἱὸς τοῦ ἀνθρώπου sans l'article : nouvelle présomption en faveur d'une exégèse qui n'y trouve pas le titre christologique[91]. Quand il s'agit d'un titre, les textes néotestamentaires lisent toujours ὁ υἱὸς τοῦ ἀνθρώπου. À cette règle font seulement exception *Jn.*, V, 27 ; *Apoc.*, I, 13 ; XIV, 14. Ces exceptions s'expliquent. Pour *Jn.*, V, 27 ; *Apoc.*, I, 13 ; XIV, 14, l'absence résulte vraisemblablement de leur référence à *Dan.*, VII, 13 (LXX)[92].

Et voici des indices plus directs en faveur de l'interprétation qui ne voit dans les expressions ἄνθρωπος (v. 6) et υἱὸς τοῦ ἀνθρώπου (v. 6) que des références à la nature humaine. D'abord il y a le fait qu'au v. 9, quand l'hagiographe identifie Jésus[93] avec l'ἄνθρωπος, il n'éprouve nullement le besoin d'ajouter ὁ υἱὸς τοῦ ἀνθρώπου[94]. Puis, vu que dans la deuxième chaîne, aux versets 5-18, l'hagiographe vise à souligner la nécessité pour Jésus d'avoir eu part à la nature humaine pour réaliser l'œuvre du salut : cfr les vv. 12, 14, 17[95], il est naturel, voire il importe que dans la citation du *Ps.* VIII il ait compris de cette nature les deux termes en discussion[96]. Dans ces conditions, ne perdant pas de vue la loi du parallélisme sémitique, l'hagiographe a compris comme parfaitement synonymes ἄνθρωπος

89. Voir H. J. KRAUS, *Psalmen*, ap. *BKAT*, t. XV, fasc. 1, Neukirchen, 1958, pp. 70-71, 73.

90. E. GRÄSSER, *Beobachtungen*, p. 411, note 39.

91. *Ibid.*, p. 409.

92. Pour *Jn.*, V, 27, voir nos observations sur le Fils de l'homme dans les écrits johanniques : *Le Fils de l'homme dans l'Évangile johannique*, ap. *ETL*, 1976, t. LII, pp. 28-81. — Dans la littérature patristique υἱὸς τοῦ ἀνθρώπου tend à désigner la nature humaine de Jésus : *ibid.*, p. 410 et J. COPPENS, *De Mensenzoon-logia in het Markus-evangelie. Avec un résumé, des notes et une bibliographie en français*, ap. *Med. Kon. Acad. Wet. België*, t. XXXV, 3, Bruxelles, 1973, pp. 22-23.

93. E. GRÄSSER, *Beobachtungen*, p. 409, souligne l'emploi emphatique du nom propre Jésus, emploi qui n'a pas de correspondant dans les écrits néotestamentaires en-dehors de l'épître aux Hébreux mais se retrouve dans celle-ci en III, 1 ; IV, 16 ; VI, 20 ; VII, 22 ; X, 19 ; XII, 2, 24 ; XIII, 12.

94. *Ibid.*, p. 409.

95. *Ibid.*, pp. 410-411. — Il est superflu, voire contre-indiqué de faire appel à la doctrine gnostique de l'*Anthrôpos* et de la συγγένεια pour rendre compte de l'insistance de l'hagiographe sur la solidarité de Jésus avec le genre humain.

96. *Ibid.*, pp. 410-411.

et υἱὸς τοῦ ἀνθρώπου et il donne à l'un et l'autre la même signification obvie[97], celle que d'ailleurs ils possèdent dans le texte hébreu original[98].

Bref, il n'y a pas lieu de retrouver dans *Hebr.*, II, 7 une allusion au Fils d'homme daniélique ou hénochique, ni à l'Homme primitif, idéal et prototype du genre humain[99], ni au titre assumé par Jésus aussi bien dans les synoptiques que dans l'évangile johannique. Dès lors il n'est pas davantage question d'assigner à *Hebr.*, II, 7 une étape distincte sur la voie de l'évolution que la notion du Fils de l'homme aurait parcourue dans les écrits néotestamentaires[100].

Et qu'on ne songe pas à renvoyer par manière d'objection, à *I Cor.*, XV, 27; *Phil.*, III, 21; *Eph.*, I, 22; *I Petr.*, III, 22; *Apoc.*, V, 12, c'est-à-dire à une série de textes qui tous appliquent le *Ps.* VIII, 7 au Christ et lui confèrent ainsi une portée christologique. Nous aurions mauvaise grâce à le contester, mais notons que ces divers passages, bien étrangers à la lettre aux Hébreux, ne peuvent mettre en question le sens que l'analyse d'*Hebr.*, II, 7 et de son contexte immédiat imposent. Au reste, si d'aucuns prétendent retrouver l'Homme céleste à l'arrière-plan de *I Cor.*, XV, 20-28, 45-49[101], nous avons estimé pouvoir le contester. Dès lors tout appel à ces passages pour en déduire que les autres textes alignés, prétendûment apparentés, y compris *Hebr.*, II, 7, opèrent également avec l'idée sous-jacente de l'Anthrôpos, ne nous paraît pas fondé[102].

Enfin, ne perdons pas de vue que l'insistance de l'hagiographe sur l'abaissement de « l'homme », « fils de l'homme », au-dessous des anges suffit pour écarter toute allusion au personnage transcendant de Daniel, des synoptiques, de l'évangile johannique ou, a fortiori, des livres hénochiques. Aussi bien en Daniel et en l'Hénoch éthiopien que dans les textes évangéliques, le Fils de l'homme se caractérise par sa supériorité sur les milices angéliques. L'abaissement reconnu par l'hagiographe au Christ a même dû lui causer quelque embarras pour sa thèse de la suprématie de Jésus qu'il tendait à sauvegarder

---

97. *Ibid.*, p. 409.

98. Cfr *supra*, notes 88 et 89.

99. Cfr en ce sens O. Moe, *Der Menschensohn und der Urmensch*, ap. *Studia Theologia*, 1960, t. XIV, pp. 119-129.

100. Cfr E. Grässer, *Beobachtungen*, pp. 412-414. — Cfr C. F. D. Moule, *Neglected Features in the Problem of « The Son of Man »*, ap. *Neues Testament und Kirche* (Festschrift Schnackenburg), Fribourg-en-Br., 1974.

101. Voir *supra*, nos réflexions sur *I Cor.*, XV.

102. Cfr *supra*, note 99.

et proclamer (v. 8). La difficulté, il semble l'avoir résolue ingénieusement. En traduisant l'hébreu *m^eʿat mê'èlôhîm*, exprimant une différence de grandeur entre l'homme et les *Élohim*, par βραχύ τι, il paraît n'avoir plus énoncé qu'une diastase temporelle. En d'autres termes, pour Jésus il ne s'est plus agi que d'un abaissement temporel et tout provisoire auquel il s'est soumis volontairement comme à la seule voie voulue par Dieu pour préparer son intronisation royale, céleste et éternelle.

CONCLUSION

L'examen du dossier paulinien s'avère négatif, et les exégètes qui ne se sont pas arrêtés à la figure du Fils de l'homme pour expliquer le développement de la christologie paulinienne, n'ont pas battu la campagne. Le personnage daniélique ne joue pas de rôle ni dans les écrits pauliniens communément acceptés comme authentiques, même pas dans la première lettre aux Thessaloniciens où le passage sur la parousie aurait pu tout naturellement amener sa mention ni dans les épîtres deutéro- ou tritopauliniennes.

Cette absence du Fils de l'homme sur l'horizon paulinien peut surprendre. Plus haut nous avons noté qu'il est sans doute vain de vouloir assigner avec certitude les raisons qui amenèrent l'Apôtre à se montrer aussi réservé à l'endroit d'un titre christologique nettement attesté dans les synoptiques et repris avec insistance par l'évangile johannique. Il ne faudrait pas, semble-t-il, attribuer à Paul une indifférence ou même une opposition aux thèmes apocalyptiques, car on n'hésite pas à le croire familiarisé avec ces traditions et à leur accorder une influence nullement négligeable[103]. En revanche, il n'est pas interdit de penser que dans la présentation du message évangélique aux Gentils, guère familiarisés avec les écrits vétérotestamentaires et en particulier avec le livre de Daniel, le titre mystérieux de Fils de l'homme ne pouvait pas rendre service. Au contraire, vu les spéculations gnostiques sur l'Anthrôpos qui s'étaient répandues dans le monde hellénistique, l'appellation offrait pas mal d'ambiguïté et risquait d'ouvrir la porte à de graves malentendus. Puis et surtout au moment où Paul entreprit ses missions et entama sa correspondance, deux autres titres christologiques l'avaient définitivement

---

103. Voir par exemple J. BAUMGARTEN, *Paulus und die Apokalyptik. Die Auslegung apokalyptischer Ueberlieferungen in den echten Paulusbriefen*, ap. *WMANT*, t. XLIV, Neukirchen, 1975.

emporté, celui de « Christ » dans le cadre d'une relecture et d'une réinterprétation du messianisme royal classique [104] et celui de « Kyrios, Seigneur », dans la perspective d'une insistance de plus en plus vive et nette sur la transcendance divine de Jésus [105]. D'où chez l'Apôtre l'apparition et la fréquence d'une titulature différente, une titulature appelée à devenir même classique dans la foi chrétienne, une titulature saluant de préférence le Sauveur comme « le Seigneur Jésus-Christ » [106].

* *
*

Si l'absence d'allusion au Fils de l'homme dans la plus ancienne littérature chrétienne, la paulinienne, peut à première vue, surprendre, celle d'une série de logia où ce titre intervient, répandus à travers tout l'évangile johannique, est bien plus étonnant. D'où le chapitre suivant où nous en recherchons une solution.

---

104. Voir J. COPPENS, *Le Messianisme royal. Ses origines. Son développement. Son accomplissement*, ap. *Lectio divina*, t. LIV, Paris, 1968, pp. 159-198.

105. Sur le titre *Kyrios* lire L. CERFAUX, *Kyrios*, ap. *DBS*, fasc. XXIV, Paris, 1950, col. 200-228.

106. Voir cette titulature déjà bien établie dans les épîtres aux Thessaloniciens: cfr B. RIGAUX, *Saint Paul. Les Épîtres aux Thessaloniciens*, ap. *Études bibliques*, Paris, 1956.

Sur l'apocalyptique dans la littérature paulinienne voir, outre J. Baumgarten (*supra*, n. 103), P. BENOIT, *L'évolution du langage apocalyptique dans le corpus paulinien*, dans *Apocalypses et théologie de l'espérance*, ap. *Lectio divina*, XCV, Paris, 1977, pp. 299-335.

CHAPITRE III

LES LOGIA DU FILS DE L'HOMME
DANS L'ÉVANGILE JOHANNIQUE

La présence du Fils de l'homme dans le quatrième évangile pose de nombreux problèmes qui ont reçu des solutions fort divergentes. L'expression s'y rencontre treize fois [1], une fois de moins que dans l'évangile de Marc [2]. L'authenticité des attestations n'est guère contestée, mais la strate littéraire à laquelle les treize logia appartiennent, la portée exacte y conférée au titre christologique, les rapports avec les logia des évangiles synoptiques ou ceux avec les milieux religionnistes dont l'œuvre johannique pourrait avoir subi l'influence, prêtent à de nombreuses hypothèses dont les principales retiendront notre attention [3].

1. Voir *Jn.*, I, 51 ; III, 13 ; III, 14-15 ; V, 27 ; VI, 27, 53, 62 ; VIII, 28 ; IX, 35 ; XII, 23, 34(bis) ; XIII, 31-32.

2. Sur le problème du Fils de l'homme dans l'évangile de Marc cfr *infra*, pp. 109-149.

3. Parmi les publications consultées le plus souvent mentionnons I : *Les commentaires* : B. F. WESTCOTT, *The Gospel according to St. John* (1881). Reprint Grand Rapids, 1958. — A. LOISY, *Le quatrième évangile*, Paris, 1903. — Th. CALMES, *L'Évangile selon saint Jean. Traduction critique, introduction et commentaire*, ap. *Études bibliques*, Paris, 1904. — M.-J. LAGRANGE, *Évangile selon saint Jean*, ap. *Études bibliques*, Paris, 1925. — J. H. BERNARD, *A Critical and Exegetical Commentary on the Gospel according to St. John*, Édimbourg, 1928. Reprint 1948. — H. ODEBERG, *The Fourth Gospel interpreted in its Relation to Contemporaneous Religious Currents in Palestine and the Hellenistic Oriental World*, Uppsala, 1929. Reprint Amsterdam 1968. — A. DURAND, *Évangile selon saint Jean*, ap. *Verbum salutis*, Paris, 1930. — W. BAUER, *Das Johannesevangelium*, 3ᵉ éd., ap. *Handbuch z. N.T.*, Tubingue, 1933. — Fr.-M. BRAUN, *Évangile selon saint Jean traduit et commenté*, ap. *La Sainte Bible*, Paris, 1935. — R. H. STRACHAN, *The Fourth Gospel. Its Significance and Environment*. Third Edition revised and Rewritten, Londres, 1941. — E. Cl. HOSKYNS, *The Fourth Gospel*, edited by Fr. N. DAVEY, 2ᵉ éd., Londres, 1947. — A. SCHLATTER, *Der Evangelist Johannes. Wie er spricht, denkt und glaubt. Ein Kommentar zum vierten Evangelium*, Stuttgart, 1948. — H. STRATHMANN, *Das Evangelium nach Johannes übersetzt und erklärt*, ap. *Das Neue Testament Deutsch*, Goettingue, 1951. — C. K. BARRETT, *The Gospel according to St. John*, Londres, 1955. — R. H. LIGHTFOOT, *St. John's Gospel. A Commentary*. Edited by C. F. EVANS, Oxford, 1956. — D. MOLLAT - F. M. BRAUN, *L'Évangile et les épîtres de saint Jean*, ap. *La Bible*

de Jérusalem, 1ʳᵉ éd., Paris, 1953; 2ᵉ éd., 1960. — A. WIKENHAUSER, Das Evangelium nach Johannes, 3ᵉ éd., ap. Regensb. N.T., t. IV, Ratisbonne, 1961. — R. E. BROWN, The Gospel according to St. John, ap. Anchor Bible, t. I-II, New York, 1966-1970. — H. VAN DEN BUSSCHE, Jean. Commentaire de l'évangile spirituel, Paris, 1967. — J. N. SANDERS - B. A. MASTIN, The Gospel according to St. John, Londres, 1968. — B. LINDARS, Behind the Fourth Gospel, ap. Studies in Creative Criticism, Londres, 1971. — L. MORRIS, The Gospel according to John, Grand Rapids, 1971. — B. LINDARS, The Gospel of John, Londres, 1972. — S. SCHULZ, Das Evangelium des Johannes, ap. Das Neue Testament Deutsch. Neues Göttinger Bibelwerk, IV, Goettingue, 1972.

II. Les monographies suivantes: E. SCHWEIZER, Ego eimi. Die religionsgeschichtliche Herkunft und theologische Bedeutung der johanneischen Bildreden, Goettingue, 1939. — E. RUCKSTUHL, Die literarische Einheit des Johannesevangeliums, Fribourg, 1951. — J. DUPONT, Essais sur la christologie de saint Jean, Paris, 1951. — C. H. DODD, The Interpretation of the Fourth Gospel, Cambridge, 1953. — Ph. H. MENOUD, Les études johanniques de Bultmann à Barrett, ap. L'Évangile de Jean (Recherches bibliques, 3), Bruges, 1958, 11-40. — W. THÜSING, Die Erhöhung und Verherrlichung Jesu im Johannesevangelium, Munster-en-W., 1960. — S. SCHULZ, Komposition und Herkunft der johanneischen Reden, Stuttgart, 1960. — F. M. BRAUN, I. Jean le théologien et son évangile dans l'Église ancienne, Paris, 1959. — II. Jean le théologien. Les grandes traditions d'Israël. L'accord des Écritures d'après le quatrième évangile, Paris, 1964. — III. Jean le théologien. Sa théologie. Le mystère de Jésus-Christ, Paris, 1966. — IV. Le Christ, notre Seigneur, hier, aujourd'hui, toujours, Paris, 1972. — F. MUSSNER, Die johanneische Sehweise und die Frage nach dem historischen Jesus, ap. Quaest. disput., t. XXVIII, Fribourg-en-Br., 1965. — C. H. DODD, Historical Tradition and the Fourth Gospel, Cambridge, 1963. — P. BORGEN, Bread from Heaven. An Exegetical Study of the Concept of Manna in the Gospel of John and the Writings of Philo, ap. SNT, t. X, Leyde, 1965. — J. BLINZLER, Johannes und die Synoptiker. Ein Forschungs-bericht, ap. Stuttg. Bibelstudien, t. V, Stuttgart, 1965. — W. A. MEEKS, The Prophet-King. Moses Traditions and the Johannine Christology, ap. SNT, t. XIV, Leyde, 1967. — J. KUHL, Die Sendung Jesu und der Kirche nach dem Johannesevangelium, Steyl, 1967. — H. LEROY, Rätsel und Missverständnis. Ein Beitrag zur Formgeschichte des Johannes-evangeliums, Bonn, 1968. — B. LINDARS - B. RIGAUX, Témoignage de l'évangile de Jean, ap. Pour une histoire de Jésus, t. V, Paris, 1974. — G. REIM, Studien zum alttestamentlichen Hintergrund des Johannesevangeliums, ap. SNTSMS, XXII, Cambridge, 1974.

III. Les articles ou ouvrages spécialement consacrés à la notion johannique du Fils de l'homme: J. GRILL, Untersuchungen über die Entstehung des vierten Evangeliums, Tubingue, 1902, t. I, pp. 46-67, 73-74. — E. A. ABBOTT, «Son of Man» in John, ap. Study of the Thought of John, Cambridge, 1910. — F. W. GROSHEIDE, Huios tou anthropou in het Evangelie naar Johannes, ap. Theol. Stud., 1917, XXXV, pp. 242-248. — H. DIECKMANN, Der Sohn des Menschen im Johannesevangelium, ap. Scholastik, 1927, II, pp. 229-247. — J. G. GOURBILLON, La parabole du serpent d'airain, ap. RB, 1942, LI, pp. 213-226. — A. VERGOTE, L'exaltation du Christ en croix selon le quatrième évangile, ap. Eph. Theol. Lov., 1952, t. XXVIII, pp. 5-23. — A. FEUILLET, Le fils de l'homme de Daniel et la tradition biblique, ap. RB, 1953, LX, pp. 170-202, 321-346. — G. QUISPEL, Nathanael und der Menschensohn, ap. ZNW, 1956, XLVII, pp. 281-283. — C. DE BEUS, Het gebruik en de betekenis van de uitdrukking «Zoon des mensen» in het Evangelie van Johannes, ap. Ned. Theol. Tijdschr., 1955-1956, X, pp. 237-251.

I. LE DOSSIER

Les treize mentions du Fils de l'homme figurent toutes dans la section de l'évangile retraçant la carrière de Jésus depuis le début de son ministère jusqu'au moment où Judas prit congé de lui après la célébration de la dernière cène. A l'exception peut-être de *Jn.*, III, 13, — logion parfois interprété comme l'expression d'une confession de foi chrétienne, — toutes sont mises dans la bouche du Sauveur.

— E. M. SIDEBOTTOM, *The Son of Man in the Fourth Gospel*, ap. *ET*, 1956-1957, LXVIII, pp. 231-235, 280-283. — E. M. SIDEBOTTOM, *The Ascent and the Descent of the Son of Man in the Gospel of St. John*, ap. *Angl. Theol. Rev.*, 1957, XXXIX, pp. 115-122. — S. SCHULZ, *Untersuchungen zur Menschensohn-Christologie im Johannesevangelium*, Goettingue, 1957. — I. FRITSCH, *Videbitis angelos Dei ascendentes et descendentes super Filium hominis*, ap. *Verb. Dom.*, 1959, XXXVII, pp. 3-11. — E. SCHWEIZER, *Der Menschensohn*, ap. *ZNW*, 1959, L, pp. 185-209 et *Neotestamentica*, Zurich, 1963, pp. 56-84. — O. MOE, *Der Menschensohn und der Urmensch*, ap. *Stud. Theol.*, 1960, XIV, pp. 114-129. — W. MICHAELIS, *Joh. 1, 51, Gen. 28, 12 und das Menschensohnproblem*, ap. *Theol. Lit. Zeit.*, 1960, LXXXV, pp. 561-578. — E. M. SIDEBOTTOM, *The Christ of the Fourth Gospel*, Londres, 1961. — M. BLACK, *The Son of Man Problem in Recent Research and Debate*, ap. *BJRL*, 1962-1963, XLV, pp. 305-318. — J. BLANK, *Krisis*, Fribourg-en-Br., 1964. — A. J. B. HIGGINS, *Jesus and the Son of Man*, Londres, 1964. — R. SCHNACKENBURG, *Der Menschensohn im Johannesevangelium*, ap. *NTS*, 1964-1965, XI, pp. 123-137. — F. H. BORSCH, *The Son of Man in Myth and History*, Londres, 1967. — H. M. DION, *Quelques traits originaux de la conception johannique du Fils de l'homme*, ap. *Eccl.*, 1967, XIX, pp. 49-65. — C. COLPE, Ὁ υἱὸς τοῦ ἀνθρώπου, ap. *TWNT*, 1967, VIII, pp. 403-481. — E. D. FREED, *The Son of Man in the Fourth Gospel*, ap. *JBL*, 1967, LXXXVI, pp. 402-409. — J. JEREMIAS, *Die älteste Schicht der Menschensohn-Logien*, ap. *ZNW*, 1967, LVIII, pp. 159-172. — I. DE LA POTTERIE, *L'exaltation du Fils de l'homme, Jn 12, 31-36*, ap. *Gregor.*, 1968, XLIX, pp. 460-478. — E. KINNIBURGH, *The Johannine Son of Man*, ap. *Studia evangelica* ed. F. L. CROSS, Berlin, 1968, pp. 64-71. — J. NELIS, *Menschensohn*, ap. *Bibellexicon hrsg. von* H. HAAG, Einsiedeln, 1968, pp. 1128-1134. — St. S. SMALLEY, *The Johannine Son of Man Sayings*, ap. *NTS*, 1968-1969, XV, pp. 278-301. — M. BLACK, *The « Son of Man » Passion Sayings in the Gospel Tradition*, ap. *ZNW*, 1969, LX, pp. 1-8. — E. RUCKSTUHL, *Die johanneische Menschensohnforschung 1957-1969*, ap. J. PFAMMATTER-F. FURGER, *Theologische Berichte*, Einsiedeln, 1972, pp. 171-284. — S. SCHULZ, *Der Menschensohn*, ap. *Das Evangelium nach Johannes*, Goettingue, 1972, pp. 62-64. — R. G. HAMERTON-KELLY, *Pre-existence, Wisdom and the Son of Man. A Study of the Idea of Preexistence in the New Testament*, ap. *Soc. NT Studies. Monograph Series*, XXI, Cambridge, 1973. — B. LINDARS, *The Son of Man in the Johannine Christology*, ap. *Christ and the Spirit in the New Testament*, pp. 43-60, Cambridge, 1973. — C. F. D. MOULE, *Neglected Features in the Problem of the Son of Man*, ap. J. GNILKA (éd.), *Neues Testament und Kirche*, pp. 413-428, Fribourg-en-Br., 1974. — B. LINDARS, *Re-enter the Apocalyptic Son of Man*, ap. *NTS*, 1975, XXII, pp. 52-72.

Elles débutent en *Jn.*, I, 51 par une parole clôturant le récit de la vocation des premiers disciples: *Jn.*, I, 35-50, et elles se terminent en *Jn.*, XIII, 31-32, logion d'allure hymnique, introduisant aux discours de Jésus après la cène: *Jn.*, XIII, 33-38; XIV, 1-29; XV, 1-26; XVI, 1-32, et à sa prière dite sacerdotale *Jn.*, XVII, 1-26. Tous les autres logia se situent entre ces deux textes, *Jn.*, I, 51 et XIII, 31-32, à savoir : en *Jn.*, III, 13 et 14-15, au cours de l'entretien de Jésus avec Nicodème, — en *Jn.*, V, 27, dans le discours du Sauveur prononcé à la suite de la guérison du paralytique accomplie un jour de sabbat près de la piscine de Béthesda, — en *Jn.*, VI, 27, 53, 62, dans l'homélie sur le pain de vie adressée aux Juifs de Capharnaüm, — en *Jn.*, VIII, 28, dans une discussion entre Jésus et les pharisiens, — en *Jn.*, IX, 35, verset interpellant l'aveugle-né et l'invitant à confesser sa foi en Jésus «Fils de l'homme», — en *Jn.*, XII, 23 et 34, deux paroles prononcées par Jésus au lendemain de son entrée triomphale à Jérusalem pour y célébrer sa dernière Pâque, l'une adressée à André et Philippe (v. 23), l'autre aux Juifs contestant sa dignité messianique (v. 34).

A plusieurs commentateurs, ce dossier paraît incomplet. Certains font appel pour l'augmenter aux passages où se rencontre l'expression ἐγώ εἰμι[4]. D'autres allèguent la version grecque du *Ps.* LXXX (LXXXI), 6 pour inclure dans leur documentation la section de la vraie vigne[5]. Il en est qui, à la suite de H. Odeberg, renvoient à la qualification de Jésus: «Je suis le vrai cep», rapportée en *Jn.*, X, 1[6]. La plupart se contentent d'invoquer les passages où l'évangéliste met en scène le (ὁ) ἄνθρωπος[7], bien que nulle part,

---

4. Il s'agit en particulier de *Jn.*, IV, 26; VIII, 24, 28; XIII, 19. — R. Schnackenburg, *Das Johannesevangelium*, pp. 415-416, écarte le rapprochement.

5. Rapprochement également écarté: *ibid.*, p. 415. — Cfr *infra*, note 40.

6. Également écarté: *ibid.*, p. 416.

7. Voir *Jn.*, IV, 29; V, 12; VII, 46; IX, 11, 16ab, 24; X, 33; XI, 47, 50; XVIII, 14, 17, 29; XIX, 5.

Dans *Die Ecce-Homo-Szene und der Menschensohn* paru dans R. Pesch - R. Schnackenburg - O. Kaiser (éd.), *Jesus und der Menschensohn*, Fribourg-en-Br., 1975, R. Schnackenburg rejette à juste titre les théories qui voient dans l'exclamation de Pilate une allusion au Fils de l'homme biblique ou à quelque figure d'*Anthrôpos* attestée dans les milieux contemporains du christianisme naissant. L'explication positive du professeur de Wurzbourg est moins convaincante.

En revanche, dans *Approches de l'évangile de Jean* (*Parole de Dieu*, n° 13, Paris, 1976), p. 70, Annie Jaubert penche pour la portée messianique de la parole de Pilate: «Voici l'homme!» (*Jn.*, XIX, 5).

même pas en *Jn.*, XIX, 5, ce terme ne trahisse le sens particulier qu'on voudrait lui attribuer.

II. LA TRADITION TEXTUELLE

Les logia johanniques du Fils de l'homme ne soulèvent pas de problèmes majeurs de critique textuelle[8]. En *Jn.*, I, 51, divers manuscrits lisent απ' αρτι οψεσθε. Cette lecture, née peut-être sous l'influence de *Mt.*, XXVI, 64, ne recueille pas la faveur des éditions critiques[9]. En *Jn.*, III, 13, divers témoins ajoutent à la fin du verset: ο ων εκ του ουρανου ou ο ων εν τω ουρανω. La dernière leçon est retenue par Th. Zahn et par A. Loisy[10] qui l'estime recommandée par la structure rhytmique du logion[11]. En revanche, Loisy écarte en *Jn.*, III, 15

---

8. Sur les variantes du texte de l'évangile dans la 26ᵉ édition de Nestle voir G. VAN BELLE, *The Text of John in N²⁶*, ap. *ETL*, 1980, t. LVI, pp. 417-425.

9. Cfr Th. ZAHN, *Das Evangelium des Johannes ausgelegt*, ap. *KNT*, t. IV, Leipzig, 1908, p. 141, note 64. D'après l'auteur cité, il s'agit d'une leçon valable ou d'une glose correcte.

10. Th. ZAHN, *op. cit.*, p. 196, note 58. — A. LOISY, *Le quatrième évangile*, Paris, 1903, p. 321.

11. Note additionnelle du professeur J. DELOBEL. — «Le texte court est adopté par les éditions de Westcott-Hort, von Soden, Merk, Nestle-Aland, *The Greek NT*, et par les commentaires de Tillmann, Bultmann, Schick, Schulz, Bernard, Morris. En sa faveur plaident deux des meilleurs témoins, le Sinaiticus et le Vaticanus, ainsi que les Papyri Bodmer. Y est défavorable le fait que sa diffusion géographique: l'ère égyptienne, est limitée. Cela vaut tant pour les manuscrits grecs que pour les versions, voire en partie pour les écrivains ecclésiastiques. Du point de vue de la critique interne, remarquons que l'ajout: ο ων εν τω ουρανω paraît rompre le développement de la pensée. Cette addition anticipe l'exaltation céleste du Fils de l'homme et dès lors ne semble pas convenir au discours que Jésus tient au chapitre III. Il y est question de la descente de Jésus (v. 13) et son exaltation est même explicitement reportée dans l'avenir (v. 15). D'où l'absence de l'ajout dans les manuscrits les plus anciens, P⁶⁶ et P⁷⁵. Il s'agirait donc d'une addition reflétant une opinion christologique.

En faveur de la leçon longue on fait toutefois valoir sa très large diffusion: byzantine, césaréenne, «occidentale», couvrant en d'autres mots l'ère non égyptienne. En outre, les variantes des anciennes versions syriaques attestent que nous sommes en présence d'une tradition remontant à très haut. Y sont nettement défavorables la date relativement récente des manuscrits grecs témoins de la leçon (IXᵉ siècle, sauf le Codex A) et la mauvaise renommée de la tradition byzantine.

Du point de vue de la critique interne, les partisans de la version longue remarquent que l'ajout ο ων εν τω ουρανω cadre bien avec la théologie du quatrième évangile et que l'objection soulevée plus haut perd sa valeur si l'on accepte avec pas mal de commentateurs récents qu'à partir du verset 13 nous avons affaire non plus au discours de Jésus mais à des réflexions théologiques de l'évangéliste. Mais à ne pas se rallier à cette dernière hypothèse, on peut difficilement prêter à Jésus l'affirmation εις αυτον, optant avec la plupart des critiques pour le texte : ἵνα πᾶς πιστεύων ἐν αὐτῷ ἔχῃ ζωὴν αἰώνιον. En *Jn.*, V, 27, l'expression : υιος ανθρωπου est généralement retenue nonobstant son caractère exceptionnel, dû peut-être à l'influence de *Dan.*, VII, 13 (LXX)[12]. Il en va de même de αυτου à la place de του Θεου en *Jn.*, V, 28. En *Jn.*, VI, 27, Lagrange suggère de conserver la leçon δίδωσιν ὑμῖν, leçon peu attestée mais selon lui intrinsèquement préférable. La tradition lui aurait substitué δώσει pour tenir compte du fait qu'au moment où Jésus prononça son discours, il n'a pas institué l'eucharistie[13]. Qu'en *Jn.*, IX, 35, il faille lire, à l'encontre de P[66], ℵ, B, D, W, al., τον υιον του Θεου, tel n'est pas l'avis des principales éditions critiques[14]. En *Jn.*, XII, 32, la tradition manuscrite hésite entre παντας

que le Fils de l'homme est au ciel. D'où sans doute les variantes légères de Syr[s] et Syr[c], et peut-être même l'omission du bout de phrase dans la tradition égyptienne (alexandrine).

Au total, le texte long garde en sa faveur des atouts sérieux. Nous sommes probablement en présence d'un de ces cas complexes qui n'obtiendront jamais une solution unaniment acceptée ».

12. Les réflexions de Th. ZAHN, *op. cit.*, p. 209, note 62, s'inspirent de son opinion que «fils d'homme» ne renvoie pas au Fils d'homme daniélique mais désigne la nature humaine du Christ.

13. Voir au sujet de *Jn.*, V, 28, Th. ZAHN, *op. cit.*, p. 301, note 62, et, touchant *Jn.*, VI, 27, M. J. LAGRANGE, *Évangile selon saint Jean*, p. 173.

14. *Ibid.*, p. 438, note 79. — Notons en sens contraire que «Fils de Dieu» répond mieux aux préoccupations exprimées en IX, 16, 31, 33 et que selon *Jn.*, X, 36 Jésus revendiqua non le titre «Fils de l'homme» mais «Fils de Dieu». Pour une meilleure évaluation du problème de critique textuelle nous renvoyons à la notice que le professeur J. Delobel a bien voulu nous communiquer.

«Dans *Jn.*, IX, 35, la leçon ανθρωπου paraît avoir de sérieux atouts. Se décident pour elle les éditions de Tischendorf, Westcott-Hort, Merk, Nestle-Aland, Tasker, *The Greek NT*, et les commentaires de Bernard, McGregor, Schulz, Brown, Sanders-Mastin, Zahn, Holtzmann, Schnackenburg, Schick, Barrett. Optent pour θεου les éditions de von Soden, Souter, Vogels, Bover. Nous n'avons pas trouvé de commentaire patronnant la leçon θεου.

En faveur de ανθρωπου, on fait valoir la presque totalité des témoins égyptiens, les témoins principaux du texte «occidental», notamment le Codex D (grec et latin) et l'ancienne version syriaque Syr[s]. Du point de vue de la critique interne, la leçon ανθρωπου est la *lectio difficilior*. Elle est exceptionnelle dans une confession de foi en Jésus. On comprend difficilement qu'on aurait remplacé la confession de foi johannique usuelle υιον τοῦ θεου par une autre, par ailleurs non attestée dans les écrits johanniques.

Le témoignage de la critique externe n'est pas davantage favorable à la leçon θεου. Manifestement nous avons affaire à une lecture byzantine attestée par des manuscrits grecs peu anciens, tous du IXe siècle sauf le codex A. Reconnaissons toutefois qu'elle est présente dans le texte césaréen, dans un grand nombre de témoins de la Vetus

ελκυσω[15], παντα[16] ελκυσω, ελκυσω παντα, mais παντας ελκυσω
paraît devoir l'emporter. Qu'il importe d'omettre dans le même verset
εκ της γης n'est pas suffisamment établi, mais concédons que l'addition suscite quelque difficulté. Il n'y a pas lieu, semble-t-il, de
s'arrêter aux variantes de *Jn.*, XII, 34[17], ou de douter de l'authenticité de la deuxième question formulée en *Jn.*, XII, 35, bien que
P[75] l'ait omise.

Voici donc le texte des treize logia tels que nous estimons pouvoir
les lire[18] :

— I, 51 : Καὶ λέγει αὐτῷ, ᾽Αμὴν
ἀμὴν λέγω ὑμῖν, ὄψεσθε τὸν οὐρανὸν ἀνεῳγότα καὶ τοὺς ἀγγέλους τοῦ θεοῦ ἀναβαίνοντας καὶ
καταβαίνοντας ἐπὶ τὸν υἱὸν τοῦ
ἀνθρώπου.

Et il lui dit : En vérité, en vérité,
je vous le dis, vous verrez le ciel
ouvert et les anges de Dieu montant et descendant au-dessus du
Fils de l'homme.

Latina et dans toute une série de versions plus récentes. La critique interne ne favorise pas
non plus θεου. Ni la théologie johannique ni les christologies plus tardives ne nous
obligent à postuler θεου comme variante originelle.

Bref, nous pouvons opter avec une grande probabilité pour la leçon ανθρωπου.
La variante θεου dérive sans doute du désir d'adapter une formule insolite de
confession de foi à celles par ailleurs bien attestées chez Jean, ou d'une adaptation
du texte johannique à l'usage liturgique ou catéchétique (Brown)».

15. *Note de J. Delobel.* — « En *Jn.*, XII, 32, les manuscrits hésitent entre παντας
et παντα. Toutes les éditions et les commentaires consultés optent pour παντας.

La leçon παντας est en effet bien attestée dans la tradition textuelle : presque
toutes les familles grecques la rapportent et lui assurent une large diffusion géographique ;
seule la famille « occidentale » est divergente. Du point de vue de la critique interne,
la leçon cadre bien avec la conception johannique de la rédemption.

Comme nous venons de le noter, le texte occidental largement unanime favorise
une leçon divergente, à savoir παντα ; ce qui paraît indiquer qu'en toute hypothèse
nous sommes en présence d'une variante déjà ancienne.

A traduire παντα littéralement, nous avons, semble-t-il, affaire à une conception
cosmique de la rédemption, conception attestée il est vrai dans le Nouveau Testament
mais étrangère à la théologie johannique. Il pourrait toutefois s'agir d'un neutre
faisant fonction d'un masculin pluriel : cfr BLASS-DEBRUNNER-FUNK, § 138, 1, avec
renvoi à *Jn.*, III, 6 ; VI, 37 ; XVII, 2. Dans ce cas, il s'agit d'un synonyme de
παντας, et la variante rentre dans le cadre des visées johanniques.

A tout prendre, la leçon παντας mérite d'être préférée. Vu les diverses versions
possibles de παντα, le choix auquel on décide de se rallier a moins d'importance
pour la portée théologique du texte».

16. Th. ZAHN, *op. cit.*, p. 511, note 46.

17. *Ibid.*, p. 512, note 48.

18. Les crochets en VI, 62, IX, 35, XIII, 31, figurent dans K. ALAND-M. BLACK-
Br. M. METZGER-A. WIKGREN, *The Greek New Testament*, Londres-Stuttgart, 1967.

— III, 13: Καὶ οὐδεὶς ἀναβέβηκεν εἰς τὸν οὐρανὸν εἰ μὴ ὁ ἐκ τοῦ οὐρανοῦ καταβάς, ὁ υἱὸς τοῦ ἀνθρώπου ὁ ὢν ἐν τῷ οὐρανῷ.

— III, 14: Καὶ καθὼς Μωϋσῆς ὕψωσεν τὸν ὄφιν ἐν τῇ ἐρήμῳ, οὕτως ὑψωθῆναι δεῖ τὸν υἱὸν τοῦ ἀνθρώπου, 15 ἵνα πᾶς ὁ πιστεύων ἐν αὐτῷ ἔχῃ ζωὴν αἰώνιον.

— V, 27: Καὶ ἐξουσίαν ἔδωκεν αὐτῷ κρίσιν ποιεῖν, ὅτι υἱὸς ἀνθρώπου ἐστίν.

— VI, 27: Ἐργάζεσθε μὴ τὴν βρῶσιν τὴν ἀπολλυμένην ἀλλὰ τὴν βρῶσιν τὴν μένουσαν εἰς ζωὴν αἰώνιον, ἣν ὁ υἱὸς τοῦ ἀνθρώπου ὑμῖν δώσει · τοῦτον γὰρ ὁ πατὴρ ἐσφράγισεν ὁ θεός.

— VI, 53: Εἶπεν οὖν αὐτοῖς ὁ Ἰησοῦς, Ἀμὴν ἀμὴν λέγω ὑμῖν, ἐὰν μὴ φάγητε τὴν σάρκα τοῦ υἱοῦ τοῦ ἀνθρώπου καὶ πίητε αὐτοῦ τὸ αἷμα, οὐκ ἔχετε ζωὴν ἐν ἑαυτοῖς.

— VI, 62: Ἐὰν οὖν θεωρῆτε τὸν υἱὸν τοῦ ἀνθρώπου ἀναβαίνοντα ὅπου ἦν τὸ πρότερον;

— VIII, 28: Εἶπεν οὖν [αὐτοῖς] ὁ Ἰησοῦς, Ὅταν ὑψώσητε τὸν υἱὸν τοῦ ἀνθρώπου, τότε γνώσεσθε ὅτι ἐγώ εἰμι.

— IX, 35: Ἤκουσεν Ἰησοῦς ὅτι ἐξέβαλον αὐτὸν ἔξω, καὶ εὑρὼν αὐτὸν εἶπεν [αὐτῷ], Σὺ πιστεύεις εἰς τὸν υἱὸν τοῦ ἀνθρώπου;

— XII, 23: Ὁ δέ Ἰησοῦς ἀποκρίνεται αὐτοῖς λέγων, Ἐλήλυθεν ἡ ὥρα ἵνα δοξασθῇ ὁ υἱὸς τοῦ ἀνθρώπου.

Nul n'est monté au ciel hormis celui descendu du ciel, le Fils de l'homme, celui étant au ciel.

Et comme Moïse éleva le serpent au désert, ainsi faut-il que soit élevé le Fils de l'homme, 15 afin que tout croyant ait en lui la vie éternelle.

Et il lui a donné pouvoir de faire le jugement parce qu'il est Fils d'homme.

Travaillez non pour la nourriture périssable mais pour la nourriture demeurant pour vie éternelle, celle que le Fils de l'homme vous donnera, car c'est lui que le Père, Dieu, a marqué de son sceau.

En vérité en vérité, je vous le dis, si vous ne mangez pas la chair du Fils de l'homme et ne buvez pas son sang, vous n'aurez pas vie en vous.

Et si vous voyiez le Fils de l'homme monter là où il était auparavant!

Et Jésus leur dit donc: Quand vous aurez élevé le Fils de l'homme, alors vous saurez que je (le) suis.

Jésus apprit qu'ils l'avaient chassé. Il vint alors le trouver et lui dit: Crois-tu au Fils de l'homme?

Jésus leur répondit en ces termes: Elle est venue l'heure où le Fils de l'homme doit être glorifié.

— XII, 32: Κἀγὼ ἐὰν ὑψωθῶ ἐκ τῆς γῆς, πάντας ἑλκύσω πρὸς ἐμαυτόν.

— XII, 34: Ἀπεκρίθη οὖν αὐτῷ ὁ ὄχλος, Ἡμεῖς ἠκούσαμεν ἐκ τοῦ νόμου ὅτι ὁ Χριστὸς μένει εἰς τὸν αἰῶνα, καὶ πῶς σὺ λέγεις ὅτι δεῖ ὑψωθῆναι τὸν υἱὸν τοῦ ἀνθρώπου; τίς ἐστιν οὗτος ὁ υἱὸς τοῦ ἀνθρώπου;

— XIII, 31: Ὅτε οὖν ἐξῆλθεν λέγει Ἰησοῦς, Νῦν ἐδοξάσθη ὁ υἱὸς τοῦ ἀνθρώπου, καὶ ὁ θεὸς ἐδοξάσθη ἐν αὐτῷ· 32 [εἰ ὁ θεὸς ἐδοξάσθη ἐν αὐτῷ] καὶ ὁ θεὸς δοξάσει αὐτὸν ἐν αὐτῷ, καὶ εὐθὺς δοξάσει αὐτόν[19].

Et moi quand j'aurai été élevé de terre, j'attirerai tous à moi.

La foule lui répondit: Nous avons entendu de la loi que le Christ demeure pour l'éternité, et comment peux-tu dire qu'il faut que soit élevé le Fils de l'homme? Qui est-il ce Fils de l'homme?

Quand donc il fut sorti, Jésus dit: Maintenant le Fils de l'homme a été glorifié et Dieu a été glorifié en lui. 32. Si Dieu a été glorifié en lui, Dieu aussi le glorifiera en lui-même, et c'est bientôt qu'il le glorifiera.

19. Voici deux notes de J. DELOBEL sur *Jn.*, XIII, 31-32.

« I. *Jn.*, XIII, 32a: ει ο θεος εδοξασθη εν αυτω. La tradition textuelle présente un texte long et un texte bref.

Pour le texte long se prononcent les éditions de Tischendorf, Vogels, Merk, Bover, Nestle-Aland, Tasker et le Textus receptus. Lachmann, von Soden et le *GNT* le mettent entre parenthèses. La leçon est également bien accueillie par les commentateurs Westcott, Lagrange, Bernard, Zahn, Bauer, McGregor, Bultmann, Lightfoot, Sanders-Mastin, Brown et Schulz.

La position de la recension longue nous paraît néanmoins plutôt faible à ne tenir compte que de la critique externe. Certes elle est attestée par des témoins relevant de diverses familles, tels le codex A, le codex Korideti et par pas mal de codices de la Vetus latina. Origène la possède également. Il témoigne ainsi en faveur d'une origine ancienne du texte long. Le même témoignage se dégage, du moins en partie, de la tradition littéraire du Diatessaron.

Beaucoup mieux assurée est la situation du texte long si nous interrogeons la critique interne. En effet, bien qu'il tende à alourdir le passage, son contenu cadre harmonieusement avec le reste de l'évangile: d'abord d'un point de vue stylistique, car le prologue atteste également la reprise d'un demi-verset comme prélude au verset suivant; ensuite du point de vue de l'idéologie johannique, car la leçon introduit une connexion entre les glorifications présente et future du Sauveur (cfr *Jn.*, XII, 28b). Prétendre avec Barrett qu'il s'agit d'une addition par dittographie est moins probable vu l'absence d'un *homéoarcton* parfait. Et on ne peut pas davantage songer à une addition intentionnelle, car elle introduirait une rédaction alourdie.

Parmi les éditeurs Westcott-Hort et Souter et parmi les commentateurs Barrett et Hoskyns-Davey optent néanmoins pour le texte court. Si la critique externe avait en la matière le dernier mot, l'avis de ces auteurs devrait l'emporter, car le texte bref se lit dans un groupe imposant d'anciens manuscrits grecs et dans de nombreuses

III. LA CLASSIFICATION DES LOGIA

Dans son commentaire du quatrième évangile, commentaire dont l'intérêt n'a pas vieilli, Th. Zahn s'abstient d'une classification. Selon lui, à l'exception de *Jn.*, IX, 35, tous les logia appartiennent à la même veine doctrinale. Tous visent à mettre en lumière dans la personne et dans l'œuvre de Jésus les rapports étroits entre le ciel et la terre, entre l'abaissement du Sauveur et son exaltation[20]. En revanche, pas mal d'auteurs préconisent de répartir les logia

versions anciennes. Toutefois on objecte deux données susceptibles de rendre compte de son origine: d'abord il n'est pas exclu de l'interpréter comme une omission intentionnelle allégeant une phrase ressentie comme trop chargée; ensuite, et c'est une opinion plus vraisemblable acceptée par de nombreux auteurs, le texte bref pourrait dériver d'une omission purement accidentelle par *homéoteleuton*.

Concluons que les deux lectures sont anciennes et que l'une et l'autre furent très répandues. A tout concidérer la recension longue semble devoir l'emporter.

II. *Jn.*, XIII, 32b nous met en présence de trois variantes: ἐν αὐτῷ, ἐν αὑτῷ, ἐν ἑαυτῷ. Pour ἐν αὐτῷ, pronom personnel de la troisième personne, se déclarent le Textus receptus, Tischendorf, Souter, Bover, Nestle-Aland, le *GNT* et les commentateurs Lagrange, Bernard, Bultmann, Brown. En revanche, Westcott-Hort et les commentateurs Loisy, Barrett lisent un pronom réflexif.

Quelle que soit l'accentuation à adopter, la leçon αυτω est à coup sûr ancienne, mais elle est attestée principalement dans la tradition égyptienne. En sa faveur plaide le fait que les versets 31-32 se servent déjà deux fois de εν αυτω et qu'un troisième emploi du même pronom cadre aussi bien avec le contexte qu'avec la tendance du style johannique aux répétitions monotones. Quant au sens à adopter voir nos remarques suivantes touchant εαυτω.

Pour εν εαυτω se prononcent Lachmann, von Soden, Vogels, Merk, Tasker et le commentaire de Westcott. Remarquons toutefois que pour les ouvrages ne reproduisant pas le texte grec, il est souvent difficile de décider quelle leçon précise ils retiennent.

La variante εν εαυτω attestée dans toute la tradition non égyptienne, géographiquement mieux répandue que sa concurrente, est incontestablement fort ancienne. Mais il est difficile de choisir entre αυτω et εαυτω. L'alternance αυτ- et εαυτ- se présente ailleurs dans le Nouveau Testament, notamment en *Jn.*, II, 24; XX, 10, où les témoins se partagent, tout comme ici, entre les deux variantes.

Si l'on observe que la forme εαυτ- est un développement de la forme classique αυτ-: cfr BLASS-DEBRUNNER-FUNK, §64, 1, il n'est pas exclu que des copistes aient considéré comme incorrecte la forme αυτ- et l'aient changée en εαυτ-. S'il convient d'octroyer aux deux formes un sens réflexif, la variante εαυτ- n'a plus d'importance. Observons toutefois qu'au point de vue stylistique εαυτω tend à nuire à l'unité littéraire du passage.

Vu que αυτω est plus archaïque que εαυτω, on peut être tenté d'invoquer cette donnée grammaticale pour préférer la leçon αυτω, quitte à laisser au commentateur le soin de décider s'il faut lui conférer un sens réflexif».

20. Th. ZAHN, *op. cit.*, p. 195, note 55.

entre divers groupes plus ou moins rigoureusement distincts. Renvoyons à titre d'exemples aux divisions suggérées par trois auteurs : en 1965 par R. Schnackenburg, en 1967 par C. Colpe et en 1973 par R. G. Hamerton-Kelly.

Le commentaire de R. Schnackenburg distingue quatre classes de logia[21]. La première, comprenant trois sous-groupes, renvoie aux paroles évoquant la *katabase* et l'*anabase* du Fils de l'homme : *Jn.*, III, 13; VI, 62, son exaltation : *Jn.*, III, 14; VIII, 28; XII, 32, 34e et sa glorification : *Jn.*, XII, 23; XIII, 31-32. A la deuxième se rattachent les deux passages où Jésus est présenté comme le pain de la vie éternelle : *Jn.*, VI, 27, 53. Deux autres logia concernent l'identité du Fils de l'homme : *Jn.*, IX, 35; XII, 34b., problème résolu dans un troisième : *Jn.*, VIII, 28. Enfin deux paroles sont sans parallèles dans l'évangile, à savoir d'abord *Jn.*, I, 51, où Schnackenburg discerne une réplique à *Jn.*, VIII, 28; XII, 34d, dans la mesure où le logion promet aux disciples la révélation du mystère du Fils de l'homme, révélation refusée aux incrédules; puis *Jn.*, V, 27, parole introduisant dans la théologie du quatrième évangile la mission de juge eschatologique nettement attestée pour le Fils de l'homme aussi bien dans les traditions daniéliques et hénochiques que dans celles des évangiles synoptiques.

C. Colpe s'arrête à une division plus simple[22]. Il range dans une première classe les logia où le titre possède une connotation messianique, soit qu'il vise dans le personnage mystérieux le juge eschatologique : *Jn.*, V, 27, soit qu'il le présente comme le sauveur ecclésial dispensant à ses fidèles la lumière : *Jn.*, IX, 35 ou la nourriture eucharistique, aliment de vie éternelle : *Jn.*, VI, 27, 53. Dans une deuxième classe, Colpe énumère les passages où interviennent les mentions de l'exaltation du Fils de l'homme : *Jn.*, III, 14-15; VIII, 28; XII, 32, 34, et de sa glorification : *Jn.*, XII, 23; XIII, 31-32; I, 51, et où sont impliquées des allusions à sa descente du ciel et à sa remontée : *Jn.*, III, 13; VI, 62.

R. G. Hamerton-Kelly opte, tout comme R. Schnackenburg, pour une classification plus détaillée[23]. Il place en premier lieu les logia signifiant les relations du Fils de l'homme avec l'au-delà : *Jn.*, I, 51;

21. *Das Johannesevangelium*, pp. 412-414.
22. C. COLPE, *Das Johannesevangelium*, ap. *Huios tou anthropou*, *TWNT*, 1967, t. VIII, pp. 468-474.
23. R. G. HAMERTON-KELLY, *Pre-existence, Wisdom and the Son of Man*, Cambridge, 1973.

III, 13; VI, 62; puis il renvoie à ceux énonçant son exaltation:
Jn., III, 14; VIII, 28; XII, 32, 34, et sa glorification: *Jn.*, XII, 23;
XIII, 31-32; en troisième lieu, il indique ceux où le rôle de sauveur
est souligné: *Jn.*, IX, 35-37; VI, 27, 53; en dernier lieu, il allègue
l'unique logion évoquant pour le Fils de l'homme la fonction de
juge eschatologique: *Jn.*, V, 27.

Complétons l'exposé de ces trois essais de classification retenus
à titre exemplaire par deux remarques d'ordre général.

Signalons en premier lieu que tous les logia sont mis dans la bouche
de Jésus et qu'à la seule exception de *Jn.*, XIII, 31-32, tous interviennent au cours du ministère public de Jésus que l'on peut considérer
comme se clôturant en *Jn.*, XII, 36.

En second lieu, relevons les auditeurs auxquels Jésus s'adresse.
Il s'agit d'abord des juifs, foule généralement contestataire et incrédule:
Jn., V, 27; VI, 27, 53; VIII, 28; XII, 32, 34. Puis comme auditeurs
privilégiés apparaissent les disciples du Sauveur: Nathanaël (I, 51),
Nicomède (III, 14-15), les Douze (VI, 62), André et Philippe (XII, 23),
les Douze à l'exclusion de Judas (XIII, 31-32). Enfin, cas spécial,
en *Jn.*, IX, 1-41, figure l'aveugle-né, c'est-à-dire un juif amené par
le miracle dont il bénéficia, à confesser sa foi au Fils de l'homme
(IX, 35).

IV. La répartition stratigraphique des logia

Si le groupement des logia en fonction de leur contenu ne soulève
pas de vrais problèmes, en revanche il est difficile de les répartir
entre les strates littéraires que pas mal d'auteurs postulent pour
expliquer la complexité et la croissance du quatrième évangile. Parmi
les hypothèses émises signalons en quatre émanant de milieux distincts[24].

Voici d'abord, surtout à titre de curiosité, une position extrême,
celle de Henri Delafosse[25]. Cet auteur distingue dans l'œuvre johan-

---

24. Voir parmi les nombreuses introductions celles de M. GOGUEL, *Introduction
au Nouveau Testament*, t. II: *Le Quatrième Évangile*, Paris, 1924, de W. MARXSEN,
Einleitung in das Neue Testament, Gütersloh, 1964 et de A. WIKENHAUSER-J. SCHMID,
Einleitung in das Neue Testament, 6ᵉ éd., Fribourg-en-Br., 1973. Ces trois ouvrages
permettent de se faire une idée de la position des problèmes et de leur évolution
au cours d'un demi-siècle.

25. *Le Quatrième Évangile. Traduction nouvelle avec introduction, notes et commentaire*,
ap. la Collection *Christianisme*, Paris, 1925.

nique deux rédactions dont la première, d'inspiration et de tendance marcionites, aurait été composée aux environs de 136. En *Jn.*, V, 43, elle ferait allusion à la venue de Barkochba et à la révolte juive de 132. Cette allusion, note Delafosse, se comprendrait mieux deux ou trois ans après cette insurrection que huit ou dix ans plus tard. De tous les logia du Fils de l'homme, seul *Jn.*, XII, 23 appartiendrait à la première rédaction. Sans doute Delafosse lui attribue aussi *Jn.*, III, 13 et IX, 35, mais en *Jn.*, III, 13, il supprime «le fils de l'homme qui est dans les cieux» et en *Jn.*, IX, 35, il substitue «fils de Dieu» à «fils de l'homme». Tous les autres logia, c'est-à-dire III, 13d-16; V, 27; VI, 27b, 53, 62; VIII, 28a; XII, 23; XII, 33-34 et XIII, 31-32 dériveraient de la deuxième rédaction, toute préoccupée d'éliminer le virus marcionite.

A la différence de Henri Delafosse, Hubert Pernot, spécialiste de la langue grecque néotestamentaire, est un auteur qualifié[26]. A l'en croire, l'actuel texte johannique a subi une relecture et une amplification d'origine cultuelle[27]. Divers ajouts aux sections narratives proviendraient de textes psalmodiés au cours des célébrations liturgiques de l'église apostolique[28]. Plusieurs de ces additions supposent dans la communauté chrétienne qui en est responsable, la connaissance des évangiles synoptiques[29]. Pernot témoigne beaucoup de considération pour ces amplifications. Sous un voile symbolique, elles nous offrent souvent, note-t-il, des développements bien conduits et elles expriment une pensée religieuse élevée[30].

Si nous avons bien repéré les prétendues additions, — marquées d'une suite de tirets dans la version de l'auteur, — les logia suivants en relèveraient: III, 13-16; V, 27; VI, 27, 53, 62; VIII, 28; XII, 34; XIII, 32. En revanche, Pernot paraît admettre le caractère primitif de *Jn.*, I, 51; IX, 35; XII, 23 et XIII, 31.

Capital en la matière fut le commentaire de Rudolph Bultmann dont la dixième édition date de 1968[31]. La position de l'exégète

---

26. *Les quatre évangiles nouvellement traduits et annotés*, Paris, 1943.
27. *Ibid.*, p. 241.
28. *Ibid.*, p. 241.
29. *Ibid.*, p. 242.
30. *Ibid.*, p. 242.
31. *Das Evangelium des Johannes erklärt*, ap. *EKNT*, 2ᵉ sect., 10ᵉ éd., Goettingue, 1968. — Dans sa *Theologie des Neuen Testaments*, 2ᵉ fasc., Tubingue, 1951, p. 383, l'auteur ne s'arrête guère au titre Fils de l'homme. Il note cependant que Jean le comprend d'ordinaire dans le sens du mythe gnostique de l'Anthropos. En *Jn.*, V, 27, l'évangéliste se rattache toutefois au sens judéo-chrétien de l'expression, mais il pourrait s'agir là d'une glose.

allemand ne se dégage pas facilement d'une œuvre qui n'est pas précisément un monument de clarté. C'est à travers la broussaille de notes savantes et le labyrinthe de réflexions théologiques complexes, voire spécieuses, qu'il importe de rechercher ses vues. Dans la mesure où, malgré l'absence d'index, nous avons réussi à les dégager exactement, Rudolph Bultmann fait remonter aux sources dont l'hagiographe s'est servi, *Jn.*, XII, 23; XIII, 31 et, en partie, IX, 35-38. L'évangéliste lui-même serait responsable de *Jn.*, I, 51; V, 27a; VI, 62, voire, du moins dans leur teneur actuelle, de *Jn.*, III, 14-15; VIII, 28; XII, 34 et IX, 35-38; mais à un rédacteur reviendraient *Jn.*, VI, 27b et VI, 53.

Aux conclusions de R. Bultmann comparons celles plus récentes de Howard M. Teeple[32]. Selon cet auteur, pour le moins quatre mains seraient en ordre principal responsables de la composition de l'évangile. A la base se trouveraient deux documents: un écrit intitulé S (= *Signs*), correspondant en gros[33] à la *Semeia-Quelle* (SQ) de R. Bultmann ou au *Gospel of Signs* de R. T. Fortna[34], et un écrit dit G, d'allure gnostique ou semignostique, réplique plutôt lointaine de la *Redenquelle*, la *RQ* de l'exégète allemand. Un éditeur désigné par la majuscule E combina et retravailla les deux documents, et un rédacteur ultérieur, libellé R, paracheva l'œuvre.

A suivre Teeple, la Source S n'aurait livré aucune contribution au dossier johannique du Fils de l'homme. En revanche, la Source G aurait fourni à l'évangéliste le plus grand nombre de logia: I, 51; III, 13-14; VI, 27, 62; VIII, 28; XII, 23, 32. L'appartenance de V, 27 et surtout celle de VI, 53 à la même source est plutôt incertaine. L'Éditeur qui se serait intéressé à la controverse entre juifs et chrétiens touchant l'éventuel retour au ciel du Fils de l'homme[35], serait responsable de IX, 35; XII, 33-34; XIII, 31-32. Ces passages posent le problème de l'identification du Fils de l'homme avec Jésus: XII, 32-34, ou ils entendent le résoudre: IX, 35; XIII, 31-32. Enfin *Jn.*, VI, 53 relèverait du Rédacteur final.

Il serait naïf de croire que R. Teeple aura le dernier mot. Déjà l'article de G. Richter: *Zum sogenannten Tauftext Joh. 3, 5*[36] nous

---

32. *The Literary Origin of the Gospel of John*, Evanston, 1974.

33. « Only roughly »: *ibid.*, p. 142.

34. R. T. FORTNA, *The Gospel of Signs. A Reconstruction of the Narrative Source underlying the Fourth Gospel*, ap. *SNTSMS*, t. XI, Cambridge, 1970.

35. H. M. TEEPLE, *op. cit.*, p. 216.

36. *Münch. Theol. Zeitschr.*, 1975, t. XXVI, pp. 101-125.

invite à de nouvelles analyses, plus subtiles. S'il consent à regarder l'évangéliste responsable de *Jn.*, III, 13[37], il fait appel pour les versets 14-18 à un rédacteur dont la préoccupation aurait été de combattre le docétisme[38].

Avant d'aborder nous-même le problème de la stratification littéraire, essayons de comprendre les logia composant le dossier johannique du Fils de l'homme[39].

V. ANALYSE ET COMMENTAIRE DES LOGIA

Le premier logion: *Jn.*, I, 51 clôt le récit où est racontée l'adhésion des premiers disciples à Jésus: *Jn.*, I, 35-50. Comme nous l'avons noté plus haut[40], la variante απ᾽ αρτι ne s'impose pas. Le logion est mal rattaché aux versets précédents. On passe curieusement du singulier ὄψῃ au pluriel ὄψεσθε, et la présence d'un καὶ λέγει αὐτῷ, doublant le καὶ εἶπεν αὐτῷ du verset 50, confirme la présence d'une addition. N'en concluons pas pour autant à l'intervention d'un rédacteur ou d'un éditeur. L'ajout peut provenir de l'évangéliste lui-même. S. Schulz et A. J. B. Higgins par exemple le concèdent. La parole est mise dans la bouche de Jésus qui renvoie, semble-t-il, à un Fils d'homme

37. *Ibid.*, p. 113.
38. *Ibid.*, p. 115.
39. Signalons encore que S. SCHULZ, *Untersuchungen zur Menschensohn-Christologie im Johannesevangelium*, Goettingue, 1957, considère comme logia primitifs: *Jn.*, I, 51; III, 13-15; V, 27; VI, 27, 53; XIII, 31-32, tandis que *Jn.*, VI, 62; VIII, 28; XII, 23, 34 appartiendraient à une couche plus récente mais auraient pris naissance à partir des précédents. En outre, les logia se répartiraient entre trois genres littéraires: le midrash (I, 51; III, 13-15; V, 27-29), l'homélie (VI, 27, 53) et l'hymne (XIII, 31-32).

En revanche, A. J. B. HIGGINS, *Son of Man-Forschung since the 'Teaching of Jesus'*, ap. *New Testament Essays*, Manchester, 1959 retient comme primitifs seulement I, 51; III, 14-15; V, 27, bien que selon lui VIII, 28 et XII, 34 présentent des affinités avec les Synoptiques.

40. Voir *supra*, note 8. — D'après St. S. SMALLEY, *Johannes 1, 51 und die Einleitung zum vierten Evangelium*, *Jn.*, I, 51 marque le sommet des affirmations christologiques du chapitre premier. Le logion servirait d'introduction à tout l'évangile, qui se présente en quelque sorte comme un midrash du contenu de ce verset. Tous les autres logia johanniques du Fils de l'homme hormis *Jn.*, IX, 35, — verset n'appartenant pas à la couche primitive, — s'y réfèrent de quelque manière. Smalley découvre dans *Jn.*, I, 51 des connexions non seulement avec *Gen.*, XXVIII, 12 mais aussi avec le thème biblique du cep de vigne, avec *Is.*, XLIX, 3 et *II Sam.*, VII, voire avec des thèmes qumrâniens. Selon lui, la parole inclut une portée ecclésiale et est susceptible de remonter à Jésus: R. PESCH - R. SCHNACKENBURG - O. KAISER, *Jesus und der Menschensohn*, Fribourg-en-Br., 1975, p. 300-313.

par ailleurs connu, à savoir celui attesté en *Dan.*, VII, 13, sans que toutefois en l'occurrence il s'identifie à lui.

La vision dont les disciples de Jésus seront gratifiés, — ni l'endroit ni l'heure ne sont indiqués, même si l'on garde la leçon απ' αρτι, — consiste avant tout dans celle d'anges montant et descendant «sur» le Fils de l'homme.

On éprouve quelque difficulté à se représenter la vision. D'abord où se trouve le Fils de l'homme? L'allusion aux cieux ouverts invite à l'y situer. S. Schulz le conteste[41], et, selon Fr. S. Borsch, l'ouverture des cieux est uniquement rapportée pour permettre aux anges d'entrer en scène[42]. Il n'en reste pas moins qu'à lire le verset sans idée préconçue, l'auteur localise au ciel aussi bien le Fils de l'homme que les anges, ses serviteurs.

Plus difficiles à concevoir sont les mouvements exécutés par les esprits célestes. La préposition ἐπί, traduite le plus souvent «sur», fait problème. Parfois on propose de lui attribuer un double sens, «sur» et «vers», ou on suggère de traduire «au-dessus».[43]. Pour tourner les difficultés, tout en maintenant le sens obvie de la préposition, des commentateurs font appel à *Gen.*, XXVIII, 12[44] et aux paraphrases rabbiniques dont ce texte a fait l'objet[45]. Ils en déduisent que l'hagiographe se représente le Fils de l'homme comme l'escalier spirituel sur lequel les anges se déplacent. Concédons que le rapprochement avec *Gen.*, XXVIII, 12, voire avec certaines réflexions rabbiniques, est éclairant, à condition de ne pas verser dans des spéculations trop fantaisistes, telles par exemple celles de J. Jeremias[46]. Est-il suffisant? Avons-nous le droit d'exclure toute référence à

41. S. Schulz, *Untersuchungen zur Menschensohn-Christologie im Johannesevangelium*, Goettingue, 1957, p. 102.

42. *The Son of Man in Myth and History*, Londres, 1967, p. 281, note 5.

43. Cfr ces opinions rapportées Fr. H. Borsch, *op. cit.*, p. 280, note 5.

44. Cfr C. F. Burney, *The Aramaic Origin of the Fourth Gospel*, Oxford, 1922. — H. Odeberg, *The Fourth Gospel interpreted in its Relation to Contemporaneous Religious Currents in Palestine and the Hellenistic-Oriental World*, Uppsala, 1929. — Fr. H. Borsch, *op. cit.*, pp. 279-280.

45 Voir aussi G. Reim, *Studien zum alttestamentlichen Hintergrund des Johannesevangeliums*, ap. *SNTSMS*, XXII, New York, 1974, pp. 98, 100-104. — Généralement on considère saint Augustin comme le premier à avoir rapproché *Gen.*, XXVIII, 12 de *Jn.*, I, 51. L'hébreu *bô* a pu servir d'amorce à l'idée d'un escalier spirituel. W. Michaelis conteste à tort le rapprochement: *Joh. I, 51, Gen. 28, 12 und das Menschensohnproblem*, ap. *TLZ*, 1960, t. LXXXV, col. 561 ss.

46. *Jesus als Weltvollender*, ap. *BFChrTh*, XXXIII, Gütersloh, 1930.

Dan., VII, 10, ou à *Sap.*, X, 9-10, ou du moins à une certaine tradition sapientiale tendant à hypostasier la Sagesse[47]?

Le plus difficile est de préciser concrètement les événements où l'évangéliste voit la promesse accomplie. Le long et filandreux commentaire de Th. Zahn illustre l'embarras des exégètes[48]. Les uns mettent en avant les épisodes où les évangiles mentionnent les anges au service de Jésus[49]. D'autres renvoient au baptême du Christ[50]. Th. Zahn, découvrant dans l'usage du titre Fils de l'homme une allusion à l'humanité du Sauveur, estime que le verset 51 complète les titres antérieurs, ceux de Messie, de Fils et de Logos décernés successivement par l'évangile à Jésus. Il ajoute que la mention du ministère angélique est en quelque sorte réclamée par l'humanité même du Christ qui n'a pu s'en passer dans son ministère : réflexion singulière dont nous n'avons pas trouvé d'écho. En revanche, une opinion plus répandue voit exprimée dans le logion l'union permanente avec le ciel, avec les choses d'en haut, dont Jésus a joui, en d'autres mots le commerce incessant entretenu par lui avec le monde céleste, manifestant son rôle de médiateur et transposant du ciel sur terre les prérogatives du Fils de l'homme apocalyptique[51].

Soyons prêt à souscrire en partie à cette dernière hypothèse, mais ne convient-il pas de la compléter? Vu que l'addition de απ' αρτι s'est faite peut-être sous l'influence de *Mt.*, XXVI, 64 et que la tradition des synoptiques relative au Fils de l'homme insiste sur la présence des milices angéliques lors de sa venue eschatologique, l'évangéliste n'envisage-t-il pas aussi sinon exactement la parousie du Christ, du moins la gloire consécutive à son exaltation céleste, conformément à celle entrevue en compagnie des anges par *Dan.*, VII, 10 pour le Fils de l'homme?

Qu'on n'objecte pas qu'en *Jn.*, I, 51 l'expression «Fils de l'homme»

47. Cfr G. Reim, *op. cit.*, pp. 100-104, 194, 204, note 263. — On a également renvoyé à *Hén. Éth.*, XLVI, 3; LI, 3, insistant sur le fait que le Fils d'homme ou l'Élu hénochique est mis en communication avec le Seigneur des Esprits, et dès lors également avec ceux-ci.

48. *Op. cit.*, pp. 140-142. — Dans *Die Eschatologie des Johannesevangeliums*, Assen, 1962, p. 129, L. van Hartingsveld estime que le quatrième évangile n'a pas rapporté la scène où le logion s'est accompli.

49. L'hypothèse est écartée par Th. Zahn, *op. cit.*, p. 141 et par S. Schulz, *op. cit.*, p. 101.

50. Cfr Fr. H. Borsch, *op. cit.*, pp. 278-279. L'auteur allègue le terme σφραγίζω, censé baptismal et employé en relation avec le Fils de l'homme en *Jn.*, VI, 27.

51. Comparer les réflexions de S. Schulz, *op. cit.*, p. 102-103.

possède une valeur inclusive[52] et qu'au surplus l'évangéliste situe le personnage non au ciel mais sur terre[53]. En effet, la prétendue signification inclusive s'appuie seulement à des spéculations sans réel fondement touchant la personnalité corporative[54], puis le Fils de l'homme nous a paru localisé plutôt au ciel; enfin même une présence du Fils de l'homme sur terre ne s'opposerait pas à ce que l'hagiographe vise la parousie, vu qu'à son retour le Fils de l'homme descendra des cieux[55].

Si notre interprétation s'avère exacte, le Christ johannique annonce dès le début de l'évangile la destinée glorieuse lui réservée en sa qualité de Fils de l'homme[56]. N'en concluons pas précisément que le logion fournit la clef de tout l'évangile. Qu'il suffise d'affirmer qu'il met en évidence, notamment grâce au lemme[57], un des sommets de la carrière du Fils de l'homme, à savoir la gloire qu'il obtiendra un jour et la médiation qu'il exercera, entre autres moyennant le ministère angélique, au lendemain de son exaltation céleste.

En passant au deuxième et troisième logion: *Jn.*, III, 13 et III, 14-15, notons d'emblée qu'ils ont avec le premier trois traits. communs: eux aussi sont peu liés au contexte[58]; ils s'abstiennent également d'identifier formellement le Fils de l'homme; ils visent de même à nous instruire surtout sur le rôle du personnage.

Si l'on conserve la variante: ο ων εν τω ουρανω, *Jn.*, III, 14

---

52. *Ibid.*, p. 100, note 6, renvoyant à H. ODEBERG.

53. *Ibid.*, p. 103.

54. D'accord avec H. Windisch, S. SCHULZ (*op. cit.*, p. 100, note 6) le reconnaît. A la page 102, l'auteur conteste explicitement le sens inclusif.

55. S. SCHULZ, *op. cit.*, p. 102, admet que le cadre eschatologique, celui de la parousie, est à l'arrière-fond du logion, du moins sous sa forme primitive.

56. Par exemple il n'explique pas VI, 53 et XII, 24. *Jn.*, VI, 53 est un vrai logion du Fils de l'homme; *Jn.*, XII, 24 ne l'est qu'indirectement, dans la mesure où il se rattache étroitement à XII, 23.

57. Le lemme: Αμην, αμην se présente 25 fois dans l'évangile: I, 51; III, 3, 5, 11; V, 19, 24, 25; VI, 26, 32, 47, 53; VIII, 34, 51, 58; X, 1, 7; XII, 24; XIII, 16, 20, 21, 38; XIV, 12; XVI, 20, 28; XXI, 18, dont trois fois dans un contexte du Fils de l'homme: I, 51; VI, 53; XII, 24 et au moins cinq fois dans un contexte de Fils de Dieu: V, 19, 24, 25; VI, 32; VIII, 34. Quatre passages: XIII, 16, 20, 21, 38 évoquent les synoptiques. Cfr J. RAMSEY-MICHAELS, *The Johannine Words of Jesus and Christian Prophecy*, ap. *Soc. Bibl. Liter. 1975 Seminar Papers*, Missoula, 1975, t. II, p. 251-252.

58. Qu'ils soient peu liés au contexte, il suffit pour l'établir de tenir compte des raisonnements auxquels les commentateurs ont recours pour prouver les relations de *Jn.*, III, 13-15 avec leur encadrement.

soulève une réelle difficulté. Mais, même indépendamment de cet ajout, l'incipit du logion embarrasse les commentateurs. Il semble supposer déjà accomplie l'ascension du Fils de l'homme. Pour résoudre l'aporie, divers exégètes estiment qu'il s'agit non d'un logion du Christ mais d'une réflexion de l'évangéliste obligé de tenir compte des traditions chrétiennes déjà répandues sur l'ascension de Jésus. Selon d'autres collègues, nous aurions affaire à la reprise d'un logion ayant appartenu primitivement à un ensemble de dits pré- ou parachrétiens relatifs à la montée du Fils d'homme au ciel telle que décrite dans le livre de Daniel. Un troisième groupe de commentateurs fait appel à une particularité de la grammaire grecque néotestamentaire, attestée selon eux par exemple en *Mt.*, XII, 4; *Lc.*, IV, 27; *Act.*, IX, 6; XXI, 27; *Gal.*, I, 19; *Jn.*, V, 19 et surtout, selon M.-J. Lagrange, *Apoc.*, XXI, 27. Εἰ μή ου ἐὰν μή[59] formule, notent-ils, l'exception à une règle inadéquatement exprimée dans le contexte précédent[60]. E. M. Sidebottom, plus ou moins suivi par Fr. H. Borsch, s'appuie sur une remarque de J. H. Moulton pour aller largement dans le même sens[61]. L'évangéliste nierait qu'un homme soit monté au ciel, mais il se hâterait d'ajouter qu'une descente des cieux eut lieu: «No one has ascended to heaven but one has descended, the Son of Man»[62].

La position de S. Schulz est plus compliquée. Si nous comprenons bien son raisonnement, il interprète le logion en fonction d'une eschatologie déjà réalisée par Jésus. Bien qu'il ne soit pas remonté corporellement au ciel: *Jn.*, VI, 62; XII, 32; XVI, 28, le Sauveur y est pourtant mystérieusement présent, au point que sa présence sur terre équivaut à une descente des cieux[63].

59. Th. ZAHN, *op. cit.*, pp. 195-196. — D'après M.-J. LAGRANGE, *Évangile selon S. Jean*, p. 80, εἰ μή peut introduire, par manière de concision exagérée, une restriction qui ne correspond pas exactement à ce qui précède: cfr la tournure hébraïque *kî 'im*. Il paraphrase: «Personne autre ne pouvait descendre du ciel, et personne n'y est monté».

60. *Ibid.*, p. 196.

61. E. M. SIDEBOTTOM, *Christ of the Fourth Gospel*, Londres, 1961, p. 120. — Fr. H. BORSCH, *op. cit.*, p. 273.

62. *Ibid.*, p. 273. — Dans: *Abstieg und Erhöhung des johanneischen Menschensohnes*, E. RUCKSTUHL estime qu'au verset 13 Jésus nie qu'un homme soit jamais monté au ciel. Le Sauveur ne parlerait que de sa descente des cieux. L'arrière-fond du logion est selon Ruckstuhl une tradition biblique attestée notamment dans les livres sapientiaux, en *Bar.*, III, 29; *Sag.*, IX, 16, et en *IV Esdr.*, IV. Au verset suivant, v. 14, Jésus a en vue une exaltation qui selon Jean se réalisa sur et par la croix: R. PESCH - R. SCHNACKENBURG - O. KAISER, *Jesus und der Menschensohn*, Fribourg-en-Br., 1975, pp. 314-341.

63. S. SCHULZ, *op. cit.*, pp. 105-106. Selon l'auteur, nous serions en présence d'une relecture de logia chrétiens pré-johanniques du Fils de l'homme en fonction du thème

A mon avis, l'exégèse de S. Schulz et d'autres plus embrouillées sont superflues. Le sens obvie du logion est simple. «Personne n'est monté au ciel», c'est-à-dire personne ne peut prétendre y être monté, sinon «celui qui en est descendu», d'autant qu'il y possède vraiment sa demeure. Renvoyons dans l'évangile même à VI, 46 et XVII, 12, passages susceptibles d'éclairer le logion.

Tout comme *Jn.*, I, 51, le troisième logion: *Jn.*, III, 14-15 utilise la méthode d'exégèse midrashique pour interpréter à la lumière de l'Ancien Testament la mission du Fils de l'homme. Cette fois l'évangile se réfère à *Num.*, XXI, 8-9[64] et, pour s'en servir, il recourt à la typologie. Il rapproche en effet deux faits, l'un de l'Ancien Testament, l'autre du Nouveau, entre lesquels il découvre une correspondance plus réelle que littéraire[65].

Observons que la similitude est mal présentée. Rien ne correspond dans l'antitype à l'acte de Moïse, pourtant allégué en premier lieu par l'hagiographe[66]. On éprouve même de la peine à découvrir les

gnostique de la *katabasis*. Quant au thème de l'*anabasis*, il ne pourrait pas se réclamer de l'*Hénoch éthiopien* où le Fils de l'homme est présenté comme devenant «épiphane» plutôt qu'«exalté». L'exaltation au sens strict serait déjà une interprétation chrétienne.

La traduction néerlandaise du Nouveau Testament offre une version libre qui supprime tout problème: «Nooit is er iemand naar de hemel opgeklommen, noch uit de hemel neergedaald, tenzij de Zoon des mensen»: *Het Nieuwe Testament van Onze Heer Jesus Christus*, Oegstgeest, 1971, p. 248. — *De Bijbel uit de grondtekst vertaald*, Bruges, 1975, p. 127, est revenu à une traduction plus fidèle: «Nooit is er iemand naar de hemel opgeklommen, tenzij Hij die uit de hemel is neergedaald, de Zoon des mensen.» C'est également la version du *The New English Bible. New Testament*, Oxford, 1961, p. 147: «No one ever went up into heaven except the one who came down from heaven, the Son of Man whose home is in heaven.»

La version de P. Joüon: *L'Évangile de Notre-Seigneur Jésus-Christ. Traduction et commentaire du texte original grec, compte tenu du substrat sémitique*, dans *Verbum Salutis*, V, Paris, 1930, p. 63, est libre et force le sens: «Personne n'est monté au ciel, mais quelqu'un est descendu du ciel, le Fils de l'homme qui est au ciel.»

64. Cfr *Sap.*, XVI, 5-10, où le serpent est appelé *sumbolon sōtērias*: J. REIDER, *The Book of Wisdom. An English Translation with Introduction and Commentary*, New York, 1957, p. 187.

65. Le texte de la Septante n'emploie pas le verbe ὑψοῦν mais les termes θές et ἔστησεν pour décrire l'exaltation du serpent. Il en ressort que le rapprochement est plus «réel» que littéraire.

66. Qu'on ne se réfère plus à Moïse dans l'application typologique, se comprend en fonction de l'événement historique du crucifiement. Ce furent en effet les Juifs incrédules, ennemis de Jésus, qui procédèrent à «l'exaltation» du Fils de l'homme: cfr *Jn.*, VIII, 28. — Sur la portée de *kathôs* voir O. DE DINECHIN, *Kathôs. La similitude dans l'évangile de saint Jean*, ap. *Rech. Sc. Rel.*, 1970, t. LVIII, pp. 195-236.

éléments sur lesquels la comparaison s'appuie. Ce n'est pas, bien que plus tard diverses sectes l'aient cru et affirmé, la figure du serpent, ni le poteau auquel il fut attaché, ni même son érection telle que la version grecque de *Num.*, XXI, 8-9 l'énonce. Le rapprochement s'inspire d'abord, semble-t-il, de la notion d'exaltation introduite dans le texte par référence à *Is.*, LII, 13, après que l'hagiographe identifia le Fils de l'homme et le Serviteur de Yahvé, — puis du rôle salvifique de la foi, notamment d'une foi sauvant par la contemplation de l'acte rédempteur par excellence, le mystère de la croix. Le terme ὑψόω dont l'écrivain johannique se sert, réapparaît plus loin dans son évangile, à savoir en *Jn.*, VIII, 28; XII, 32. Il y conserve le même sens, celui de l'exaltation du Fils de l'homme dans et par le crucifiement. En *Jn.*, VIII, 28 cela saute aux yeux, car les Juifs eux-mêmes y sont censés accomplir l'exaltation[67].

Partout cependant le terme ὑψοῦν connote la glorification. C'est que selon les logia, l'heure du crucifiement, c'est-à-dire de l'abaissement suprême, est aussi pour le Fils de l'homme celle de l'obtention de la gloire[68]. La croix amorce le triomphe, c'est-à-dire, la résurrection, voire et surtout l'assomption dans la gloire: *Jn.*, VI, 62[69].

Il n'en faudrait pas conclure que le terme ὑψοῦν vise formellement l'ascension de façon à voir énoncée aux versets 13-14 la succession de trois événements, une première ascension du Fils de l'homme au v. 13a, puis sa descente sur terre au v. 13b, enfin sa remontée finale au ciel au v. 14b[70], trois événements dont la double ascension obtiendrait la priorité. Nulle part, croyons-nous, l'hagiographe ne s'attarde à l'ascension comme au mystère par excellence de la carrière du Sauveur, mystère sur lequel les fidèles auraient à fixer en tout premier lieu les yeux de la foi pour s'approprier le salut[71].

Concluons que le verbe ὑψοῦν nous met en présence d'un emploi ambigu. Il met en œuvre deux significations disparates, voire opposées.

---

67. Dans ces conditions, on s'étonne de l'exégèse de Th. Zahn qui interprète partout l'ὑψοῦν de l'ascension, même en VIII, 28: *op. cit.*, p. 409. — Signalons, à la suite de W. Bauer et M.-J. LAGRANGE, *Évangile selon S. Jean*, p. 81, un texte curieux d'*Artémidore*, Oneirocr., I, 76: κακοῦργος δὲ ὢν σταυρωθήσεται διὰ τὸ ὕψος καὶ τὴν τῶν χειρῶν ἔκτασιν (cfr II, 53; IV, 49), texte où la notion d'ὕψος est rapprochée du crucifiement.

68. *Jn.*, XII, 23, 32; XIII, 31.

69. Cfr également *Jn.*, XIX, 37; *Apoc.*, I, 7, une relecture de *Zach.*, XII, 10.

70. On est en droit de se demander si en *Jn.*, XII, 32 l'addition ἐκ τῆς γῆς connote l'ascension.

71. Sur l'ascension voir par exemple J. HEUSCHEN, *Ascension*, ap. *Dictionnaire encyclopédique de la Bible*, Turnhout, 1960, col. 146-147.

Pour expliquer cet usage, il n'est pas besoin de recourir à une particularité du vocabulaire syriaque ni à un texte araméen préjacent [72]. Tout s'explique à partir de la préoccupation d'un évangéliste soucieux de combiner les diverses traditions sur Jésus dont il avait pris connaissance, à savoir le mystère de la mort douloureuse du Sauveur, censée salvifique, et celui de sa victoire sur la mort à travers sa résurrection et son assomption dans la gloire, — d'un évangéliste pensant avoir trouvé la clé de l'énigme de cette carrière mystérieuse à la lumière de deux textes vétérotestamentaires susceptibles de l'avoir préfigurée, à savoir *Num.*, XXI, 9 et *Is.*, LII, 13.

Et voici encore quelques aspects supplémentaires de la vision théologique impliquée en *Jn.*, III, 14-15. D'abord l'hagiographe situe le mystère entrevu dans la perspective d'une économie providentielle exprimée ici et en *Jn.*, XII, 34 par le verbe δεῖ [73]. Puis il fait consister le bienfait découlant de l'exaltation du Fils de l'homme dans le don de la «vie éternelle». Notons en passant que l'évangéliste se sert de l'expression et de la notion pour signifier la vie perpétuelle dont les croyants jouiront en et par leur union au Sauveur, tandis qu'il réserve le terme «vie» sans qualification quand il s'agit de celle de Dieu, du Père et du Fils [74]. Enfin l'écrivain johannique insiste sur le rôle de la foi dans l'appropriation du salut [75].

L'insistance frappante de l'hagiographe sur la foi comme voie d'accès au salut situe la réalisation de la promesse de Jésus au-delà de toute limitation temporelle ou spatiale. La foi permet de participer au salut aussi bien ceux n'ayant pas conversé avec Jésus que ceux ayant eu le privilège de le voir et de l'entendre durant sa vie terrestre [76].

72. C. K. BARRETT, *The Gospel According to St John. An Introduction with Commentary and Notes on the Greek Text*, Londres, 1958, p. 9: «This verbal play is stronger and clearer in Syriac and in Palestinian Aramaic, since in those languages ʾezdᵉqeph means not only 'to be lifted up' but also 'to be crucified' (which the Greek ὑψωθῆναι does normally mean).»

73. Dans l'évangile de Jean, δεῖ signifie tantôt pour Jésus une obligation morale: IX, 4; X, 16; tantôt une nécessité lui imposée par la Providence: III, 14; XII, 34; XX, 9.

74. Cfr L. MORRIS, *The Gospel According to John*, Grand Rapids, 1974. — Le Père a la vie en lui-même (V, 20); il l'a donnée au Fils (V, 20), au point que le Fils peut lui-même être qualifié de «vie» (XI, 25; XIV, 6).

75. Il convient de relier ἐν αὐτῷ non à πιστεύων mais à ἔχη.

76. Aux journées bibliques de Louvain, P. Bonnard insista, touchant la notion de la foi, sur le développement pris par la théologie johannique dans la première épître par rapport à l'évangile. En l'épître, l'accent se déplace de l'acte de foi intérieur vers sa confession de foi ad extra.

Le logion s'ouvre ainsi sur une vision universaliste. La foi met le salut à la portée de tous sans distinction de temps et de lieux[77].

Les logia étudiés jusqu'ici ne se prononcent pas explicitement sur l'identité du Fils de l'homme, mais, d'accord avec la plus ancienne tradition, ils réservent à Jésus l'emploi du titre. Puis ils nous livrent déjà les faits essentiels de la carrière du Fils de l'homme: sa mort en croix et son triomphe, son exaltation céleste. Cette glorification posthume met, nous l'avons noté, à la disposition de Jésus le ministère des milices célestes: *Jn.*, I, 51. En outre, elle lui permet de communiquer à ses fidèles la vie éternelle grâce à une union spirituelle avec eux trancendant le temps et l'espace. Il appartiendra aux logia suivants: *Jn.*, V, 27; VI, 27, 53, 62; VIII, 28; IX, 35; XII, 23, 34; XIII, 31-32, de nous éclairer sur l'identité du Fils de l'homme[78], de se pencher davantage sur le problème de la foi en lui[79] et de nous informer sur le mystère du sacrement appelé à communiquer pleinement sa vie, la vie éternelle, aux croyants[80].

Le quatrième logion du Fils de l'homme: *Jn.*, V, 27, fait partie d'une section intitulée par R. Brown «Jésus au jour du sabbat». Plus précisément, il appartient à la péricope *Jn.*, V, 19-30, c'est-à-dire à la première partie du discours attribué à Jésus en *Jn.*, V, 19-47.

Relevons tout de suite que cette section contient un doublet. Les versets 28-29 reprennent le contenu des vv. 25-27c et, dans une moindre mesure, celui des vv. 19-24. Ils affirment du «Fils de l'homme» ce que *Jn.*, V, 25-26 venait d'énoncer du «Fils». Puis, tandis que *Jn.*, V, 19-24 paraissent formulés en fonction d'une eschatologie dite réalisée, aussi bien *Jn.*, V, 25-27a que le doublet V, 28-29 évoquent comme cadre la fin des temps[81].

Et voici un premier trait propre à la péricope: en *Jn.*, V, 27,

---

77. Grâce notamment à l'insistance sur πᾶς. L'idée revient en *Jn.*, XII, 32: κἀγὼ ἐὰν ὑψωθῶ ἐκ τῆς γῆς, πάντας ἑλκύσω.

78. Cfr VIII, 28; IX, 35; XIII, 31-32.

79. Cfr IX, 35; XII, 33-34.

80. Cfr VI, 27, 53.

81. D. MOLLAT, *L'évangile de saint Jean*, 2ᵉ éd., ap. *La Sainte Bible*, Paris, 1960, p. 93, le reconnaît. — Selon A. VANHOYE, *Jn.*, V, 27 fait partie d'un ensemble V, 19-30 fortement structuré: *La composition de Jn 5, 19-30*, ap. *Mélanges bibliques Béda Rigaux*, Gembloux, 1970, pp. 259-274. Il n'exclut pas de façon absolue qu'une structure a pu «fort bien rassembler et organiser des matériaux préexistants». — Pour M. GOGUEL: *La Naissance du Christianisme*, ap. *Bibl. historique*, Paris, 1946, p. 386, note 3 et p. 391, note 3, le passage V, 28-29 était une addition et c'est lui qui amena au v. 27 l'allusion au Fils de l'homme.

le titre «Fils de l'homme» n'a pas l'article. On s'en étonne mais généralement on se garde de corriger le texte. Pour expliquer l'anomalie, les uns estiment que nous ne sommes pas en présence du titre christologique mais avons affaire, tout comme en *Hebr.*, II, 6[82], à une tournure à traduire tout simplement «homme». D'autres rappellent que les titres tendent à perdre l'article[83] ou ils remarquent qu'un prédicat précédant le verbe l'omet également[84]. Enfin de nombreux commentateurs renvoient au texte grec de Daniel, VII, 13, version fidèle de l'araméen *k°bar ³°nāš*. Le même phénomène se reproduit, notent-ils, en *Apoc.*, I, 13; XIV, 14.

Un deuxième trait particulier mérite notre attention: dans toute la péricope, le verset 27 est seul à mentionner le Fils de l'homme. Ailleurs, en V, 19, 20, 21, 22, 23, 25, il n'est question que du «Fils».

Puis, — troisième trait particulier, — le logion identifie formellement le «Fils» avec le «Fils de l'homme», et il met ainsi le lecteur de l'évangile sur la voie de l'identification du personnage énigmatique auquel Jésus s'était déjà référé en *Jn.*, I, 51; III, 13 et III, 14-15. Désormais nous savons que le Fils de l'homme n'est autre que le Fils.

Et voici un dernier trait caractéristique du logion: le verset V, 27 est le seul de l'évangile à conférer le rôle de juge eschatologique au Fils de l'homme et à évoquer ainsi les traditions des évangiles synoptiques touchant la mission du même personnage à la fin des temps[85]. Sans doute le parallélisme avec les évangiles antérieurs n'est pas parfait. *Jn.*, V, 27 ne dit pas que le Fils de l'homme s'amènera avec les nuées. Par contre, il ne se contente pas d'affirmer qu'il aura la mission de juger, mais ajoute qu'au son de sa voix lui-même donnera le signal de la résurrection: *Jn.*, V, 28.

Quant à expliquer pourquoi l'hagiographe inséra la mention du Fils de l'homme dans *Jn.*, V, 19-30, il nous paraît qu'il lui importait d'identifier le Fils avec le personnage daniélique pour justifier la

---

82. S. SCHULZ (*op. cit.*, p. 111, note 2) renvoie pour cette opinion à F. Büchsel, G. H. C. MacGregor, Th. Zahn, B. Weiss, A. Loisy, M.-J. Lagrange.

83. A la manière de θεός, κύριος.

84. Cfr Fr. H. BORSCH, *op. cit.*, p. 293, mais Th. ZAHN (*op. cit.*, p. 299) écarte cette solution.

85. S. SCHULZ (*op. cit.*, pp. 312-313) estime même que la tradition représentée en *Jn.*, V, 27 est plus ancienne que celle conservée dans les synoptiques. Elle se situerait entre la notion du Bas Judaïsme et celle en vogue dans la communauté chrétienne primitive. En revanche, R. Bultmann qualifiait le logion comme récent, voire peut-être comme le plus récent des logia johanniques.

transposition au Fils en *Jn.*, V, 21 et surtout V, 25-27a du rôle de juge eschatologique réservé par la tradition antérieure au Fils de l'homme. On serait même tenté d'opiner que dans le logion la liaison rédactionnelle du v. 27b fut composée à cette fin. D'où la tendance de divers auteurs, tels Bultmann et Pernot, à ne pas classer la parole parmi les plus primitives de la série.

Le don de la vie éternelle attribuée en *Jn.*, III, 16 à la foi revient en *Jn.*, VI, 27, 54, et presque tout l'énoncé: πᾶς (ὁ) πιστεύων... ἔχῃ ζωὴν αἰώνιον est repris en *Jn.*, VI, 40, 47. C'est aussi au même chapitre que nous rencontrons trois nouvelles mentions du Fils de l'homme. Ils figurent dans le discours prononcé par Jésus à Capharnaüm et ont trait au don de l'eucharistie. Cela vaut en premier lieu de *Jn.*, VI, 53. Cela s'applique aussi à *Jn.*, VI, 27[86], car la nourriture à accorder par le Fils de l'homme y est distincte de celle offerte par le Père selon *Jn.*, VI, 32. Le Père donne le Fils en nourriture spirituelle par la foi, tandis que le Fils de l'homme distribue sa chair et son sang: *Jn.*, VI, 53-54. Que le troisième passage: *Jn.*, VI, 62 soit lui aussi à comprendre en relation avec l'eucharistie, ressort de sa connexion avec les doutes des auditeurs: *Jn.*, VI, 60, doutés provoqués par les paroles de Jésus annonçant l'acte de manger sa chair et de boire son sang.

---

86. *Jn.*, VI, 27 ajoute une donnée nouvelle à l'identité du Fils de l'homme en notant: τοῦτον γὰρ ὁ πατὴρ ἐσφράγισεν ὁ θεός. La phrase soulève deux problèmes: que signifie le verbe ἐσφράγισεν et comment interpréter ὁ θεός qui ferme la proposition. Pas mal d'auteurs rapportent le σφραγίζειν au baptême, mais leurs raisons nous paraissent inadéquates. A notre avis, le rapprochement s'impose avec *Jn.*, III, 33, et le sens est substantiellement le même: le Père, Dieu, s'est porté garant de la mission du Fils de l'homme. Comme nous le verrons, il s'agit probablement d'une addition, reflétant la pensée de l'hagiographe. C'est d'ailleurs aussi l'avis de S. SCHULZ, *op. cit.*, p. 115. M.-J. LAGRANGE (*op. cit.*, p. 173) observait déjà justement que le sceau était la ratification de Jésus par les miracles. Il notait que ὁ θεός était ajouté pour préciser à l'adresse des juifs qu'il s'agissait du « Père ».

Que Dieu appose son sceau au Fils de l'homme pour le qualifier en vue de son rôle de pain de vie éternelle, ainsi que S. Schulz semble le supposer dans son commentaire, me paraît devoir être exclu. — Cfr *infra*, note 117.

D'après C. K. BARRETT, les allusions au Fils de l'homme du chapitre VI se comprennent parfaitement dans leur relation avec l'eucharistie. Le Fils de l'homme est descendu à terre pour se donner à autrui. Si par certains aspects le personnage johannique fait songer au Révélateur gnostique, il s'en distingue totalement par le don qu'il fait de lui-même à ses fidèles: voir ap. R. PESCH - R. SCHNACKENBURG - O. KAISER, éd., *Jesus und der Menschensohn*, Fribourg-en-Br., 1975, pp. 342-354: *Das Fleisch des Menschensohnes.*

Le sens précis de la phrase, formulée en *Jn.*, VI, 62 non à l'indicatif avec une préposition temporelle mais sous forme de question avec ἐάν et le subjonctif, et laissant en suspens la réponse, est controversé[87]. Qu'elle contienne une allusion à l'ascension du Fils de l'homme, l'emploi de ἀναβαίνειν et l'addition de ὅπου ἦν τὸ πρότερον paraissent l'indiquer. Mais quel rôle Jésus entend-il attribuer à l'ascension future du Fils de l'homme? Celui d'une garantie supplémentaire de la véracité de ses paroles sur l'eucharistie[88]? Ou celui d'une invitation à accepter dans l'avenir un mystère plus grand encore, celui de se voir frustrés de sa présence[89], ou celui d'être obligés à croire au don réel de sa chair et de son sang alors qu'il ne sera plus présent sur terre[90]?

Soulignons en terminant qu'une fois de plus les trois logia sont mis dans la bouche de Jésus. Remarquons ensuite que l'identification du Fils de l'homme ne se fait pas en *Jn.*, VI, 27 ou VI, 62. Elle ne se réalise qu'en *Jn.*, VI, 53, mais uniquement à condition de lire le verset en union avec le suivant[91].

Que les trois logia aient appartenu dès leur origine au contexte actuel n'est pas évident. Nous aborderons plus loin ce problème,

---

87. Voir par exemple le commentaire de Th. ZAHN, *op. cit.*, p. 358.

88. Fr. H. BORSCH, *op. cit.*, p. 300 mentionne l'hypothèse sans s'y rallier, préférant plutôt la position de C. K. Barrett, position qui n'exclut pas l'ambiguïté.

89. C'est l'opinion exprimée par S. SCHULZ, *op. cit.*, p. 115. — Voir aussi *infra*, note 118.

90. Ce problème a dû se poser aux premiers chrétiens, comme il s'est posé à toutes les générations de croyants: comment manger la chair du Christ et boire son sang alors qu'il a quitté la terre et les siens pour monter au ciel?

M.-J. LAGRANGE, *Évangile selon S. Jean*, p. 187, a bien entrevu la difficulté. Sa conclusion est compliquée. Il lui semble 1. que l'on peut conserver le sens littéral de οὖν, distinct de ἀλλά, 2. que l'on peut également garder «l'esprit de la tournure»: apparemment le scandale est augmenté («que nous parlait-il de manger sa chair ..... le voilà remonté au ciel), 3. mais que, malgré cet apparent renforcement du scandale, une issue s'ouvre vers une meilleure compréhension: le départ du Christ fait comprendre qu'il s'agit d'une manducation spirituelle. Et de conclure que la manière commune de suppléer la construction elliptique: «et vous serez sans doute portés à vous calmer» reste acceptable.

Concluons que la phrase est ambiguë. De fait, l'ascension rendra à la fois plus difficile et plus facile la croyance en la manducation eucharistique du corps du Fils de l'homme et en la possibilité de boire sacramentellement son sang.

91. S. SCHULZ (*op. cit.*, p. 118) note que le titre de «Fils de l'homme» concerne directement Jésus dans sa mission terrestre. Cela ne s'oppose pas à ce qu'au ciel il prolonge une activité découlant de cette mission.

quand nous examinerons pour l'ensemble des logia du Fils de l'homme leur rapport à la strate littéraire principale de l'écrit johannique, à savoir celle du Fils ou Fils de Dieu.

En *Jn.*, VIII, 28, nous rencontrons la huitième mention du Fils de l'homme. Comme traits nouveaux notons que le logion surgit à peu de distance d'un contexte soulevant le problème messianique[92], qu'il pose explicitement la question de l'identité du Fils de l'homme[93], qu'il introduit le verbe ὑψοῦν à l'actif et qu'en lui donnant comme sujet les Juifs il vise clairement le crucifiement.

Le problème principal concerne le sens de l'ἐγώ εἰμι[94]. A en croire certains commentateurs, tout comme en *Jn.*, VIII, 24 et 58, la locution exprimerait ici l'égalité de Jésus avec Dieu et lui attribuerait par conséquent un statut divin[95]. Nous nous permettons d'en douter, d'autant plus que plus loin nous soupçonnerons en *Jn.*, VIII, 28a une insertion rompant l'unité du discours du Christ. En *Jn.*, VIII, 28a, l'ἐγώ εἰμι signifie plutôt que Jésus est vraiment le Fils de l'homme. Le mystère de son crucifiement et de l'exaltation amorcée par ce drame le fera apparaître tel, même aux Juifs restés incrédules.

Que *Jn.*, IX, 35 contienne le neuvième logion du Fils de l'homme, est généralement admis bien que des arguments plaident pour la

92. Le problème messianique est en effet abordé formellement en *Jn.*, VII, 37-43.
93. *Jn.*, VIII, 28.
94. La formule se rencontre en *Jn.*, VI, 20; VIII, 24, 28, 58; XIII, 19; XVIII, 5, 6, 8, et elle est censée se référer à la Septante d'*Is.*, XLIII, 10; LI, 12; LII, 6. — Des passages johanniques cités, *Jn.*, VI, 20 et XVIII, 5, 6, 8 n'entrent pas en ligne de compte pour le rapprochement avec les textes deutéro-isaïens. — Cfr G. FERRARO, *L'«ora» di Cristo nel Quarto Vangelo*, ap. *Aloisiana*, t. X, Rome, 1974, p. 289-290.

Dans l'article: *Wenn ihr den Menschensohn erhöht habt werdet ihr erkennen (Joh 8, 28)*, ap. R. PESCH - R. SCHNACKENBURG - O. KAISER, éd., *Jesus und der Menschensohn*, Fribourg-en-Br., 1975, pp. 355-370, J. RIEDL rapproche les deux versets, 24 et 58, où se présente la formule *egô eimi*. Il l'interprète comme indiquant que Jésus est la suprême manifestation de Dieu, son Père. Il l'est notamment en tant que Fils de l'homme, car dans cette fonction il se révèle et il révèle son Père comme sauveur universel. Cette révélation, il l'a accompli sous sa forme parfaite sur et par sa mort-exaltation en croix.

Rappelons l'intérêt qu'E. STAUFFER porta à la formule: *Messias oder der Menschensohn*, ap. *NT*, 1956, t. I, pp. 81-102 et la critique de son opinion par L. VAN HARTINGSVELD, *op. cit.*, pp. 252-261.

Dans *Approches de l'Évangile de Jean*, p. 165, A. JAUBERT interprète l'*egô eimi* de *Jn.*, VIII, 24; VIII, 28; XIII, 19 comme un écho d'*Is.*, XLIII, 10 et par conséquent comme impliquant une référence au nom divin. A ses yeux, le cas est particulièrement clair en *Jn.*, VIII, 28-29, passage évoquant, note-t-elle, *Exod.*, III, 12 et 14.

95. G. FERRARO, *op. cit.*, p. 289-290.

variante συ πιστευεις εις τον υιον του θεου[96]. En effet, au cours de l'enquête menée pas les pharisiens, il est à plusieurs reprises question des origines de Jésus. Les ennemis demandent si cet homme peut venir «de Dieu»: *Jn.*, IX, 16, 29, 31, 33. Dans ces conditions, une confession de foi proclamant la filiation divine y serait la réponse la plus adéquate. Notons toutefois qu'à confesser Jésus comme Fils de l'homme, l'aveugle-né lui attribue un titre impliquant également une origine céleste, divine. C'est que le Fils de l'homme vient d'en haut, par conséquent de Dieu. Bref, à tout considérer, la leçon textuelle généralement retenue répond elle aussi suffisamment à la préoccupation des versets 16, 29, 31 et 33.

Quelle que soit la variante choisie, le récit de la guérison de l'aveugle-né et de sa confession de foi marque dans la composition de l'évangile un tournant décisif. D'abord l'évangéliste nous y situe d'une façon non équivoque dans un contexte messianique[97]. Puis il amène Jésus à révéler clairement l'identité du Fils de l'homme[98]. Enfin il nous met en présence d'une scène qui rappelle le grand tournant de la carrière de Jésus constitué, dans les synoptiques, par la section des paraboles: *Mc.*, IV, 12; *Mt.*, XIII, 14-16; *Lc.*, VIII, 10. Nous assistons dans le ministère du Sauveur à une croisée des chemins. Une discrimination s'accomplit. En *Jn.*, IX, 39, Jésus anticipe en quelque sorte le rôle de juge eschatologique propre au Fils de l'homme, et il réalise aussi la prophétie d'Isaïe, VI, 9.

On pourrait se montrer surpris de voir l'évangéliste situer la révélation de l'identité du Fils de l'homme dans le contexte d'un événement où les disciples sont en quelque sorte laissés de côté. Le problème s'éclaire, croyons-nous, à la lumière de textes isaïens: XXIX, 18; XXXV, 5; XLII, 18[99], dont l'hagiographe a pu s'inspirer. Ils déclarent que pour l'accueil de l'annonce du salut Dieu est prêt à ouvrir les yeux des aveugles et les oreilles des sourds. Dès lors quoi de plus naturel que de situer la révélation de l'identité du Fils de l'homme dans le cadre de la guérison d'un aveugle-né?

En *Jn.*, XII, 23, nous avons affaire au dixième logion johannique du Fils de l'homme. Il est le premier à introduire une référence

---

96. Pour le choix de la variante, voir *supra*, à la note 14, l'opinion de J. DELOBEL.
97. *Jn.*, IX, 22.
98. *Jn.*, IX, 37.
99. Cfr C. K. BARRETT, *op. cit.*, p. 303: «The primary intention of the saying is to bring out the underlying meaning of the ministry of Jesus as a whole.»

à l'heure[100]. Tout comme en *Jn.*, XVII, 1, nous lisons: ἐλήλυθεν ἡ ὥρα. La conviction ainsi exprimée ne quittera plus Jésus, bien que dans la suite l'évangéliste distingue deux phases dans le déroulement de l'heure, celle indiquée en *Jn.*, XII, 23 et celle notifiée par νῦν en *Jn.*, XIII, 31[101].

A la notion de l'heure s'ajoute, — également pour la première fois dans un logion du Fils de l'homme, — celle de la glorification. Antérieurement à *Jn.*, XII, 23, l'hagiographe l'avait déjà affirmée, à savoir en *Jn.*, VIII, 54; XI, 4 pour le Fils et, en *Jn.*, VII, 39; XII, 16, pour Jésus, mais les deux fois sans relation, semble-t-il, avec l'exaltation du Sauveur sur la croix[102].

Qu'en *Jn.*, XII, 23, l'hagiographe se reporte à la seule glorification finale de Jésus, à lui seul le logion ne l'implique pas. Pour que ce sens s'impose, il convient de rattacher *Jn.*, XII, 23 à XII, 28-32 et de voir en *Jn.*, XII, 32 une allusion à l'ascension glorieuse du Seigneur. Mais le rapport de *Jn.*, XII, 23 avec XII, 28-32 est douteux[103], et *Jn.*, XII, 32, où le terme ὑψοῦν se rencontre pour la première fois au chapitre XII, vise l'exaltation du Sauveur dans et par le crucifiement[104].

100. Sur l'heure dans l'évangile johannique voir G. FERRARO, *L'«Hora» della glorificazione del Figlio dell' uomo: 12, 20-36*, ap. *op. cit.*, pp. 178-201 et *L'«Hora» del passagio di Gesu dal mondo al Padre: 13, 1, ibid.*, pp. 202-221. — Sur quelques problèmes historiques touchant le chapitre XII, cfr M.-J. LAGRANGE, *Évangile selon S. Jean*, pp. 336-338.

101. R. Schnackenburg note que l'heure comprend une suite d'événements qui ne sont pas toujours relatés dans leur succession chronologique. D'où l'apparence de certaines antinomies. L'auteur énumère comme compris dans l'heure: la glorification (XII, 23), la vocation des gentils (XII, 20-22), l'événement désigné par lui comme la «Ölbergstunde» (XII, 27), l'exaltation sur la croix (XII, 31) et la trahison de Judas (XIII, 31: νῦν): *Das Johannesevangelium*, t. II, Fribourg-en-Br., 1971, pp. 479-480.

102 En-dehors des logia sur le Fils de l'homme, l'hagiographe a déjà fait mention d'abord de la glorification du Fils résultant soit de l'intervention du Père (VIII, 54) soit des miracles accomplis par lui (XI, 4), — puis de la glorification de Jésus entrevue dans son exaltation pascale ou postpascale, condition sine qua non de l'envoi de l'Esprit (VII, 39) et de l'intelligence des Apôtres (XII, 16). Cette exaltation glorieuse n'est pas exclue en *Jn.*, XII, 23, mais, elle ne paraît pas envisagée en premier lieu. En l'occurrence, elle est surtout liée à l'ὑψοῦν par la croix. Qu'en *Jn.*, XII, 23, la glorification doive être mise en relation avec le triomphe passager de Jésus, ainsi que l'affirme M.-J. LAGRANGE, *Évangile selon S. Jean*, p. 330, me paraît douteux.

103. Sur les divergences touchant la composition de *Jn.*, XII, 20-36, voir par exemple G. FERRARO, *op. cit.*, pp. 179-201.

104. Précisément vu le commentaire du v. 33.

L'emploi de ὑψοῦν, compris ainsi que le v. 33 le note explicitement, au sens propre aux logia johanniques du Fils de l'homme, nous autorise à compter parmi eux le verset 32. Cette addition est importante, car elle introduit une donnée nouvelle. Elle transpose au Fils de l'homme une action salvifique réservée ailleurs au Père, à savoir celle de ἕλκειν, ἑλκύειν, c'est-à-dire d'attirer tous ceux[105] appelés à se sauver[106].

En *Jn.*, XII, 34, nous rencontrons au cours du même chapitre XII une troisième allusion, cette fois explicite, au Fils de l'homme. C'est le dernier des logia adressés à la foule[107], et c'est celui qui accentue le plus le cadre messianique[108].

L'ultime logion johannique explicite du Fils de l'homme s'adresse aux seuls disciples. La rédaction est compliquée et la tradition textuelle n'en est pas constante[109]. Au v. 32, la phrase conditionnelle nous paraît toutefois bien attestée[110].

105. Cfr *Jn.*, VI, 44. — On s'est demandé si le Fils de l'homme n'est pas censé les attirer tous à suivre son exemple, exemple auquel le verset 24 fait allusion. L'invitation à suivre cet exemple est d'ailleurs formulée explicitement aux vv. 25-26.

106. La lecture du verset est incertaine (cfr *supra*, note 15), mais nous avons opté pour la leçon «tous». La totalité s'exprima également en III, 15 (cfr III, 16), mais en y notant comme condition préalable la foi. Celle-ci reste impliquée d'après R. Schnackenburg, *Das Johannesevangelium*, t. II, p. 493. L'auteur renvoie à VI, 37 comparé à VI, 40, ainsi qu'à VI, 45b comparé à VI, 45c, pour montrer que l'hagiographe ne manque pas, en requérant la foi, de circonscrire une apparente totalité.

D'après III, 35; XIII, 3 et XVII, 2, paroles qui n'appartiennent pas au cycle du Fils de l'homme, Jésus possède une puissance universelle, mais cette idée paraît étrangère à *Jn.*, XII, 32.

107. Le *ochlos* n'est plus nommé par Jean après XII, 34.

108. *Jn.*, XII, 34.

109. Voir par exemple K. Aland - M. Black - Br. M. Metzger - A. Wikgren, *The Greek New Testament*, Stuttgart, 1967, p. 385, qui mettent la phrase conditionnelle entre crochets. Pour une évaluation du texte, voir J. Delobel, *supra*, note 19 et *infra*, note 119,

110. Fr. H. Borsch, *op. cit.*, p. 313 et note 4 ne tranche pas la question de l'authenticité.

La phrase conditionnelle est retenue par d'aucuns pour les besoins de la construction de l'hymne. A. Loisy (*op. cit.*, pp. 734-735) la conservait parce qu'à ses yeux son omission supprime «la distinction que l'évangéliste tient à établir entre la gloire acquise à Dieu par l'œuvre du Fils (*sic*; *leg.* Fils de l'homme) et celle que Dieu va donner en récompense au Fils.»

Dans *Évangile selon S. Jean*, p. 366, M.-J. Lagrange appelle curieusement *Jn.*, XIII, 31-32, «une esquisse encore énigmatique de XVII, 1-5». L'énigmatique concerne surtout la réflexion de l'exégète.

De la glorification de Dieu réalisée dans celle du Fils de l'homme dès le ministère terrestre de Jésus, l'hagiographe conclut à une deuxième glorification de ce même Fils d'homme, glorification qui est sur le point de s'accomplir: *Jn.*, XIII, 32, sans doute au lendemain du mystère de la passion. L'image qu'on se fera de cette glorification complémentaire et ultime dépend largement du sens de εν αυτω ou de sa variante εν εαυτω. Jadis P. Joüon proposa de supprimer εν αυτω, précision à son avis quelque peu embarrassante[111]. A la conserver, d'aucuns, tel Th. Zahn[112], entendent le pronom du Fils de l'homme. D'autres le rapportent à θεός, sujet de la phrase, et ils en infèrent que l'hagiographe vise une glorification du Fils de l'homme s'accomplissant en Dieu lui-même[113]. Nous optons pour cette dernière interprétation. Elle respecte mieux le parallélisme. Tout comme le Fils de l'homme glorifia Dieu en lui-même, ainsi le Père glorifiera en lui-même le Fils de l'homme[114]. Le texte ne précise pas comment cette nouvelle glorification s'accomplira finalement en Dieu. Ne songeons pas nécessairement, ou du moins uniquement, aux relations éternelles du Père et du Fils, même à retenir la leçon εν εαυτω. Renvoyons plutôt à *Jn.*, XVII, 1-5 pour éclairer le passage. Selon l'auteur de *Jn.*, XVII, 1-5, texte appartenant à la strate du Fils, le Père glorifiera le Fils de deux façons: d'abord en lui communiquant l'autorité sur toute chair (v. 2), ensuite, — et ici nous abordons le seuil métaphysique, — en le faisant rentrer dans la gloire céleste et divine qu'il possédait auprès du Père: παρὰ σεαυτῷ, παρὰ σοί, avant la création du monde (v. 5)[115].

---

111. P. Joüon, *L'évangile de Notre-Seigneur Jésus-Christ. Traduction et commentaire du texte original grec, compte tenu du substrat sémitique*, ap. *Verbum · Salutis*, V, Paris, 1930, p. 550. Il renvoie à *Rech. Sc. Rel.*, 1928, p. 500.

112. *Op. cit.*, p. 540 et *ibid.*, note 1.

113. S. Schulz (*op. cit.*, p. 122, note 3) paraît objecter que de cette façon l'hymne reviendrait à la glorification du Père alors que tout indique que le texte doit aboutir à celle du Fils.

114. Sur εν αυτω, voir Th. Zahn, *op. cit.*, p. 540, note 1. — M.-J. Lagrange, *op. cit.*, p. 366, observe que Driver, Holtzmann, Loisy, Schanz, Tillmann comprennent qu'il s'agit de la glorification du Fils de l'homme en Dieu. Lui-même opte pour une glorification dans l'humanité du Fils de l'homme.

115. D'aucuns sont tentés d'en conclure que εν αυτω ne vise pas le Père: le Fils de l'homme sera glorifié en lui-même du fait qu'il rentre dans la possession de la gloire à laquelle il avait renoncé pour accomplir sa mission terrestre. Cette explication ne me paraît pas s'imposer.

A tout prendre, rien ne s'oppose à ce que dans l'hymne la pensée de l'hagiographe

Soulignons que le dernier logion du Fils de l'homme reste fidèle au vocabulaire des précédents. Il se garde d'introduire les termes «Père» et «Fils» propres à une couche littéraire distincte. Il énonce la proximité céleste du Fils de l'homme auprès de «Dieu» et non du «Père».

Au terme de l'analyse des treize logia de notre dossier entreprise en tenant compte des études johanniques récentes, la voie nous paraît frayée à l'examen de quatre problèmes complémentaires concernant lesdites paroles envisagées globalement. D'abord·ces textes constituent-ils à l'intérieur du quatrième évangile une strate littéraire distincte? Puis possèdent-ils une unité littéraire et théologique? à quelles visées théologiques répondent-ils? En troisième lieu quels sont les parallèles religionnistes susceptibles de les éclairer? Enfin pouvons-nous leur assigner une origine littéraire, voire historique, distincte et précise?

VI. LA STRATE LITTÉRAIRE DES LOGIA DU FILS DE L'HOMME

Que les logia johanniques du Fils de l'homme constituent à l'intérieur de l'évangile une strate littéraire distincte, pas mal d'indices concourent à l'établir. Certaines paroles n'ont avec leur contexte que des connexions tenues et d'autres se présentent comme des doublets.

L'énoncé de *Jn.*, VI, 53 nous offre nettement un premièr doublet [116].

se termine par la glorification du Fils de l'homme eη Dieu, introduite dans le texte, ainsi que le remarquait A. LOISY (*op. cit.*, p. 734) d'une façon emphatique. N'est-il pas naturel que la glorification du Fils de l'homme s'achève en Dieu, tout comme celle du Dieu s'est accomplie dans le Fils de l'homme? L'idée d'une glorification au sein de Dieu «in his own divine being» fut déjà soutenue par B. F. WESTCOTT, *The Gospel according to St. John* (1881). Reprint Grand Rapids, 1958, p. 197.

116. D'après S. SCHULZ (ap. R. RUCKSTUHL, *art. cit.*, pp. 187-188), *Jn.*, VI, 51b-58 constitue une homélie eucharistique d'origine préjohannique. Elle trahit déjà une notable évolution de la notion du Fils de l'homme. — A. J. B. HIGGINS (*ibid.*, p. 222) marque son accord avec cette manière de voir. Il ajoute que l'idée de Jésus dispensateur de la nourriture évoque des traditions juives, notamment celles consignées en *Bar. syr.*, 29, 8.

Parmi les auteurs étudiés par R. Ruckstuhl, F. H. BORSCH (*art. cit.*, p. 248) insiste le plus sur l'étrangeté du logion dans le cadre des spéculations connues touchant le Fils de l'homme: «Wir dürfen anderseits nicht übersehen, dass der Menschmythos keine vergleichbare Aussage zum geniessen von Fleisch und Blut des Menschensohnes kennt.» Ce fait semble confirmer le caractère additionnel du verset, création de la tradition johannique.

Le milieu d'origine suppose-t-il une communauté hellénique? La loi juive interdisait en effet (*Lev.*, XVII, 10) de boire le sang. — Cfr *supra*, note 90.

Il anticipe sous forme négative le contenu du verset suivant. Son caractère additionnel étonne d'autant moins qu'il fait partie de la section dite eucharistique du discours de Capharnaüm, c'est-à-dire des versets 51b-58, section considérée par beaucoup d'exégètes comme ajoutée à une homélie primitivement concentrée sur un seul thème: «Jésus pain de vie donné aux croyants par le Père». Une fois entrevu le caractère additionnel de *Jn.*, VI, 53, on admettra facilement l'introduction également secondaire de *Jn.*, VI, 27bcd et *Jn.*, VI, 62. *Jn.*, VI, 27bcd: «(La nourriture) que le Fils de l'homme vous donnera», convient d'autant moins comme ouverture du discours suivant: *Jn.*, VI, 30-51a, qu'il traite non du pain à distribuer par Jésus mais de celui donné par le Père en la personne de son Fils. Puis la mention du Père en 27d confirme que nous sommes en présence d'un logion retravaillé et augmenté, car elle est partout étrangère aux logia johanniques du Fils de l'homme[117]. Quant au verset 62, dont nous avons relevé l'interprétation difficile, il ne répond peut-être pas au scandale éprouvé par les disciples, mais le verset 63 y fournit plutôt une réplique[118]. En d'autres mots, le verset 62 est plutôt de nature à interrompre la suite naturelle, primitive, du récit.

Un deuxième cas de doublet, moins net il est vrai, se rencontre

---

117. D'après S. SCHULZ, *Untersuchungen zur Menschensohn-Christologie im Johannesevangelium*, Goettingue, 1957, p. 115, le membre de phrase: «car c'est lui que le Père, qui est Dieu même, a marqué de son sceau» (version de la *Tob*), dérive de l'évangéliste. Il contient deux indices linguistiques qui trahissent son style: le γάρ justificatif et l'emploi de θεός avec l'article comme attribut.

E. Ruckstuhl est prêt à attribuer le verset 27 tout entier à l'évangéliste (*art. cit.*, p. 225) pour unir le discours sur le pain de vie et l'homélie eucharistique. — Cfr *supra*, note 86.

L. VAN HARTINGSVELD (*op. cit.*, pp. 77-78) rapporte ὁ θεός à Jésus. Le texte énoncerait la stricte divinité du Sauveur: conjecture peu vraisemblable.

118. En effet, si *Jn.*, VI, 62 vise, comme R. Bultmann le pense, l'exaltation de Jésus en croix, le scandale pour les disciples n'est pas diminué mais augmenté.

Pas mal d'auteurs estiment néanmoins que le verset 62 fournit une indication répondant aux difficultés des disciples: visant l'ascension céleste du Sauveur, il prévient toute interprétation matérielle, «physique», de la manducation du Seigneur. Voir *supra*, note 90.

Pour R. H. FULLER: *The Foundations of New Testament Christology*, New York, 1965, pp. 228-229, 234, *Jn.*, VI, 62, tout comme *Jn.*, III, 13, nous met en présence d'un des logia les plus récents. On ne peut pas l'expliquer comme une réinterprétation des paroles des Synoptiques mais il faut le comprendre comme l'expression d'un «Christusmythos», étranger aux communautés palestiniennes mais déjà partiellement présent dans le corpus paulinien.

en *Jn.*, XIII, 31-32. Les idées y exprimées se retrouvent en effet, du moins en partie, en *Jn.*, XVIII, 5. Répétons une remarque déjà faite : *Jn.*, XVIII, 5 appartient à la strate littéraire mettant régulièrement en scène le Père et le Fils tandis que *Jn.*, XIII, 31-32, conformément aux autres logia du Fils de l'homme, se garde de parler du Père et trahit, semble-t-il, la présence de la couche littéraire distincte à laquelle nous avons déjà à plusieurs reprises renvoyé [119].

Un troisième cas de doublet surgit en *Jn.*, V, 25-29, où les versets 28-29 reprennent les versets 25-27a pour en attribuer le contenu, il est vrai quelque peu modifié et adapté, au Fils de l'homme. Celui-ci entre en scène au verset 27b, verset qui l'identifie avec le Fils, et qui, par le truchement de cette identification, justifie l'attribution du rôle de juge eschatologique au Fils en V, 25-27a. Le verset 27b se présente donc comme une vraie liaison rédactionnelle unissant deux strates littéraires distinctes mais parallèles représentées respectivement pas les péricopes 25-27a : strate du Fils et 28-29 : strate du Fils de l'homme [120]. Notons encore que *Jn.*, V, 27 est le seul verset de l'évangile combinant aussi manifestement lesdites strates littéraires. Une certaine combinaison se rencontre aussi en *Jn.*, VI, 27, où la fin du verset : «Car c'est lui que le Père, Dieu, a marqué de son sceau» est le complément rédactionnel d'un logion du Fils de l'homme. En l'occurrence, il ne s'agit pas d'unir deux passages parallèles et dans ces conditions ledit complément n'exerce pas la même fonction.

En *Jn.*, I, 51, nous avons affaire non à un doublet mais à un logion mal rattaché au contexte. Solennellement introduit par *amen-amen*, il transpose les verbes du récit brusquement du singulier au pluriel, sans avertir les lecteurs du changement d'auditoire. Puis la reprise d'un λέγω ὑμῖν fait également soupçonner la présence d'un ajout. En outre, la peine que les commentateurs se donnent sans résultat appréciable pour découvrir une connexion avec le récit précédent et pour justifier le titre de Fils de l'homme, à la suite des quatre autres déjà conférés à Jésus : Fils de Dieu (I, 34, 49), Agneau de Dieu

---

119. Le caractère isolé de *Jn.*, XIII, 31-32 ressortirait aussi de son allure rythmique. D'après S. SCHULZ (*op. cit.*, pp. 120-121), nous sommes en présence d'un hymne n'offrant pas de caractéristiques du style johannique. Que la fin de la pièce vise l'intronisation publique, cosmique et eschatologique, du Fils de l'homme (*ibid.*, p. 122), me paraît douteux. — Voir aussi *supra*, notes 19, 109-115.

120. S. SCHULZ (*op. cit.*, p. 110) estime lui aussi qu'il s'agit dans V, 27-29 d'une péricope insérée par l'évangéliste dans son œuvre. — Voir d'autres hypothèses *op. cit.*, p. 111, note 7.

(I, 36), Christ (I, 41), Roi d'Israël (I, 49), confirme le caractère additionnel du verset 51 [121].

A notre avis, ce même caractère s'applique à *Jn.*, VIII, 28ab. Le verset 28c continue, ce nous semble, le discours des vv. 25b-26. Aussi bien le v. 27, réflexion du rédacteur, que le verset 28ab, logion touchant la connaissance que les adversaires acquerront du Fils de l'homme le jour où ils l'auront exalté sur la croix, interrompent une section où domine la mention du Père et du Fils: VIII, 26, 28c, 38, 42, 49, 54, et où nous rencontrons une nouvelle fois la strate du Fils que nous estimons devoir distinguer de celle du Fils de l'homme [122].

Le caractère rédactionnel de *Jn.*, III, 13 et III, 14-15 s'impose également. D'abord ces deux logia tiennent fort peu ensemble, et c'est là un premier indice à l'appui de l'hypothèse d'une éventuelle insertion [123]. Puis, tout comme pour *Jn.*, I, 51, les commentateurs se livrent à des réflexions subtiles et complexes pour unir le v. 13 et, à fortiori, les vv. 14-15, à ce qui précède. Enfin, dans les versets 14-15, le deuxième membre double le v. 16, et, une fois de plus, le doublet s'explique par la présence des deux strates littéraires. Alors que le v. 15 appartient à un logion du Fils de l'homme, le v. 16 fait partie d'une section où figure le Fils, à savoir aux versets 16, 17, 18.

La preuve du caractère additionnel est plus difficile à fournir pour *Jn.*, IX, 35; XII, 23 et XII, 34. Le cas de *Jn.*, IX, 35, dont curieusement S. Schulz ne s'occupe pas, ne poserait pas de problème si la variante τον υιον του θεου pouvait l'emporter. Comme ce n'est pas le cas, il importe de partir de la leçon communément retenue τον υιον του ανθρωπου [124].

---

121. D'après A. J. B. Higgins, la liaison avec les versets précédents est faible et secondaire (ap. E. Ruckstuhl, *art. cit.*, p. 219). Déjà en 1957, S. Schulz l'avait fortement souligné: *Untersuchungen zur Menschensohn-Christologie im Johannesevangelium*, Goettingue, 1957, pp. 98-99. Que la liaison soit faible, R. Schnackenburg (ap. E. Ruckstuhl, *art. cit.*, p. 232) et R. E. Brown (*ibid.*, p. 237) en conviennent également. En revanche, W. Michaelis (*ibid.*, p. 197) se fait le défenseur d'une étroite connexion.

122. D'après F. H. Borsch (cfr E. Ruckstuhl, *art. cit.*, p. 249), nous aurions en VIII, 28 l'identification la plus claire de Jésus avec le Fils de l'homme. En outre, il estime que les verbes ὑψώσητε et γνώσεσθε ne visent pas les mêmes personnes. Dans le quatrième évangile, note-t-il, γινώσκειν concerne toujours une connaissance salvifique.

123. Voir S. Schulz, *op. cit.*, p. 104: «Beide Sprüche sind mit dem Vorhergehenden und unter sich nur lose mit καί verknüpft.»

124. F.-M. Braun, *Jean le théologien*, t. II: *Les grandes traditions d'Israël. L'accord*

La solution ne consisterait-elle pas à mettre en question, pour tout le passage relatif à la confession de foi de l'aveugle-né, c'est-à-dire pour *Jn.*, IX, 35-38, son appartenance au récit johannique primitif? Remarquons en effet que le cadre de *Jn.*, IX, 35-38 diffère aussi bien de ce qui précède, *Jn.*, IX, 34, que de ce qui suit, *Jn.*, IX, 40-41. En *Jn.*, IX, 34, Jésus se trouve en compagnie des Pharisiens et il paraît la retrouver en *Jn.*, IX, 40a. En revanche, en *Jn.*, IX, 35-38, il n'est plus en présence que du seul aveugle-né. A nous tabler sur *Jn.*, IX, 35, Jésus s'est éloigné de ses adversaires au terme de la discussion pour aller trouver celui qu'il avait guéri. Au reste, *Jn.*, IX, 39 se laisse lire comme la suite de *Jn.*, IX, 34, une fois la péricope IX, 35-38 éliminée comme addition [125].

Le problème du caractère additionnel est le plus compliqué en ce qui concerne les logia du chapitre XII. D'un consentement largement unanime, — et ce sera notre première observation, — la composition du chapitre XII est embrouillée. Les essais entrepris pour démêler l'écheveau sont tous problématiques. Puis, — deuxième observation, — dans la discussion il importe d'ajouter le v. 32 aux deux logia explicites du Fils de l'homme, les vv. 23 et 34. Certes *Jn.*, XII, 32 est énoncé à la première personne et, à ce titre, le verset se distingue de la structure de ces deux logia. Néanmoins l'emploi du verbe ὑψοῦν, une de leurs caractéristiques, nous invite à l'y inclure.

Une analyse même rapide du chapitre XII permet d'y distinguer trois parties. Les versets 27-31 se rattachent à l'interpellation des disciples par les Grecs relatée plus haut, aux vv. 20-22. La péricope précédente, vv. 25-26, à première vue plutôt étrangère au contexte, est amenée par le verset 24; elle invite les disciples à conformer leur vie à celle de leur Maître. Enfin les versets 23-24, 32-34, sont les seuls à se rapporter explicitement au Fils de l'homme.

Une fois de plus les logia se caractérisent par l'absence de toute allusion au Père, alors que les versets 27 et 28 le mentionnent. Puis, à accepter que les versets 23-24, 32-34, voire 35-36 forment une unité plus ou moins cohérente, nous serions confronté avec la péricope johannique du Fils de l'homme la plus développée. Constatons une nouvelle fois qu'elle est mal liée aux autres données

---

des Écritures d'après le quatrième évangile, ap. *Études bibliques*, Paris, 1964, p. 105, défend néanmoins la variante τον υιον του θεου. — Cfr *supra*, note 14.

125. Pour expliquer l'insertion de *Jn.*, IX, 35-38, on peut supposer que le rédacteur final ne s'est pas contenté des deux confessions de foi imparfaites du miraculé rapportées en *Jn.*, II, 17, 30-33.

du chapitre XII, en d'autres mots qu'elle constitue une unité littéraire largement indépendante du contexte.

En cours de route, nous avons, semble-t-il, recueilli un nombre suffisant d'indices pour qualifier d'enclaves dans la trame principale de l'évangile tous les logia du Fils de l'homme.

Si nous les rassemblons et juxtaposons, nous aboutissons à un ensemble que nous n'hésitons plus à considérer comme une couche littéraire distincte, précisément la strate des logia du Fils de l'homme. Elle possède au moins cinq traits distinctifs. Elle se détache du contexte fondamental de l'évangile d'abord par l'absence de toute allusion à la relation Père-Fils dans la présentation de Jésus, — puis par l'omission des verbes impliquant une «mission» du Fils de l'homme et, en revanche, par la présence des verbes ἀνα- et καταβαίνειν ainsi que ὑψοῦν, — en outre, par une référence à l'eschatologie strictement dite: VII, 27, presque absente ailleurs dans le quatrième évangile, — enfin par la perspective d'une glorification posthume et intradivine de Jésus: XIII, 32, distincte de celle lui octroyée déjà en cette vie et nullement restreinte à celle de la parousie.

La strate particulière ainsi dégagée se compose généralement de logia peu étendus. Distinguons y trois énoncés ayant fonction de liaison: V, 27; VI, 27, 62; puis une parole isolée touchant la médiation du Fils de l'homme: I, 51; ensuite quatre paroles centrées sur son exaltation: III, 14; VIII, 28; XII, 32, 34, et deux autres sur sa glorification, soit à l'heure de son crucifiement: XII, 23[126], soit dans son assomption auprès de Dieu: XIII, 31-32; en outre trois logia pour souligner le rôle vivificateur du personnage: III, 15; VI, 53, voire à la suite de nos réflexions sur le chapitre XII, également XII, 32, où le Fils de l'homme exerce une activité attribuée ailleurs au Père attirant le Fils: VI, 44[127]; ultérieurement un seul logion rappelant

---

126. Dans *Jn.*, XII, 23, la mention de la ὥρα évoque *Jn.*, XVII, 1. Observons que *Jn.*, XII, 23 est le premier logion du Fils de l'homme où Jésus lui-même évoque le δοξάζειν. Le verbe intervient dans un deuxième logion, *Jn.*, XIII, 31-32. Ailleurs il ne se présente plus que dans des réflexions de l'évangéliste: *Jn.*, VII, 39; XII, 16, ou dans des paroles appartenant à la strate du Fils: VIII, 54; XI, 4 (cfr XI, 27, 41); XIV, 13; XVI, 14 (cfr XVI, 15); XVII, 1, 4, 5. Soulignons enfin que le thème du δοξάζειν de Jésus fait songer à *Lc.*, XXIV, 26; *Act.*, III, 13; *I Petr.*, I, 11. — Voir sur la glorification les positions de J. BLANK, *Krisis*, Fribourg-en-Br., 1964 et leur exposé par E. RUCKSTUHL, *art. cit.*, pp. 212-217.

127. On s'est en effet demandé où s'exercera précisément ce pouvoir d'attraction: sur terre au moment de l'exaltation en croix, ou, après cette première exaltation, lors de l'exaltation céleste du Fils de l'homme en son ascension. Ajoutons que dans un article de la *Rev. Bibl.*, 1942, t. LI, pp. 213-226: *La parabole*

le rôle du Fils de l'homme comme juge eschatologique: V, 27; puis encore deux passages soulevant le problème de la foi à accorder au personnage énigmatique: IX, 35 et XII, 34; enfin un seul logion attribuant à l'élévation du Fils de l'homme la révélation de son identité: VIII, 28.

Le peu d'étendue de presque tous les logia nous fait penser qu'ils ne dérivent pas d'une source narrative continue. Pour leur assigner un cadre littéraire, on pourrait être tenté d'émettre l'hypothèse d'un florilège de logia qu'on supposerait originaire d'un milieu du christianisme naissant, resté fidèle et sensible à une christologie centrée sur la figure du Fils de l'homme. Nous n'avons pas rencontré d'auteurs émettant ou favorisant une telle hypothèse, et nos propres conclusions sur la strate littéraire des logia ne l'appuieront pas. Bref, il ne semble pas qu'il y ait lieu de s'y arrêter.

VII. L'UNITÉ DE LA STRATE LITTÉRAIRE DU FILS DE L'HOMME ET SES VISÉES THÉOLOGIQUES

Que les treize logia johanniques du Fils de l'homme possèdent une unité foncière, une cohésion doctrinale presque sans failles, pas mal d'auteurs sont prêts à l'admettre[128]. La synthèse doctrinale

---

du serpent d'airain, J. G. GOURBILLON suggéra d'intercaler entre XII, 31 et XII, 32 la péricope III, 14-21. On expliquerait ainsi l'absence de la mention du Fils d'homme en XII, 32: hypothèse d'autant moins vraisemblable que ladite péricope III, 16-18 appartient à la strate du Fils et non du Fils de l'homme.

128. Voir un essai de synthèse dans E. RUCKSTUHL, *Die johanneische Menschensohn-forschung 1957-1969*, ap. *Theologische Berichte hrg. von J.* PFAMMATTER *und F.* FURGER, Zurich, 1972, pp. 278-279. — On s'étonnera de ce que M.-J. LAGRANGE, *Évangile selon S. Jean*, p. 52 ne discerna aucune intention spéciale dans le recours johannique au titre daniélique: «On a dit très bien que 'Fils d'homme' n'a pas d'importance spéciale dans le quatrième évangile».

Dans une leçon faite le vendredi 20 février 1976 à la faculté de théologie de Louvain-la-Neuve, M. le professeur Schmitt de Strasbourg suggéra les positions suivantes: 1. parmi les logia johanniques du Fils de l'homme, il convient d'en distinguer trois, à savoir III, 14; VIII, 28 et XII, 34, susceptibles d'appartenir à la strate la plus ancienne de l'évangile, une strate apostolique, à condition de considérer en III, 14 l'allusion au serpent d'airain comme un ajout tardif; 2. Les trois se caractérisent par l'emploi du verbe ὑψοῦν et par l'ambivalence de ce terme qui pourrait dériver de la version de l'araméen $z^e\underline{k}af$, également ambivalent; 3. dans les logia plus récents, ὑψοῦν a fait place soit à δοξάζειν soit au couple spatial ἀνα- et καταβαίνειν; 4. l'emploi du verbe ὑψόω, correspondant à l'araméen $z^e\underline{k}af$, est sans doute un indice nous invitant à faire remonter les trois logia à un milieu chrétien

des logia que nous estimons être en mesure de réaliser à notre tour, nous invite à leur donner raison.

Abordons l'exposé doctrinal par un renvoi aux logia suggérant ou même affirmant la préexistence du Fils de l'homme, à savoir III, 13 et VI, 62[129]. Ils situent la carrière terrestre du personnage dans le cadre d'une descente sur terre: III, 13 et d'une remontée au ciel: VI, 62 (cfr aussi XIII, 32), voire peut-être III, 13a. Sur la nature du Fils de l'homme dans sa préexistence céleste, les logia ne nous informent pas. Ce manque de précision explique que parfois on a voulu lui attribuer un caractère humain dès cette préexistence[130].

de langue araméenne; 5. enfin toutes ces données nous invitent à poser la question si au point de départ des logia envisagés il n'y a pas lieu de poser un dit de Jésus sur la «venue» (montée) du Fils de l'homme.

Quant au regretté Georg RICHTER, dans l'article : *Präsentische und futurische Eschatologie im 4. Evangelium*, publié dans *Gegenwart und Kommendes Reich*, Stuttgart, 1975, pp. 117-182, il estima pouvoir distinguer dans les milieux judéo-chrétiens dont selon lui dérive l'évangile johannique quatre modèles de christologie: la première saluait en l'homme Jésus le prophète-messie entrevu par *Deut.*, VIII, 15ss.; la deuxième reconnaissait en lui le Fils de Dieu; une troisième introduisit touchant sa personne des vues docétiques; une quatrième et dernière combattit ce docétisme, insistant sur l'incarnation.

De ces quatre vues christologiques, seule la première, la deuxième et la quatrième seraient reprises dans l'évangile. Elles appartiendraient respectivement à la *Grundschrift*, à l'auteur principal ou l'*Évangéliste* et au *Rédacteur antidocétique*.

Richter conteste la présence d'une véritable christologie du Fils de l'homme. Selon lui, le quatrième évangile se sert uniquement du titre pour exprimer une fonction du Fils de Dieu, à savoir son rôle eschatologique, rôle entrevu par l'*Évangéliste* comme déjà réalisé dans la vie du Sauveur.

En revanche, la communauté judéo-chrétienne dont émane selon G. RICHTER (*art. cit.*, p. 132) la *Grundschrift* de l'évangile, attendait le retour de Jésus, c'est-à-dire sa parousie, en qualité de Fils de l'homme. Aussi bien *Jn.*, I, 51 que *Jn.*, V, 25-27 en dériveraient (*ibid.*, pp. 132-133). *Jn.*, XII, 34 exprimerait une objection de cette communauté contre la réinterprétation du Fils de l'homme par l'Évangéliste et, en *Jn.*, III, 14-18, celui-ci justifierait sa position (*ibid.*, pp. 133 et 134).

Mais, ajoute Richter, l'Évangéliste adapta aussi bien *Jn.*, I, 51 que *Jn.*, V, 24-27 à sa conviction d'une eschatologie déjà réalisée.

Observons enfin que l'importance du thème du Fils de l'homme échappa à M. GOGUEL, *La Naissance du Christianisme*, ap. *Bibl. historique*, Paris, 1946, p. 386.

129. E. RUCKSTUHL, *art. cit.*, p. 276 conteste, ce nous semble à tort, que *Jn.*, III, 13 et VI, 62 affirment la préexistence céleste du Fils de l'homme. — Y a-t-il lieu de se demander si *Jn.*, III, 31-33, où se rencontre le thème de l'ἐπάνω, se rattache également à la strate du Fils de l'homme? Notons que σφραγίζειν se rencontre seulement en III, 33 et VI, 27.

130. Cfr les vues très particulières de P. BENOIT, *Préexistence et incarnation*, ap. *RB*, 1970, t. LXXVII, pp. 5-29. — Voir aussi les vues énoncées jadis par J. GRILL, *op. cit.*, pp. 73-74.

Une telle conception se heurte aux vues johanniques par ailleurs nullement ambiguës sur l'incarnation. Toutefois le Sauveur n'apparaît vraiment comme Fils de l'homme qu'à partir du moment où il s'est incarné [131]. Si le titre lui est appliqué dès sa préexistence, c'est en raison de la prophétie daniélique, texte censé avoir prédit sa venue, et, aussi peut-être, du moins dans la perspective johannique, en prévision de la nature humaine que, selon les desseins de la Providence, il devait assumer.

Descendu sur terre, le Fils de l'homme y dut remplir un destin signifié en *Jn.*, III, 14; XII, 34 par le verbe δεῖ [132]. Le déroulement de sa carrière toute providentielle comporta selon l'évangile deux phases notifiées par les verbes ὑψοῦν et δοξάζειν. Le premier terme exprime l'exaltation du Fils de l'homme sous un double aspect [133]. Le plus important est celui de l'élévation sur la croix: III, 14; VIII, 28; XII, 32, 34; le deuxième concerne l'assomption dans la gloire succédant au crucifiement et en quelque sorte s'y amorçant: XII, 23; XIII, 32. Ce dernier aspect s'exprime plus directement par δοξάζειν [134]. Le terme énonce un processus comportant à son tour deux étapes, l'une terrestre: XII, 23; XIII, 31, l'autre céleste, celle-ci appelée à s'accomplir en Dieu lui-même au retour du Fils de l'homme en sa demeure céleste: XIII, 32 [135].

A la différence de la strate littéraire du Fils de Dieu, celle du Fils de l'homme ne se sert jamais des verbes πέμπειν ou ἀποστέλλειν pour marquer sa venue sur terre [136]. Le but de cette descente sur

---

131. En cela, nous sommes d'accord avec E. RUCKSTUHL, *art. cit.*, p. 276.

132. Cfr W. GRUNDMANN, δεῖ, ap. *Th. Wört. NT*, t. II, p. 22 ss. — E. FASCHER, *Theologische Beobachtungen zu* δεῖ *im Alten Testament*, ap. *ZNW*, 1954, t. XLV, pp. 244-252. — LE MÊME, *Theologische Beobachtungen zu* δεῖ, ap. *Neutest. Studien für R. Bultmann* (*BNTW*, t. XXI), 2e éd., Berlin, 1957, pp. 228-254.

133. I. DE LA POTTERIE, *L'exaltation du Fils de l'homme. Jn. 12, 31-36*, ap. *Gregor.*, 1968, t. XLIX, pp. 460-478.

134. W. GROSSOUW, *La glorification du Christ dans le quatrième évangile*, ap. *L'Évangile de Jean* (*Recherches bibliques*, t. III), Bruges, 1958, pp. 131-145. — Dans le quatrième évangile, la glorification de Jésus s'est déplacée de la parousie, — conception des synoptiques, — à la mort de Jésus en croix et à son assomption auprès de Dieu. L'idée d'intronisation bien attestée dans l'Hénoch éthiopien n'apparaît pas, bien que l'idée d'un royaume ne soit pas totalement écartée pour Jésus: *Jn.*, XVIII, 36-37.

135. Cfr F.-M. BRAUN, *Jean le théologien*, t. III: *La théologie. Le mystère de Jésus Christ*, ap. *Études bibliques*, Paris, 1966, pp. 213-214.

136. E. RUCKSTUHL a-t-il le droit de conclure que l'absence de ces verbes exclut dans l'évangile la préexistence de Jésus en tant que Fils de l'homme (*art. cit.*, p. 276)?

terre fut double. D'une part, elle tendit à procurer à Dieu la gloire
qui lui revient et, de l'autre, à conférer aux hommes le salut, entrevu
surtout comme consistant dans le don d'une vie éternelle : III, 15-16 ;
VI, 27. Que cette vie consiste essentiellement dans une union vitale
avec le Fils de l'homme nè s'exprime pas, ce nous semble, en III, 16,
où la préposition ἐν possède un sens plutôt instrumental. L'idée
est présente en VI, 53, à rapprocher de VI, 27, deux passages du
discours eucharistique. Selon *Jn.*, VI, 53, le Fils de l'homme confère
la vie éternelle à ses fidèles dès leur vie terrestre. Dans sa plénitude
toutefois, il ne la communique qu'au moment de la résurrection,
c'est-à-dire à la fin des temps, quand il exercera son rôle de juge
eschatologique : *Jn.*, V, 27, à rapprocher de V, 26, logion de la strate
du Fils.

Ajoutons que d'après *Jn.*, XII, 32, le Fils de l'homme ne réussit
vraiment à accomplir sa mission de Sauveur qu'à partir de son
exaltation sur la croix. C'est en ce moment qu'après avoir révélé
pleinement son identité : VIII, 28, il attirera tous à lui : XII, 32,
— à rapprocher de XII, 24-25, — prenant en quelque sorte la relève
d'une action attribuée au Père en *Jn.*, VI, 44, c'est-à-dire dans l'autre
strate littéraire, celle du Fils.

Pour avoir part aux fruits de la mission salvatrice du Fils de
l'homme, les logia réclament des fidèles la foi : III, 16 ; IX, 35, ainsi
que la communion à l'aliment d'immortalité leur offert dans la
nourriture et le breuvage eucharistiques : VI, 53.

Toutes les données réunies jusqu'ici présentent le Fils de l'homme
comme un médiateur du salut, voire comme le médiateur par excellence.
Cette idée, pas mal de commentateurs la découvrent déjà clairement
énoncée dans le premier logion johannique, c'est-à-dire en *Jn.*, I, 51 [137],
logion relativement isolé au point que d'aucuns sont tentés de l'interpréter comme nous livrant, dès le seuil de l'évangile, la clef pour
comprendre la figure énigmatique.

Notre essai de synthèse n'achoppe qu'à deux menues discordances.
D'abord l'unité n'est pas absolue touchant l'heure précise de la
glorification. Elle est rapportée à deux moments de la vie terrestre
de Jésus : XIII, 31 et XII, 23, et elle ne s'achève vraiment qu'auprès

---

137. D'aucuns y voient exprimée l'idée de cette médiation dans la mesure où Jésus
y apparaîtrait comme le vrai temple : cfr II, 20-21 et X, 36, deux passages de la strate
du Fils : voir E. RUCKSTUHL, *art. cit.*, p. 195, se ralliant à I. FRITSCH, *Videbitis
angelos Dei ascendentes et descendentes super Filium hominis* (*Jo I, 51*), ap. *Verbum
Dom.*, 1959, t. XXXVII, pp. 3-11.

de Dieu à titre posthume : XIII, 32. En d'autres mots, il convient
de ne pas restreindre la glorification à un seul moment de la vie
du Sauveur, quelle que soit son importance, mais de la concevoir
comme un processus à étapes successives. Et voici une deuxième
discordance : si pour les auditeurs de Jésus divers textes : VIII, 28 ;
XII, 24, reportent l'éclatement de la foi au Fils de l'homme au lendemain de son exaltation en croix, *Jn.*, IX, 35 constitue une exception.
Il est vrai que Jésus permit ce cas unique de foi anticipée pour que
se réalisât une prophétie isaïenne : *Is.*, VI, 10. La discordance s'explique
ainsi et se justifie.

Relevons encore que dans la succession des logia une certaine
progression se constate, notamment en ce qui touche la révélation
de l'identité du Fils de l'homme. Les premiers parlent du personnage
à la troisième personne et s'abstiennent de faire connaître son identité.
Peu à peu l'identification s'ébauche. En *Jn.*, VI, 53, elle n'est qu'indirecte. En *Jn.*, VIII, 28 et surtout en *Jn.*, IX, 35, Jésus révèle que
lui incarne vraiment le personnage. Dans la suite, à savoir en *Jn.*, XII,
23, 32, 34 ; XIII, 31-32, l'identité de Jésus avec la figure daniélique
est partout impliquée. Ajoutons qu'en *Jn.*, VIII, 28 et XII, 32, le
Ich-Stil, c'est-à-dire le discours à la première personne, se substitue
aux paroles à la troisième, conférant ainsi à l'identification un supplément de clarté [138].

Si le processus de l'identification du Fils de l'homme avec le Fils
grâce à l'insertion des logia dans la strate beaucoup plus étendue et
plus fondamentale du Fils ne fait pas de doute, arrive-t-il aussi au
rédacteur ou éditeur de l'évangile de procéder à cette identification
à partir du Fils ? La réponse nous paraît affirmative, mais l'évangile
ne contient qu'un seul passage explicite à cette fin, à savoir le verset-
charnière V, 27 [139]. Il unit si étroitement les deux strates que les
sections V, 25-27a et V, 28-29 se juxtaposent en parallèles et qu'à

---

138. A notre avis, en *Jn.*, VIII, 28 Jésus entend signifier par ἐγώ εἰμι qu'il est
le Fils de l'homme. Bref, cet ἐγώ εἰμι n'a vraisemblablement pas la portée de celui
rapporté un peu plus haut, en *Jn.*, VIII, 24, où il pourrait avoir le sens que pas mal
d'auteurs accordent à l'expression. Ils la rapprochent de *Deut.*, XXXII, 39, d'*Is.*,
XLIII, 10 ; XLI, 4 ; XLVI, 9 ; XLVIII, 12, et estiment qu'en dernier ressort, elle
pourrait provenir d'*Ex.*, III, 14-15. Au rapprochement de VIII, 28 avec VIII, 24
paraît s'opposer que VIII, 24 se trouve dans la strate du Père-Fils : VIII, 26b, 27, 28c-29,
alors que *Jn.*, VIII, 28 relève de l'autre couche littéraire. Cfr *supra*, n. 94.

139. Bien qu'il ne distingue pas nettement les deux strates : celle du Fils de l'homme
et celle du Fils, F.-M. BRAUN a entrevu l'alternance des deux titres : *Jean le théologien*,
t. III, p. 107 : III, 14-17, V, 22-27, VI, 27, 40, 53, 62, VIII, 28, 35-36.

la lumière de ce parallélisme le Fils est explicitement identifié au Fils de l'homme. Le Fils est également rapproché du personnage daniélique en *Jn.*, III, 16 à la lumière de III, 15, en *Jn.*, VI, 54 lu en union avec VI, 53, et en *Jn.*, XVII, 1-5 comparé à XIII, 31-32, mais dans ces trois derniers cas l'identification n'est pas directe et explicite.

On peut se demander si *Jn.*, VIII, 28 n'est pas également à compter parmi les passages contribuant à manifester l'identité des deux personnages. Ne convient-il pas de rapprocher les deux ἐγώ εἰμί attestés respectivement en VIII, 24 et 28 et par conséquent de les interpréter identiquement, c'est-à-dire comme insinuant l'un et l'autre la même dignité, la dignité divine de Jésus? En d'autres termes, vu l'attribution d'une dignité divine au Fils de l'homme en *Jn.*, VIII, 28a, le personnage n'y apparaît-il pas comme identique au Fils attesté en VIII, 24? Le rapprochement serait d'autant plus justifié qu'aussi bien VIII, 28b que VIII, 27 mentionnent le Père.

Vu le caractère d'enclave attribué plus haut au v. 28a, le rapprochement avec VIII, 24 ne se justifie pas au niveau de la composition et de la signification primitives du logion. Mais serait-il interdit de penser que le rédacteur final de l'évangile ait rapproché les deux ἐγώ εἰμι, qu'il ait tenu compte de l'allusion au Père aux versets 27 et 28b et qu'en conséquence il ait identifié le Fils de l'homme avec le Fils? En cette hypothèse, l'identification s'est faite à partir du Fils de l'homme, et non pas, comme en *Jn.*, V, 27, à partir du Fils.

Et voici une dernière remarque: tout comme dans les évangiles synoptiques, le Fils de l'homme exerce son ministère dès sa présence sur terre. Mais, — et ceci nous en éloigne, — il continue au ciel cet exercice, à savoir d'après *Jn.*, VI, 62, par voie sacramentelle, et cela durant toute la période que nous pouvons appeler le temps de l'Église ou du Paraclet. N'en concluons pas à une «déseschatologisation» radicale de l'activité du Fils de l'homme. *Jn.*, V, 27b-29 lui maintient sûrement son rôle de juge eschatologique, toutefois sans l'ampleur lui accordée dans les évangiles synoptiques[140].

A la lumière du portrait du Fils de l'homme nous révélé par les logia johanniques, il n'est pas trop téméraire, ce nous semble,

---

140. L'évangile «déseschatologise», le Fils de l'homme (C. K. BARRETT, ap. E. RUCK-STUHL, *art. cit.*, p. 180), mais ce processus n'est pas total (E. RUCKSTUHL, p. 201). Il convient de maintenir le rôle eschatologique *ibid.*, p. 275 contre l'avis d'auteurs tel P. RICCA (ap. E. RUCKSTUHL, *art. cit.*, pp. 239-240).

de nous enquérir des préoccupations ayant conduit l'auteur ou
le rédacteur de l'évangile à composer ou à reprendre ces mêmes logia
et à les insérer dans son œuvre comme une strate littéraire distincte.

Une première préoccupation serait la volonté d'insister sur l'humanité
de Jésus [141]. En tenant compte de cette intention certains auteurs
vont jusqu'à substituer le terme «homme» à «Fils de l'homme»
en *Jn.*, V, 27. En accentuant l'aspect humain de Jésus, l'hagiographe,
ajoutent-ils, entendrait polémiquer contre les partisans du docétisme.

Séduisante au premier abord, l'hypothèse se heurte au caractère
céleste du personnage tel qu'il nous apparaît dans le livre de Daniel
et les textes du Bas Judaïsme. D'ailleurs, bien loin de constituer
une barrière contre d'éventuelles infiltrations docétiques, le titre Fils
de l'homme se prêta plutôt à des spéculations gnostiques ou gnosticisantes dangereuses pour l'intégrité de l'humanité de Jésus.

Une deuxième hypothèse est moins sujette à caution. Elle attribue
la naissance de la strate littéraire du Fils de l'homme au désir de
l'hagiographe de libérer Jésus de l'emprise du messianisme classique,
davidique, tout imprégné d'une attente terrestre et nationale [142].
De fait, au moins en trois endroits, en *Jn.*, I, 51, IX, 35 et surtout
XII, 34, la mention du titre survient en des contextes abordant
le problème du messianisme, à savoir en *Jn.*, I, 41, 49; IX, 22 et
XII, 34.

141. On renvoie surtout à *Jn.*, XIX, 5. *Jn.*, X, 33 est une parole des ennemis
de Jésus et, à ce titre, n'entre pas en ligne de compte pour la pensée de l'évangéliste.
Pour la réduction du Fils de l'homme à un statut humain, voir E. M. SIDEBOTTOM,
ap. E. RUCKSTUHL, *art. cit.*, pp. 205-207.

Parmi les auteurs qui se plaisent à insister sur le fait que 'Fils d'homme' renvoie
à l'humanité de Jésus, signalons M.-J. LAGRANGE, *Évangile selon S. Jean*, pp. 81,
148, 173, 184. A la p. 81, nous lisons: «Le Fils de l'homme est donc le Verbe incarné
dans la réalité de sa nature humaine»; à la p. 148, il explique l'absence de l'article
dans le titre par allusion à cette nature; à la p. 173, il note que Jésus accepta le titre
en prenant la nature humaine. Ces diverses réflexions me paraissent contestables à divers
points de vue.

142. Voir J. COPPENS, *Le Messianisme royal. Ses origines. Son développement.
Son accomplissement*, ap. *Lectio divina*, t. LIV, Paris, 1968. — F. M. BRAUN: *Jean
le théologien*, t. III: *Sa théologie. Le mystère de Jésus-Christ*, ap. *Études bibliques*,
Paris, 1966, paraît attribuer au titre Fils de l'homme une influence décisive sur la
transformation du messianisme classique grâce au rapprochement avec la Parole et
la Sagesse: «En assimilant le Fils de l'homme à la Parole et à la Sagesse créatrices,
Jean est parvenu à son plus haut degré de conceptualisation.» En réalité, les logia
du Fils de l'homme ne font jamais cette assimilation. Ceux qui le rapprochent le plus
de la sphère divine sont I, 51; III, 14; VI, 62; XII, 23; XIII, 31-32, ainsi que VIII, 28,
du moins si l'on consent à y donner le sens fort à ἐγώ εἰμι.

Une troisième hypothèse a plus d'atouts. Soucieux de trouver pour des lecteurs attachés comme lui aux Écritures, — voir *Jn.*, II, 22; V, 39; VII, 38, 42; X, 35; XIII, 18; XVII, 12; XIX, 24, 28, 36, 37; XX, 9, — un modèle propre à servir de cadre à la carrière terrestre du Fils, l'auteur ou le rédacteur de l'Évangile aurait choisi à juste titre la figure du Fils de l'homme. Ni celle du Logos ni celle de la Sagesse hypostasiée, l'une et l'autre renvoyant à un monde transcendant, ne s'y prêtaient. Au contraire, le personnage du chapitre VII de Daniel convenait à merveille, tant par son nom que par la mission lui attribuée dans les traditions juives, à figurer dans le ministère terrestre du Sauveur[143], voire à encadrer tout son destin, toute sa carrière.

VIII. LES CONTACTS RELIGIONNISTES
DU FILS DE L'HOMME JOHANNIQUE

Aux trois préoccupations signalées ayant conduit l'hagiographe à composer, ou du moins à insérer dans son évangile, les logia du Fils de l'homme, convient-il d'en ajouter une quatrième[143], voire, en tenant compte de la suggestion de Ramsey Michaels, une cinquième, celle d'opposer le Fils de l'homme véritable aux spéculations dans le milieu auquel il s'adressait, sur l'«Homme», l'«Anthrôpos», l'homme idéal, primitif ou céleste, voire les deux à la fois?

Dans l'énumération et la discussion des prétendus parallèles religionnistes, les auteurs interrogent principalement deux domaines. Les uns, tel C.H. Dodd, s'intéressent surtout à une littérature de teneur philosophique[144], les autres nous conduisent aux spéculations plus populaires, et en tout cas plus fantaisistes, souvent même extravagantes, des cercles gnostiques[145].

C'est dans son premier grand ouvrage consacré au milieu des écrits johanniques que C.H. Dodd étudie les parallèles susceptibles d'être envisagés ou retenus. Il demande d'abord notre attention pour les écrits

---

143. Dans *The Johannine Words of Jesus and Christian Prophecy* (ap. *Soc. Bibl. Lit. 1975 Seminar Papers*, t. II, Missoula, 1975), p. 253, J. RAMSEY MICHAELS signale une quatrième préoccupation, celle de mettre en scène un témoin autorisé à parler des choses terrestres: «Only the Son of Man is qualified to speak of heavenly things because only he 'ascended into heaven'.» Voir également J. GRILL, *op. cit.*, p. 46.

144. C.H. DODD, *The Interpretation of the Fourth Gospel*, Cambridge, 1953.

145. Sur le gnosticisme lire la bonne introduction de L. CERFAUX, *Gnose (préchrétienne et néotestamentaire)*, ap. *Suppl. Dict. Bible*, 1936, t. III, col. 659-701.

hermétiques. Ceux-ci connaissent de fait la figure de l'*Anthrôpos* sans toutefois présenter à son sujet des spéculations d'une grande homogénéité. Ces documents dont la provenance, l'unité et l'originalité sont l'objet d'interminables discussions, se réfèrent d'abord à l'existence d'un prototype idéal et mythique du genre humain[146]. Ils renvoient ensuite leurs lecteurs au genre humain: οὐσιώδης ἄνθρωπος, c'est-à-dire à l'élément divin présent dans chaque homme[147]. Ils mentionnent en outre le τέλειος ἄνθρωπος ou le ὁ ὄντως ἄνθρωπος, voire le ἔννους ἄνθρωπος, pour désigner tout homme parvenu à reconnaître son origine divine et à regagner ainsi une immortalité perdue[148]

Les spéculations beaucoup moins hétéroclites de Philon méritent de retenir davantage l'attention. Le philosophe juif connaît lui aussi la notion d'homme idéal, d'homme parfait, d'homme véritable. Il le découvre au ciel où cet être possède des attributs invitant les interprètes de la pensée philonienne à l'identifier avec le Logos[149]. Mais selon le penseur alexandrin, tout homme participe d'une certaine manière certes imparfaite au prototype divin[150], à savoir par l'intermédiaire de

---

146. C. H. DODD, *op. cit.*, pp. 41-42, avec renvoi au traité *Poimandres*. Cfr p. 43: «In so far as the author took his Platonism seriously, he must have believed in the real existence of eternal archetypes (as indeed he speaks of τὸ ἀρχέτυπον εἶδος), and his Ἄνθρωπος is probably as real as they.»

147. *Ibid.*, p. 42: «Empirical humanity in short is θνητὸς διὰ τὸ σῶμα, ἀθάνατος δὲ διὰ τὸν οὐσιώδη ἄνθρωπον.»

148. *Ibid.*, p. 42: «To these: ὁ οὐσιώδης ἄνθρωπος, ὁ ὄντως ἄνθρωπος, ὁ τέλειος ἄνθρωπος we must add a fourth term used in the *Poimandres*, ὁ ἔννους ἄνθρωπος (21). Apparently in the present tractate the last term is used, like τέλειος ἄνθρωπος in the *Bowl* (*C. H.* IV, 4) and ὁ ὄντως ἄνθρωπος in the *Key* (X. 24), for an individual man who has the capacity for recognizing his heavenly origin, and so regaining his immortality; while the term ὁ οὐσιώδης ἄνθρωπος is used for the divine element in human nature.»

149. *Ibid.*, p. 71, note 2, avec référence à *De Mut.*, 181. — La participation à cet homme céleste confère l'immortalité: *De Spec. Leg.*, IV, 14. — L'homme céleste est appelé: ἀνατολή, πρεσβύτατος, πρωτόγονος, tous attributs conférés ailleurs au Logos: *De Conf.*, 146, 41; *De Spec. Leg.*, III, 37. D'où l'identification de cet homme avec le Logos.

Voir sur les affinités philoniennes du quatrième évangile également A. JAUBERT, *Approches de l'Évangile de Jean*, ap. *Parole de Dieu*, t. XIII, Paris, 1976, pp. 24 et 168-174. Sur l'hermétisme cfr *ibid.*, p. 24, la note 26 et les réflexions sur la gnose *ibid.*, pp. 24-27.

150. *Ibid.*, p. 69: ὁ ἐνδιάθετος ἄνθρωπος. — Cfr *De Somn.*, I, 215: ὁ πρὸς ἀλήθειαν ἄνθρωπος. — *Quod Det.*, 22: ὁ ἀληθινὸς ἄνθρωπος.

son *nous*[151]. En particulier, la *dianoia*[152] manifeste cette participation à l'exemplaire céleste, réalisée d'une manière éminente dans le passé de l'humanité par le patriarche Enôs[153].

Dodd n'est pas insensible à certaines analogies entre l'idéologie hermétique ou philonienne et certains traits de la théologie johannique[154]. Mais comment contester que dans le cas de l'*Anthrôpos* les différences sautent aux yeux? D'abord les écrits hermétiques et ceux de Philon orchestrent non la conception du fils d'homme daniélique mais celle de l'homme, de l'*anthrôpos* tout court. Puis ils se cantonnent dans le domaine de réflexions philosophiques ou paramythiques, tandis que le Fils de l'homme johannique se situe dans l'histoire et y parcourt toute sa carrière salvifique. En outre, la participation des humains à la qualité divine de l'homme idéal est toute différente de celle des croyants à la vie de Jésus, Fils de l'homme. Alors que les spéculations hermétiques et philoniennes songent à une participation au niveau de la structure du composé humain, l'évangile johannique envisage une union vitale non à un archétype céleste mais à l'être glorifié d'un Sauveur historique, union qui se réalise par la foi et par la communion au mystère eucharistique, en attendant une consommation parfaite mais posthume au ciel : XII, 26 ; XVII, 24. Concédons toutefois que Philon se rapproche de l'évangile johannique quand il conçoit l'*Anthrôpos* céleste comme Logos et fils de Dieu. Il tend à rejoindre ainsi les passages johanniques où le Fils de l'homme et le Fils se côtoient et s'identifient, et où, par conséquent, logiquement le Logos du prologue vaut aussi bien pour l'un que pour l'autre.

La distance qui sépare les spéculations hermétiques et philoniennes des traditions johanniques explique que des auteurs férus d'analogies religionnistes ont tourné leurs regards vers d'autres milieux plus proches du christianisme, à savoir les sectes gnostiques[155].

151. *Ibid.*, p. 70 avec référence à *De plant.*, 42 : τὸν ἐν ἡμῖν πρὸς ἀλήθειαν ἄνθρωπον, τουτέστι τὸν νοῦν.

152. *Ibid.*, p. 70 avec référence à *De opif.*, 146.

153. *Ibid.*, p. 69 avec référence à *De Abr.*, 8 : Χαλδαῖοι γὰρ τὸν ἄνθρωπον Ἐνὼς καλοῦσιν, ὡς μόνου πρὸς ἀλήθειαν ὄντος ἀνθρώπου. — «Enosh in fact is ὁ κατ' ἐξοχὴν ἄνθρωπος. »

154. Voir surtout *op. cit.*, p. 71 : «If we assume this equation, λόγος = ἀληθινὸς ἄνθρωπος = ὁ κατ' εἰκόνα ἄνθρωπος = ὁ υἱὸς τοῦ ἀνθρώπου, the extent of parallelism between Philo and the Fourth Gospel becomes remarkable. » Mais à mon avis la prétendue équation ne se réalise pas.

155. Voir comme introduction au gnosticisme l'article très personnel de L. CERFAUX, cité *supra*, note 145.

On sait depuis longtemps que l'*Anthrôpos* joue un rôle important dans la gnose[156]. Les textes les plus anciens et les plus souvent cités émanent des Ophites ou Naasséniens[157]. Ils sont censés provenir de personnages dont le caractère historique n'est pas contesté: Ptolémée[158], Markos[159], Monoimos[160]. A ces témoignages bien connus et étudiés se sont ajoutés au cours de ces dernières années ceux des textes de Nag Hammadi. En ce moment, leur liste n'est sans doute pas complète. Elle risque de s'allonger au fur et à mesure que de nouveaux documents sont dépouillés. Pour l'instant, contentons-nous de signaler divers passages de l'*Apocryphon Iohannis*[161] et de l'*Évangile de Philippe*[162].

Pour une appréciation des matériaux gnostiques, fions-nous aux jugements de spécialistes en la matière. Ceux de C. Colpe et M. Schenke sont sévères[163], et les nouvelles pièces publiées depuis 1961-1962 ne paraissent pas devoir les amener à réviser leurs conclusions. Ils observent en premier lieu que le Fils de l'homme n'entre en scène et n'occupe un rôle important que dans les seuls cercles gnostiques ayant subi une forte influence des traditions chrétiennes. Ils notent ensuite que le Fils de l'homme des Écritures y fut mis en étroite relation avec la figure mythique d'un *Anthrôpos* étranger au milieu biblique. Cette figure submergea le Fils de l'homme, au point que le titre biblique finit même par signifier toute autre chose, à savoir «le fils d'Anthrôpos». Ils constatent enfin que ce fils de l'Anthrôpos mythique est apparu dans la suite surtout comme l'Homme primitif,

---

156. Cfr R. SCHNACKENBURG, *Das Johannesevangelium*, t. I: *Einleitung und Kommentar zu Kap. 1-4*, ap. *Herders Theol. Komm. N.T.*, t. IV, Fribourg-en-Br., 1965, pp. 420-423.

157. IRÉNÉE, *Adv. Haer.*, I, 28, 1 et 3, éd. HARVEY, I, 227s., 232s. — HIPPOLYTE, *Ref.*, V, 6, 4; V, 7, 33; X, 9, 1, éd. WENDLAND, 78, 6; 87, 5; 268, 13: ap. R. SCHNACKENBURG, *op. cit.*, p. 421.

158. IRÉNÉE, *Adv. Haer.*, I, 6, 3, éd. HARVEY, I, 113-114, ap. R. SCHNACKENBURG, *op. cit.*, p. 421.

159. IRÉNÉE, *Adv. Haer.*, I, 8, 14, éd. HARVEY, I, 150; HIPPOLYTE, *Ref.*, VI, 51, 4, éd. WENDLAND, GCS, III, 184, 2, ap. R. SCHNACKENBURG, *op. cit.*, p. 421.

160. HIPPOLYTE, *Ref.*, VIII, 12, 2 ss.; 13, 3 s.; X, 17, 1 s., éd. WENDLAND, 232-233, 278-279, ap. R. SCHNACKENBURG, *op. cit.*, p. 421.

161. Codex II, p. 14, l. 13ss., éd. KRAUSE-LABIB, 148-149, ap. R. SCHNACKENBURG, *op. cit.*, p. 422. — Codex II, pp. 24, 35-25, 2, éd. KRAUSE-LABIB, 179, ap. R. SCHNACKENBURG, *op. cit.*, p. 422.

162. Voir les logia 54, 102, 120 ap. R. SCHNACKENBURG, *op. cit.*, p. 422.

163. Voir C. COLPE, *Die religionsgeschichtliche Schule. Darstellung und Kritik ihres Bildes vom gnostischen Erlösermythus*, Goettingue, 1961. — H. M. SCHENKE, *Der Gott «Mensch» in der Gnosis*, Berlin, 1962.

prototype de l'humanité et qu'à la suite de cette fonction particulière, il s'est pour ainsi dire complètement distancé du Fils de l'homme daniélique et johannique.

Les seules traditions préterbibliques qui se rapprochent dans une certaine mesure de celles transmises par le quatrième évangile se rencontrent dans les Écrits pseudo-clémentins. Nous y avons affaire non à des éléments reflétant une tradition indépendante des évangiles, mais à des bribes de tradition évangélique authentique auxquelles se sont mêlées, à des degrés divers suivant les écrits clémentins, des spéculations gnosticisantes[164].

Bref jusqu'aujourd'hui le bilan des recherches religionnistes, tendant à éclairer la pénétration de la figure du Fils de l'homme dans le quatrième évangile, en particulier les traits lui appartenant en propre et la différenciant de celle des évangiles synoptiques, s'avère négatif. Pour découvrir le milieu où la figure johannique à pu se développer et imposer, il convient de se tourner vers d'autres cercles, ceux des traditions vétéro- et intertestamentaires, ceux aussi des communautés chrétiennes qui ont précédé la johannique[165].

---

164. Voir entre autres études L. CERFAUX, *La Gnose simonienne*, dans *Recueil Lucien Cerfaux*, Gembloux, 1954, t. I, pp. 210-223, 223-240, 240-258. — LE MÊME, *Le Vrai Prophète des Clémentines*, *ibid.*, 301-319. — Sur l'arrière-fond juif consulter aussi M. DE JONGE, *Jewish Expectations about the Messiah according to the Fourth Gospel*, dans *NTS*, 1972-1973, pp. 246-270. — W. M. MEEKS, *« Am I a Jew? » Johannine Christianity and Judaism*, ap. *Christianity, Judaism and Other Greco-Roman Cults* (*Stud. in Judaism in Late Antiquity*, t. XII, 1), Leiden, 1975, pp. 163-186.

165. Cfr M.-J. LAGRANGE, *Évangile selon S. Jean*, p. 81. — F.-M. BRAUN, *Jean le théologien*, t. III : *La théologie. Le mystère de Jésus*, ap. *Études bibliques*, Paris, 1966, pp. 60-61.

Dans son article sur le Fils de l'homme, C. COLPE écarte lui aussi les prétendus parallèles religionnistes : *TWNT*, 1967, t. VIII, fasc. 7-8, pp. 412-418, 478-480. De par ses origines, conclut-il, le Fils de l'homme du milieu juif n'a rien à voir avec l'*Anthrôpos* des spéculations païennes ou gnostiques, qu'il s'agisse d'un Homme-archétype primitif, ou d'un Protoplaste tenu en réserve pour l'eschatologie, ou, à fortiori, d'un *Macroanthrôpos* céleste aux dimensions cosmiques (*ibid.*, 417). Même le Fils d'homme johannique est étranger aux spéculations gnostiques : il n'a jamais le sens inclusif d'une *Sammelseele* et il n'est pas un *Salvator salvandus* (*ibid.*, 417). L'idée d'une *katabasis* a pu dériver des traditions sur la *Sophia* et le *Logos* (*ibid.*, 418. Cfr *TWNT*, t. VII, 498, 36 ss.). Dans ces traditions se rencontre déjà l'assimilation d'un *Anthrôpos* spiritualisé avec la *Sophia* et dès lors avec le *Logos*: *ibid.*, pp. 498 et 414, note 77, avec renvoi à PHILON, *Rer. Div. Her.*, 126-128.

IX. Les origines de la strate littéraire
du Fils de l'homme johannique

L'enquête sur les prétendus parallèles religionnistes ne nous a pas livré un milieu susceptible d'expliquer la figure du Fils de l'homme, en particulier les traits le caractérisant dans les logia du quatrième évangile. Il convient donc, — telle était notre conclusion, — d'interroger d'autres traditions, à savoir juives et chrétiennes.

Pour les traits que le Fils d'homme johannique possède en commun avec celui des synoptiques, l'hagiographe, — on en convient généralement, — a pu s'inspirer sinon de ces évangiles eux-mêmes qui lui auraient été accessibles, pour le moins des traditions auxquelles ces écrits ont eux-mêmes pu et dû puiser [166]. En d'autres mots, l'auteur de la strate littéraire des logia johanniques du Fils de l'homme, a pu, aussi bien que les synoptiques, recourir aux données du livre de Daniel et de plus, sans doute, aux relectures du chapitre VII qui commençaient à se répandre dans le Judaïsme de l'époque inter- et néotestamentaire et dont nous trouvons le témoignage dans le IVᵉ Livre d'Esdras, l'Apocalypse de Baruch et les Livres hénochiques [167].

Quant aux logia qui prêtent au Fils de l'homme des traits nouveaux, différents de ceux des synoptiques, a priori rien ne s'oppose à l'existence d'une ou de plusieurs sources distinctes, orales ou écrites. Plus haut nous avons mentionné l'hypothèse d'un recueil de logia plus ou moins semblable aux florilèges de *testimonia* dont l'existence n'est plus guère contestée [168]. Si nous n'y sommes pas arrêté, c'est

---

166. Sur les rapports des traditions johanniques avec les évangiles synoptiques voir F.-M. Braun, *Jean le théologien*, t. II: *Les grandes traditions d'Israël. L'accord des Écritures d'après le quatrième évangile*, ap. *Études bibliques*, Paris, 1964, pp. 23-45. — A. J. B. Higgins, *The Son of Man in the Fourth Gospel. Jesus and the Son of Man*, Londres, 1964, et l'appréciation de cet ouvrage dans R. Ruckstuhl, *art. cit.*, pp. 217-226.

167. Cfr J. Coppens, *Le fils d'homme dans le Judaïsme de l'époque néotestamentaire*, ap. *Orientalia Lovaniensia Periodica*, 1975-1976, t. VI-VII, pp. 57-73. — J. Theisohn, *Der auserwählte Richter. Untersuchungen zum traditionsgeschichtlichen Ort der Menschensohngestalt der Bilderreden des äthiopischen Henoch*, ap. *St Umwelt NT*, t. XII, Goettingue, 1975.

168. Voir sur les *Testimonia* L. Cerfaux, *Vestiges d'un florilège dans I Cor. 1, 18-3, 23*, ap. *Recueil Cerfaux*, t. II, pp. 319-332; — *Un chapitre du Livre des «Testimonia»* (*P. Ryl. Gr. 460*), ap. *Eph. Theol. Lov.*, 1937, t. XV, p. 69-74. — P. Prigent, *Les Testimonia dans le Christianisme primitif. L'Épître de Barnabé I-XVI et ses sources*, ap. *Études bibliques*, Paris, 1961.

que tout indice positif fait défaut et que plusieurs logia, tels *Jn.*, V, 27; VI, 27, 53, 62; IX, 35 ne s'y prêtent pas ou difficilement[169].

A défaut de sources orales ou écrites, il importe d'attribuer à l'auteur lui-même de la strate littéraire la formation des logia en question. Il y procéda non pas de façon arbitraire, ni par voie de création proprement dite, en partant pour ainsi dire d'aucun antécédent. Il put lui aussi s'inspirer de *Dan.*, VII, 13-14 et de ses relectures[170], voire des traditions juives tendant à assimiler le Fils d'homme spiritualisé à la Sophia et au Logos[171]. Puis et surtout il soumit les logia de la tradition évangélique antérieure à une interprétation du type *pèshèr* ou *midrash* en usage à son époque. Son exégèse développa la figure et le rôle du Fils de l'homme à la lumière de types vétérotestamentaires considérés comme ses prototypes. Il recourut ainsi à la figure de Jacob-Israël pour symboliser la médiation du Fils de l'homme[172], puis à celle du Serpent d'airain pour illustrer son influence salvifique[173], ou également à celle de Sagesse, devenue hypostase divine, pour affirmer sa katabase[174], ou encore à celle de Moïse devenu dans les milieux juifs un type du Messie[175].

Mais de toutes les figures vétérotestamentaires, celle du Serviteur de Yahvé, elle aussi de plus en plus rattachée au courant messianique[176], paraît avoir le plus retenu l'attention de l'auteur de la strate johannique du Fils de l'homme. C'est aux poèmes du Serviteur de Yahvé qu'il emprunta les vocables et les notions d'exaltation et de glorification, deux concepts clefs du développement littéraire et théologique auquel la figure fut soumise. Ajoutons qu'il put se livrer d'autant plus facilement et sans scrupules à cette dernière relecture que dans la voie d'un rapprochement de plus en plus étroit entre

169. Ces versets, notons-le en passant, sont précisément plus d'une fois placés parmi les plus récents, à savoir V, 27 par Bultmann et, avec quelque réserve, par Teeple, VI, 27 et VI, 53 par les mêmes, VI, 62 par Schulz et Bultmann, IX, 35 par Teeple.

170. Cfr également *supra*, note 165.

171. *Ibid.*

172. *Jn.*, I, 51. Cfr G. REIM, *Studien zum alttestamentlicnen Hintergrund des Johannesevangeliums*, ap. *SNTSMS*, t. XXII, New York, 1974, pp. 89, 98, 100-104, 117, 154, 194, 223, 251, 255, 272, 275.

173. *Jn.*, III, 14. Cfr *ibid.*, pp. 108, 264, 266.

174. *Jn.*, III, 13. Cfr *ibid.*, pp. 204, 233-234, 253, 254-255.

175. Cfr J. COPPENS, Le *Messianisme et sa relève prophétique. Les anticipations vétérotestamentaires. Leur accomplissement en Jésus*, ap. *BETL*, t. XXXVII, Gembloux, 1974, pp. 30-40, 172-180.

176. *Ibid.*, pp. 52-113, 181-216.

ces deux prototypes vétérotestamentaires, déjà les évangiles synoptiques l'avaient précédé[177].

Le recours aux figures vétéro- et intertestamentaires s'est fait surtout pour illustrer trois aspects de la personne et de la carrière du Fils de l'homme: d'abord la relation étroite entre sa glorification et son humiliation à travers les souffrances et la mort sur la croix[178], puis le caractère intradivin de la glorification finale, posthume[179], enfin l'encadrement céleste comprenant la préexistence, la descente du ciel et la remontée ou ascension[180].

Nous ne pouvons prendre congé de nos réflexions sur l'origine des logia johanniques du Fils de l'homme sans nous demander qui finalement est responsable de leur composition et de leur insertion, l'auteur principal de l'évangile ou quelque rédacteur, voire le dernier éditeur de l'écrit.

Les spécialistes du vocabulaire johannique découvrent dans les logia peu d'éléments de vocabulaire ou de style rigoureusement propres au quatrième évangile[181]. Vu la concision des paroles, cet indice ne suffit pas pour refuser leur composition à l'auteur principal. Toutefois serait-il interdit de penser qu'il ne les composa pas toutes

---

177. *Ibid.*, pp. 172-180, 181-210.

178. Cfr G. FERRARO, *L'«ora» di Cristo nel Quarto evangelio*, ap. *Aloisiana. Scritti Fac. teol. Napoli*, t. X, Rome, 1974, pp. 178-201, 202-221.

179. Aux notes antérieures: *supra*, note 109-115, ajoutons une référence à F.-M. BRAUN, *Jean le théologien*, t. II: *Les grandes traditions d'Israël. L'accord des Écritures d'après le quatrième évangile*, ap. *Études bibliques*, Paris, 1964, p. 104. — LE MÊME, t. III: *La théologie. Le mystère de Jésus-Christ*, ap. *Études bibliques*, Paris, 1966, p. 213: «Tout considéré, il faut préférer l'équivalence ἐν αὐτῷ = ἐν τῷ πατρί à ἐν αὐτῷ ou ἑαυτῷ = in seipso.» En revanche, en *Jn.*, V, 26, ἐν ἑαυτῷ se rapporte au Fils: *ibid.*, p. 125.

180. Toutefois G. RUCKSTUHL, *Die johanneische Menschensohnforschung 1957-1969*, ap. *Theologische Berichte hg. von* J. PFAMMATTER *et* F. FURGER, Zurich, 1972, t. I, p. 276 conteste que le titre de Fils de l'homme s'applique déjà à Jésus avant l'incarnation: «Der Menschensohn ist im Johannesevangelium der Fleischgewordene als solcher.» Selon l'auteur, *Jn.*, III, 16 et VI, 62 n'autorisent pas d'affirmer le contraire.

181. Parmi les traits johanniques, on a relevé entre autres un ἵνα *epexegeticum* (en réalité selon E. RUCKSTUHL, *art. cit.*, p. 186, note 10, un ἵνα *finale*), la formule: «*Amen, amen, je vous le dis*» (*ibid.*, p. 185), divers éléments en *Jn.*, V, 27-29 (*ibid.*, p. 187), l'emploi de ἐγώ εἰμι en *Jn.*, VIII, 28. En revanche, on estime ne pas découvrir d'éléments johanniques en *Jn.*, XIII, 31-32 (*ibid.*, 189). Pour une liste des particularités linguistiques et stylistiques de Jean voir désormais G. VAN BELLE, *De Semeia-bron in het vierde evangelie. Ontstaan en groei van een hypothese*, Louvain, 1975, pp. 149-153. Elle s'appuie sur Ruckstuhl et Nicol.

ou, du moins, pas toutes à la fois ? N'aurait-il pas élaboré ceux moins bien reliés au contexte, tels I, 51 ; III, 14 ; III, 15-16 ; VIII, 28 ; XII, 23, 34 ; XIII, 31-32, seulement au moment où il relut son ouvrage et où il y mit la dernière main ?

En effet, à tenir compte de divers indices, notamment de ruptures de continuité, de brusques changements de thématique, il n'est pas exclu que l'évangile ne fut pas composé d'une traite. D'où par exemple l'hypothèse d'au moins deux éditions. La première par exemple n'aurait pas compris les sections I, 1-18, VI, XII, 1-44, XV-XVI, XVII, et elle n'aurait pas transposé au début de l'évangile la scène de la purification du temple. Mais déjà elle aurait accueilli la plupart des logia en discussion. S'adressant en effet à un milieu chrétien où la figure daniélique était bien connue, où elle était restée vivante et où elle avait pris une ampleur notable dans les perspectives messianiques et eschatologiques, — qu'on se reporte à le place tenue par le Fils de l'homme dans l'Apocalypse [182], — l'auteur de la première édition a sans doute déjà voulu étendre les références au personnage à toute la carrière de Jésus. Alors que la tradition la plus primitive mettait l'allusion au Fils de l'homme dans la bouche du Sauveur uniquement dans les annonces de la parousie [183], l'auteur johannique dépassant même les amplifications déjà notables des synoptiques [184], introduisit le titre et la figure daniéliques dans le texte définitif de son évangile pour encadrer toute l'existence du Sauveur, à savoir non seulement sa vie terrestre et son retour sur terre à la parousie, mais aussi sa préexistence, son ascension, sa glorification posthume et son influence céleste sur la communauté des croyants durant le temps de l'Église ou de l'Esprit.

On peut être tenté de réserver l'introduction de quelques logia à la deuxième édition, tels par exemple ceux du chapitre VI ou du chapitre XII, sections de l'évangile déjà envisagées pour d'autres raisons comme relevant des derniers ajouts de l'œuvre johannique.

Quelle que soit l'hypothèse retenue pour l'addition des logia, on

---

182. Voir Ulrich B. MÜLLER, *Messias und Menschensohn in jüdischen Apokalypsen und in der Offenbarung des Johannes*, Gütersloh, 1972.

183. Voir J. COPPENS, *De Mensenzoon-logia in het Markusevangelie. Avec un résumé, des notes et une bibliographie en français*, ap. Meded. Kon. Acad. Wet. Lett. Schone Kunsten. Lett., XXXV, n° 3, Bruxelles, 1973. — LE MÊME, *Les logia du Fils de l'homme dans l'évangile de Marc*, ap. *L'Évangile selon Marc. Tradition et rédaction*, ap. *BETL*, t. XXXIV, Gembloux, 1974, pp. 487-528. Cfr *infra*, pp. 109-149.

184. Voir le tableau des logia évangéliques, pp. 111-112.

conviendra que l'insertion de la strate du Fils de l'homme fut une réussite. Faisant appel au midrash [185] ou à l'homélie [186], puisant dans l'hymnologie chrétienne primitive [187], elle s'inspira chaque fois de préfigurations vétéro- ou intertestamentaires à tout considérer bien choisies pour illustrer les harmonies des deux Testaments. La relecture de la tradition évangélique ainsi élaborée ne s'égara pas, loin des origines chrétiennes, dans un fatras de spéculations aberrantes d'inspiration philosophique ou gnostique. Elle resta foncièrement fidèle aux expressions les plus anciennes et les plus authentiques du témoignage sur Jésus et de la foi apostolique en lui.

NOTE COMPLÉMENTAIRE

LES VUES DU COMMENTAIRE DE M.-É. BOISMARD

Au cours de l'année 1977, le professeur Boismard a publié le troisième tome de la *Synopse des quatre évangiles en français*, tome consacré au quatrième évangile [1]. Il y développe ses dernières positions touchant la genèse littéraire de l'œuvre johannique, positions que F. Neirynck et son équipe ont bien résumées [2]. L'évangile de Jean se serait développé en quatre étapes successives à l'intérieur d'une même école. La plus ancienne, celle dite du *Document C* (en fait *Jean I*), écrite en Palestine, profondément marquée par les traditions samaritaines et datée des environs de l'an 50, n'aurait compris aucun des grands «discours» de Jésus et se serait limitée à présenter le récit de cinq

185. *Jn.*, I, 51 et III, 14.
186. *Jn.*, VI, 53-59.
187. *Jn.*, XIII, 31-32.
1. *Synopse des quatre évangiles en français*, t. III : *L'Évangile de Jean. Commentaire* par M.-É. BOISMARD *et* A. LAMOUILLE *de l'École biblique de Jérusalem avec la collaboration de* G. ROCHAIS, Paris, 1977.
2. F. NEIRYNCK en collaboration avec J. DELOBEL, T. SNOY, G. VAN BELLE et F. VAN SEGBROECK, *L'Évangile de Jean. Examen critique du commentaire de M.-É. Boismard et A. Lamouille*, ap. *ETL*, 1977, t. LIII, pp. 363-478. — *Jean et les Synoptiques. Examen critique de l'exégèse de M.-É. Boismard*, ap. *BETL*, t. XLIX, Louvain, 1979.

miracles qualifiés de «signes». Cette première rédaction aurait déjà fait figure d'«évangile» et aurait été mise à profit par *Luc* et, dans une moindre mesure, par *Marc*. La deuxième rédaction, dont l'auteur est nommé *Jean II-A*, consisterait dans la reprise et l'amplification du *Document C*. Parmi les additions, elle compterait la vocation des apôtres André et Pierre, le récit de deux miracles empruntés aux traditions des synoptiques et déjà quelques discours de Jésus. Tout comme le *Document C*, *Jean II-A* aurait vu le jour en Palestine, cette fois vers les années 60-65. À la troisième étape se rapporterait la rédaction dite *Jean II-B*. S'étant transporté en Asie Mineure, probablement à Éphèse, ayant dû affronter des problèmes nouveaux posés aux églises de cette région, ayant au surplus pris connaissance des écrits de Luc : *Évangile* et *Actes*, des épîtres pauliniennes, des traditions, voire de certains écrits de Qumrân, l'auteur de *Jn. II-B* est censé avoir glosé ou même transformé vers 90-95 les données antérieures, puis les avoir augmentées, notamment de matériaux relevant des traditions synoptiques, ensuite avoir réparti toute la matière dans le cadre d'une succession de fêtes juives, où la priorité est accordée non à la Fête des Tentes, la seule mentionnée dans le *Document C*, mais à celle de Pâque, enfin avoir été amené, à la suite de ce nouvel encadrement, à bouleverser largement l'ordre des sections provenant de *Jn. II-A*. La quatrième étape, qu'il faudrait situer dans les premières années du deuxième siècle, serait l'œuvre de *Jean III*. Les deux exégètes français attribuent à cet auteur d'avoir inséré dans le texte de *Jean II-B* les passages parallèles de *Jean II-A* et d'avoir introduit dans son œuvre quelques textes d'un recueil de logia johanniques ainsi que diverses gloses dont sans doute les plus importantes tendent à donner une place en vue à l'eschatologie, notamment à celle du Fils d'homme, héritée du livre de Daniel. Il aurait aussi eu la préoccupation d'atténuer l'anti-judaïsme de *Jean II-A* et surtout celle de *Jean II-B*.

Quant à l'identité des auteurs responsables des quatre étapes, nos deux auteurs songent à l'apôtre Jean ou à Lazare pour le *Document C*, mais aucune hypothèse ne s'imposerait. L'auteur de *Jean II* pourrait être «Jean l'ancien» dont Papias nous entretient; celui de *Jean III* n'est pas identifiable, mais on accordera que lui aussi a appartenu à l'école johannique[3]. De cette filiation passablement compliquée qui ne paraît pas enthousiasmer l'équipe Neirynck[4], le schéma suivant donne l'essentiel[5] :

---

3. *Ibid.*, p. 371.
4. *Ibid.*, pp. 477-478.
5. *Ibid.*, p. 370.

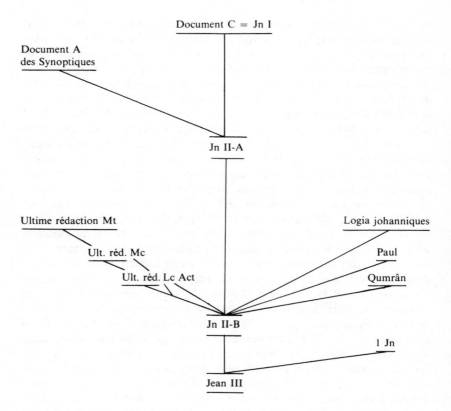

C'est en tenant compte de ces quatre étapes successives que les deux auteurs de l'École biblique répartissent les mentions du Fils de l'homme: — au *Document C* appartiendraient *Jn.*, XII, 23[6] et XII, 32[7]; — de *Jn II-A* dériveraient *Jn.*, IX, 36[8] et XII, 34[9]; — *Jn. II-B* serait responsable de *Jn.*, I, 51[10]; III, 14[11]; III, 13[12]; VI, 62[13]; VIII, 22[14]; XIII, 31-32[15]; — enfin au rédacteur définitif, *Jean III*, il conviendrait d'attribuer *Jn.*, V, 27[16]; VI, 27b[17]; VI, 53[18].

6. M.-É. BOISMARD-A. LAMOUILLE, *op. cit.*, pp. 323, 363-364.
7. *Ibid.*, pp. 312-313.
8. *Ibid.*, pp. 254, 256-257, 320.
9. *Ibid.*, pp. 318, 320.
10. *Ibid.*, pp. 98-99.
11. *Ibid.*, pp. 120, 312, 314-315.
12. *Ibid.*, pp. 120, 122-123.
13. *Ibid.*, pp. 206, 208.
14. *Ibid.*, pp. 228, 230-231.
15. *Ibid.*, p. 345.
16. *Ibid.*, pp. 167-168.
17. *Ibid.*, pp. 191, 206.
18. *Ibid.*, pp. 191, 206.

Nous serions donc en présence d'une évolution dont voici le tableau appraximatif:

C .... XII, 23, 32;
Jn., II A .... IX, 36; XII, 34;
Jn., II-B .... I, 51; III, 13, 14; VI, 62; VIII, 28; XIII, 31-32;
Jn., III .... V, 27; VI, 27, 53.

A parcourir et à interpréter cette table, le Fils de l'homme aurait fait son entrée dans le cycle johannique par l'entremise du *Document C*, où le titre et la figure du Fils de l'homme serviraient à exprimer la glorification de Jésus. *Jn. II-A* nous aurait livré deux passages évoquant le problème de la foi au Fils de l'homme, foi à laquelle les gens simples ont accès (IX, 36), mais que la masse populaire récuse (XII, 34). *Jn. II-B* aurait repris et considérablement développé le thème de la glorification en *Jn.*, I, 51 et XIII, 31-32, impliquant la divinité de Jésus. Puis, — et ce serait la grande trouvaille de *Jn. II-B*, — il aurait, grâce à un jeu de mots sur le terme *hupsoun*, rapproché la passion et la mort en croix de Jésus, de sa glorification. Enfin, à la suite de l'insistance sur la divinité du Fils de l'homme en *Jn.*, I, 51; XIII, 31-32, *Jn. II-B* aurait développé le thème de l'anabase et de la katabase du personnage céleste. A *Jean III*, nos deux auteurs rapportent *Jn.*, VI, 27, 53, versets qui leur paraissent difficiles à situer dans le contexte traditionnel du Fils de l'homme, et *Jn.*, V, 27 qui sert à introduire dans l'évangile johannique le rôle judiciaire du personnage, attesté à la fois par Daniel et par les Synoptiques.

Notons encore que selon nos deux auteurs l'importance de la figure du Fils de l'homme dans le milieu johannique ressort notamment du fait que *Jn.*, IX, 36 (*Jn. II-A*) et III, 14-16 (*Jn. II-B*) sont les seuls passages néotestamentaires où Jésus en tant que fils de l'homme est l'objet de la foi[19]. Toutefois des trois titres accordés par les traditions johanniques à Jésus: «Fils de l'homme, 'Je suis' et Prophète semblable à Moïse», le deuxième serait le plus important[20].

En présence d'une enquête nouvelle aussi importante, il est naturel que nous confrontions nos propres conclusions à celles des Pères Boismard et Lamouille touchant l'énigmatique figure du Fils de l'homme.

Notons en premier lieu que l'évocation du Fils de l'homme nous paraît moins surprenante qu'à nos collègues français. Une fois assimilée la nourriture nouvelle à un aliment céleste (*Jn.*, VI, 27) et à un pain descendant du ciel (*Jn.*, VI, 33), pareil à la manne (*Jn.*, VI, 31b) mais le dépassant en vérité (*Jn.*, VI, 32b), il est naturel que la tradition responsable de cette thématique ait songé au Fils

19. *Ibid.*, pp. 257, 320.
20. *Ibid.*, p. 231.

de l'homme, lui aussi descendu du ciel[21], pour donner à ses fidèles le pain céleste.

Observons ensuite que nos deux auteurs s'accordent pour attribuer à un seul relecteur johannique, à savoir *Jn. II-B*, la plupart des logia sur le Fils de l'homme, c'est-à-dire I, 51; III, 13,14; VI, 62; VIII, 28; XIII, 31-32. Comme nous avons cru pouvoir établir que tous ces logia peuvent être isolés de leur contexte et partant qu'ils se présentent comme y ayant été introduits à partir d'une source orale ou écrite, puis comme par ailleurs l'hypothèse d'une collection de logia johanniques ne répugne pas à nos deux auteurs, notre hypothèse d'un florilège de logia johanniques touchant le Fils de l'homme nous paraît confirmée.

Le seul problème nouveau qui se pose, est celui de savoir si Boismard-Lamouille ont raison de séparer de ce que nous appellerons provisoirement le *florilège de Jn. II-B* d'abord les versets XII, 23, 32, attribués au *Document C*, puis les versets IX, 36; XII, 34 rapportés à *Jn. II A*, enfin les versets V, 27b; VI, 27, 53 conférés à *Jn. III*. À mon avis, il n'y a pas lieu de refuser au florilège les versets XII, 23, 32; ils se rattachent parfaitement à un sous-groupe du florilège, auquel appartiennent aussi les versets III, 14 et VIII, 28. Nous ne voyons pas non plus d'objection à inclure dans notre florilège *Jn.*, VI, 27b et 53, vu l'explication donnée plus haut sur Jésus distributeur de la manne céleste. En revanche, *Jn.*, VI, 62, inclus pourtant par les deux auteurs dans la liste de *Jn. II-B*, pourrait à la rigueur passer pour une glose du dernier rédacteur johannique. Plus difficile à trancher est le cas de *Jn.*, XII, 34. À tout bien peser, nous avons groupé les versets 23-24, 32-34, comme formant une unité susceptible de faire partie du florilège[22]. Seuls les, versets IX, 36 et V, 27b nous ont paru offrir le plus de difficultés. En fin de compte, nous avons opté pour l'hypothèse qui voit en *Jn.*, IX, 35-38 une addition au récit primitif, addition ne dérivant pas du florilège[23]. Quant à *Jn.*, V, 27b, c'est l'unique passage dont le caractère d'ajout rédactionnel semble le plus s'imposer[24].

Bref, nous estimons pouvoir conserver le groupe de logia johanniques du Fils de l'homme comme se dégageant de l'évangile d'une façon suffisamment évidente comme strate littéraire distincte[25]. Nous ne sommes amené qu'à y apporter deux précisions: le verset III, 13 se place sans doute mieux à la fin du florilège qu'au chapitre III, où ni le contexte

---

21. Des deux,côtés, nous avons affaire au même verbe καταβαίνειν.
22. Cfr *supra*, pp. 80-81.
23. *Ibid.*, p. 80.
24. *Ibid.*, pp. 78, 81.
25. *Ibid.*, pp. 76-82.

général ni le voisinage du verset 14 ne l'appellent; puis, à l'intérieur du florilège, il y a en quelque sorte deux inclusions: à *Jn.*, I, 51 correspond *Jn.*, III, 13 et à *Jn.*, III, 14 répond *Jn.*, XII, 32, 34. D'où le schèma suivant, où nous signalons également un rapprochement secondaire, celui de XII, 23 et XIII, 31-32:

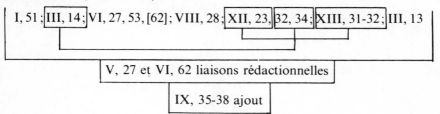

I, 51 ; III, 14 ; VI, 27, 53, [62]; VIII, 28 ; XII, 23, 32, 34 ; XIII, 31-32 ; III, 13

V, 27 et VI, 62 liaisons rédactionnelles

IX, 35-38 ajout

CHAPITRE IV

LES LOGIA DU FILS DE L'HOMME
DANS LA QUELLE

Avant d'aborder le témoignage de l'évangile de Marc, voici une note sommaire, ni exhaustive, ni approfondie, sur les logia du Fils de l'homme dans la Quelle. L'existence de ce document fait aujourd'hui l'objet d'un large consensus, mais l'ampleur et le contenu de l'hypothétique source des Synoptiques continuent à susciter pas mal de discussions[1]. En l'occurrence, nous nous contentons de renvoyer à la table reproduite ici[2].

Dans cette table, il couvient de distinguer deux groupes de textes, ceux attestés à la fois en Luc et Matthieu :

Lc.,	VII,34	Mt.,	XI,19
	IX,58		VIII,20
	XI,30		XII,40
	XII,10		XII,32
	XII,40		XXIV,44
	XVII,24		XXIV,27
	XVII,26		XXIV,37

puis ceux propres seulement à Luc ou à Matthieu :

Lc.,	VI,22	Mt.,	XIX,28
	XII,8		XXIV,39

Parmi les paroles communes à Luc et à Matthieu, peu soulèvent de gros problèmes. Que le logion sur le signe de Jonas tel que Mt., XII, 40 le transmet, ait appartenu à Q, est contesté par les commentateurs de la Synopse française de P. Benoit et M.-É. Boismard[3] Même contestation pour Lc., XII, 10 par. Mt., XII, 32. Plus haut[4], nous avons relevé quelques-unes des études récentes qui cherchent à déterminer la forme textuelle la plus primitive qui revient au complexe Lc., XII, 8-9 par. Mt., X, 32-33. Aucun problème pour Lc., XII, 40 par. Mt., XXIV, 44; Lc., XVII, 24 par. Mt., XXIV, 27; Lc., XVII, 26 par. Mt., XXIV, 37, qui tous situent le Fils de l'homme en son cadre le plus approprié, celui de la parousie. Notons que Lc., XVII, 24, 26, sont empruntés à la petite apocalypse lucanienne et qu'ils sont les seuls à identifier clairement Jésus avec le Fils de l'homme.

1. Pour les travaux récents sur la Quelle voir F. NEIRYNCK, *Studies on Q since 1972*, ap. *ETL*, 1980, t. LVI, pp. 409-413.
2. Cfr *infra*, p. 105.
3. Cfr *infra*, p. 107.
4. Cfr *supra*, p. 13.

Par contre, un problème surgit à propos de *Lc.*, VII, 34 par. *Mt.*, XI, 19 et *Lc.*, IX, 58 par. *Mt.*, VIII, 20, deux logia où le titre Fils de l'homme intervient dans des énoncés concernant l'agir terrestre de Jésus. Souvent on l'explique en notant que l'expression était pour Q tellement propre au Sauveur qu'elle l'a tout naturellement également employée là où le Sauveur se manifestait dans une attitude nouvelle, caractéristique de sa personne. Nous nous demandons toutefois si en l'occurrence une autre explication n'est pas autant, ou même plus plausible. Les deux logia n'appartiennent pas au genre apocalyptique; ils relèvent plutôt du genre sapiential au point que *Mt.*, XI, 19 s'y réfère explicitement. Or dans des énoncés de ce genre l'expression «Fils de l'homme» n'est pas en situation. C'est de conditions de la vie humaine sans plus qu'il y est question. Dès lors on peut se demander si le texte originel des deux paroles en discussion ne mentionnait pas l'«homme» sans autre détermination. Dans le logion *Lc.*, IX, 58 par. *Mt.*, VIII, 20, l'antithèse s'établit entre les animaux et l'homme pour montrer combien, au point de vue de l'habitat, l'homme se trouve démuni par rapport au monde animalier. Jésus s'est servi de la sentence sapientiale pour se l'approprier à un titre spécial et pour prévenir ainsi ceux qui se sentaient appelés à le suivre, de son choix résolu d'une pauvreté radicale.

Touchant les quelques logia attribués à Q mais propres à Luc ou à Matthieu, les avis sont partagés. Selon M.-É. Boismard, A. Lamouille et P. Sandevoir [5], les deux passages propres à Luc ne dérivent pas de la Quelle. Celle-ci contenait certes au début du Sermon dans la plaine quatre béatitudes, mais le texte de la quatrième qui figure dans la rédaction actuelle de l'évangile [6], est d'un style et d'une tonalité très différente de ceux des trois premières. Elle aurait été ajoutée au niveau du document Q sous l'influence littéraire des textes qui suivaient. Ce qui vaut pour *Lc.*, VI, 22, les auteurs cités le soutiennent aussi pour *Lc.*, XII, 8 [7]. C'est, notent-ils, un ajout fait au niveau du document Q, ajout qui introduit la notion d'une eschatologie individuelle [8].

Par contre les deux paroles propres à Matthieu: XIX, 28; XXIV, 39, sans être des citations de la Quelle, trahiraient son influence. C'est le cas, facile à comprende, de *Mt.*, XXIV, 39 [9]. Ce serait également celui de *Mt.*, XIX, 28 [10], bien que des idées aussi nouvelles que l'intronisation du Fils de l'homme et la participation des disciples au jugement universel, eschatologique, y fassent leur apparition.

5. P. BENOIT-M.-É. BOISMARD, *Synopse des quatre évangiles en français*, t. II, *Commentaire*, Paris, 1972.

6. *Ibid.*, p. 125.

7. *Ibid.*, p. 280.

8. *Ibid.*, p. 280.

9. *Ibid.*, pp. 365, 368.

10. *Ibid.*, p. 315.

Quant au logion sur le signe de Jonas : XII, 40, les auteurs cités rattachent à Q non pas ce verset mais le suivant : XII, 41, où il est question de la pénitence des Ninivites à la suite de la prédication du prophète (cfr *Lc.*, XI, 32)[11].

* * *

Des logia retenus comme ayant probablement appartenu à Q, il ressort que la communauté judéo-chrétienne dont ce document émane attribuait fermement à Jésus l'emploi du titre Fils de l'homme. Q attendait le retour de Jésus en tant que Fils de l'homme dans une parousie glorieuse. Elle espérait être agréée par lui, n'ayant pas eu honte de lui et l'ayant confessé publiquement.

Cette conviction, la communauté l'a conservée quand elle s'est hellénisée au point de créer par fidélité à la tradition l'expression ὁ υἱὸς τοῦ ἀνθρώπου, expression bien étrange à la langue grecque, où τοῦ ἀνθρώπου\réflète peut-être un emphatique araméen et implique un renvoi à *Dan.*, VII, 13-14.

---

11. *Ibid.*, p. 175.

CHAPITRE V

LES LOGIA DU FILS DE L'HOMME
DANS L'ÉVANGILE DE MARC

Le titre « Fils de l'homme » joue dans l'évangile de Marc un rôle important. Il s'y présente quatorze fois, et il surgit aux moments importants de la vie de Jésus, ceux qui, dans la perspective marcienne, constituent en quelque sorte les étapes de la carrière du Seigneur : d'abord aux premières manifestations de son autorité, de son *exousia*, à savoir à l'endroit du péché (II, 10) et de la Loi (II, 28), puis lors des prédictions solennelles de sa passion et parfois en outre de sa résurrection (VIII, 31 ; IX, 9,31 ; X, 33,45 ; XIV, 21bis,41 ; cfr aussi IX, 12), enfin à l'occasion de l'annonce de son rôle au grand jour de la parousie, rôle de témoin (VIII, 38) ou de juge universel (XIII, 26 ; XIV, 62). Bref, d'après Marc, Jésus fit appel à la figure du Fils de l'homme pour signifier et tracer le déroulement de sa vie et de son ministère depuis les premières manifestations de sa puissance et de son autorité en Galilée jusqu'à sa passion, son exaltation posthume, son rôle céleste et transcendant lors de l'avènement définitif du Royaume de Dieu. En d'autres mots, les allusions au Fils de l'homme sont en quelque sorte le canevas sur lequel Marc a brodé le portrait du Maître. D'où le problème : ce canevas est-il l'œuvre de l'évangéliste qui le créa pour comprendre et interpréter l'œuvre et la mission de Jésus ? Ou bien Marc emprunta-t-il ce modèle d'interprétation à des traditions remontant aux communautés chrétiennes primitives, voire, au-delà de celles-ci, au Seigneur lui-même ? Dès lors, y a-t-il lieu de discerner parmi les *logia* transmis par Marc quelques-uns qui ne relèvent pas de son travail d'auteur ou de rédacteur, mais qui proviennent de souvenirs fidèles ayant quelque chance de dériver de Jésus ? C'est dire que dans une enquête sur le Fils de l'homme dans l'évangile de Marc, le plus important n'est pas de montrer le rôle y joué par le Fils de l'homme, rôle relativement facile à dégager, mais de s'efforcer à découvrir les *logia* où une intervention créatrice ou rédactionnelle majeure de l'évangéliste ne s'impose pas.

I. PROLÉGOMÈNES

Aussi bien dans Marc que dans Matthieu et Luc, le titre « Fils de l'homme » est celui dont Jésus est censé s'être servi de préférence pour se désigner[1]. En effet, les Synoptiques mettent seulement deux fois le titre « Messie » dans la bouche du Maître[2], et ces deux textes sont généralement interprétés comme des additions rédactionnelles. La phrase : ὅτι χριστοῦ ἐστε fait défaut dans la péricope parallèle de Matthieu[3], et l'affirmation : ὅτι καθηγητὴς ὑμῶν ἐστιν εἷς ὁ χριστός figure dans un verset où l'on soupçonne l'influence d'un vocabulaire hellénistique et que l'on considère comme un doublet tardif du verset 8[4]. Le titre «Fils de David» ne fut pas davantage retenu par la tradition primitive comme appellation courante[5]. Quant à «Fils de Dieu», si les Juifs, en insultant le Christ, lui reprochent de s'en être servi[6], les récits évangéliques ne confirment pas cette accusation. En revanche, Jésus n'aurait pas hésité à s'appeler tout court «le Fils»[7]. Certes J. Jeremias se montre sceptique à l'endroit des textes où nous rencontrons ὁ υἱός[8], mais B. van Iersel défend leur authenticité et leur accorde même une importance capitale pour reconstituer la conscience du Christ[9] : position en pointe à laquelle nous croyons pouvoir nous rallier[10]. Mais, quelle que soit la place et la portée à attribuer à ὁ υἱός, le titre est lui aussi rare dans les logia du Sauveur. Seul «Fils de l'homme» paraît entrer en ligne de compte comme titre maintes fois employé par Jésus pour insinuer sa dignité à ses disciples.

---

1. Voir une bibliographie choisie dans J. COPPENS, *De Mensenzoon-logia in het Markus-evangelie. Avec un résumé, des notes et une bibliographie en français*, dans *Meded. Kon. Acad. België*, Bruxelles, Palais des Académies, 1973.

2. Cfr J. JEREMIAS, *Neutestamentliche Theologie*, t. I : *Die Verkündigung Jesu*, Gütersloh, 1971, p. 246, avec renvoi à *Mc.*, IX, 41, texte propre à Marc, et à *Mt.* XXIII, 10, texte propre à Matthieu. Sur *Christos* voir W. GRUNDMANN, *Die Christus-Aussagen im Neuen Testament*, dans *Theol. Wört. N.T.*, 1972, t. IX, fasc. 29-36, pp. 518-570.

3. *Mt.*, X, 42 : cfr J. JEREMIAS, *op. cit.*, pp. 246-247.

4. *Ibid.*, p. 247.

5. *Ibid.*, p. 247. — Voir aussi A. DESCAMPS, *Le messianisme royal dans le Nouveau Testament*, dans *L'Attente du Messie. Recherches bibliques*, pp. 57-84, Bruges-Paris, 1954. — E. LOHSE, υἱὸς Δαυιδ, dans *Theol. Wört. N.T.*, 1969, t. VIII, pp. 483-486.

6. *Mt.*, XXVII, 43.

7. Cfr *Mt.*, XI, 27 par. *Lc.*, X, 22. — *Mc.*, XIII, 32 par. *Mt.*, XXIV, 36. — Un troisième texte n'est pas à retenir pour la vie publique du Seigneur, car il s'agit d'une parole du Ressuscité : *Mt.*, XXVIII, 19. Cfr H. SCHLIER-F. MUSSNER-Fr. RICKEN-B. WELTE, *Zur Frühgeschichte der Christologie. Ihre biblische Anfänge und die Lehrformel von Nikaia*, dans *Quaestiones disputatae*, t. LI, Fribourg-en-Br., 1970.

8. *Op. cit.*, p. 246, note 4. — L'auteur interprète «le fils» dans *Mc.*, XIII, 32 comme l'équivalent de «le fils de Dieu». En *Mt.*, XI, 27 par. *Lc.*, X, 22, le sens serait générique et *Mt.*, XXVIII, 19 dériverait de la communauté.

9. B. VAN IERSEL, « *Der Sohn» in den synoptischen Jesusworten. Christusbezeichnung der Gemeinde oder Selbstbezeichnung Christi?*, dans *Suppl. Novum Test.*, t. III, Leyde, 1961.

10. J. COPPENS, *Le messianisme royal. Ses origines. Son développement. Son accomplissement*, dans *Lectio divina*, t. LIV, Paris, 1968, p. 184.

La locution « Fils de l'homme » se trouve 13 fois dans le quatrième évangile[11] et 69 fois dans les Synoptiques[12] : 14 fois chez Marc, 30 fois chez Matthieu et 25 fois chez Luc. A ne compter qu'une fois les passages parallèles, les attestations des Synoptiques se ramènent à 41 : 11 dans la *Quelle*, 7 dans la triple tradition, 4 dans *Mc.-Mt.*, 2 dans *Mc.-Lc.*, 1 dans le *Sondergut* marcien, 9 dans le *Sondergut* matthéen et 7 dans le *Sondergut lucanien* :

Quelle

Mt.,	VIII, 20	A		*Lc.*,	IX, 58	A
	XI, 19	A			VII, 34	A
	XII, 32	C[1]			XII, 10	C[1]
	XII, 40	± A			XI, 30	A
	XXIV, 27	C			XVII, 24	C
	XXIV, 37	C			XVII, 26	C
	XXIV, 39	C			XVII, 30	C
	XXIV, 44	C			XII, 40	C
	XIX, 28	C[1]			(XXII, 30)	
	(V, 11)				VI, 22	A
	(X, 32)				XII, 8	C[1]

Triple tradition

Mc.,	II, 10	A	*Mt.*,	IX, 6	A	*Lc.*,	V, 24	A
	II, 28	A		XII, 8	A		VI, 5	A
	VIII, 31	B		(XVI, 21)	B		IX, 22	B
	VIII, 38	C		(X, 33); XVI, 27	C		IX, 26	C
	(IX, 1)	C		XVI, 28	C		(IX, 27)	C
	IX, 31	B		XVII, 22-23	B		IX, 44	B[1]
	X, 33-34	B		XX, 18	B		XVIII, 31	B
	XIII, 26	C		XXIV, 30b	C		XXI, 27	C
	XIV, 21a	B[1]		XXVI, 24	B[1]		XXII, 22	B[1]
	XIV, 62	C		XXVI, 64	C		XXII, 69	C

Mc.-Mt.

Mc.,	IX, 9	B[2]	*Mt.*,	XVII, 9	B[2]		
	X, 45	D		XX, 28	D	(XXII, 28)	
	XIV, 21b	B[1]		XXVI, 24b	B[1]	(XXII, 22)	
	XIV, 41	B[1]		XXVI, 45	B[1]		

11. Du moins si on lit le titre en *Jn.*, IX, 35. — Cfr I, 51 (A), III, 13 (A), III, 14 (B), V, 27 (C), VI, 27 (C), VI, 53 (B), VI, 62 (C), VIII, 28 (B), IX, 35 (A), XII, 23 (B), 34ᵃ (B), 34ᵇ (B), XIII, 31 (B). Les majuscules A, B, C indiquent les logia concernant respectivement l'activité terrestre, la passion (résurrection) et l'exaltation (parousie) de Jésus. — Cfr aussi J. COPPENS, *De Mensenzoon-logia in het Markus-evangelie*, Bruxelles, 1974, pp. 4-5.

12. J. JEREMIAS, *op. cit.*, p. 247.

Mc.-Lc. (cfr Triple tradition)

Mc., VIII, 31	B		Lc., IX, 22	B
VIII, 38	C		IX, 26	C

Sondergut (* cfr Q ou Triple tradition)

Mc.		Mt.		Lc.	
IX, 12	B[1]	X, 23	C	XVII, 22	A(?)
		XIII, 37	A	XVII, 30*	C
		XIII, 41	C	XVIII, 8	C
		XVI, 13	A	XIX, 10	D
		XVI, 27*	C	XXI, 36	C
		XVI, 28	C	XXII, 48	B[1]
		XXIV, 30a	C	XXIV, 7	B
		XXV, 31	C		
		XXVI, 2	B[1]		

Les textes que nous venons d'énumérer, se répartissent en trois groupes suivant qu'ils concernent l'activité terrestre de Jésus (A), sa passion et résurrection (B) ou, à tout le moins, son rôle eschatologique (C). Parmi les textes du groupe B, quelques-uns concernent la seule passion (B[1]), d'autres la seule résurrection (B[2]), et, parmi les passages eschatologiques, certains énoncent seulement l'activité judiciaire du Fils de l'homme sans mentionner explicitement sa parousie (C[1]). Enfin, deux logia : Mc., X, 45 par Mt., XX, 28 ; Lc., XIX, 10 et var. Lc., IX, 56, formulent en termes généraux la mission salvifique terrestre de Jésus. A ce titre, ils forment une catégorie distincte (D).

A parcourir les listes, nous constatons d'abord que les textes de la Quelle ne comprennent pas des logia se référant à la passion ou la résurrection (à moins de suivre les commentateurs de la Synopse française de P. Benoit – M.-É. Boismard et d'attribuer au document Q le logion matthéen XII, 40), puis que la mention du Fils de l'homme n'a pas cessé d'augmenter dans les synoptiques surtout en relation avec la parousie[13], ensuite que les paroles eschatologiques sont avant tout présentes dans la Quelle, le Sondergut de Matthieu et celui de Luc, enfin qu'à quelques exceptions près, l'usage du titre se trouve seulement dans la bouche du Seigneur.

---

13. Cette augmentation s'observe jusque dans les variantes textuelles de Mt., XVIII, 11 et Lc., IX, 56.

En présence de ce dossier, les exégètes adoptent des positions fort divergentes. D'aucuns acceptent l'authenticité des trois groupes de logia et les attribuent tous sans hésitation à Jésus. C'est par exemple l'attitude de F. H. Borsch, M. D. Hooker, R. Maddox, W. S. Duvekot[14]. A l'extrême opposé, nous rencontrons les auteurs qui, tels Ph. Vielhauer et H. Conzelmann, accusent les communautés chrétiennes primitives d'avoir fabriqué les logia du Fils de l'homme[15]. Plus modérée est l'attitude de ceux qui maintiennent l'historicité d'un certain noyau de paroles. La position de E. Schweizer est plutôt particulière. Il plaide pour la conservation des logia relatifs à la carrière terrestre du Christ[16]. Le plus souvent en effet c'est aux paroles concernant l'activité judiciaire eschatologique et la parousie du Fils de l'homme que vont les préférences. Dans *Die Botschaft Jesu*, Ernst Percy suggère de retenir *Mc.*, VIII, 38 et *Lc.*, XII, 8 qui font allusion à l'intervention du Fils de l'homme en tant que juge céleste et eschatologique, puis *Mt.*, XXIV, 27, 37, 39 et *Lc.*, XVII, 22,30 où s'énonce sa parousie[17]. H. E. Tödt[18] et J. Jeremias[19] aboutissent sensiblement aux mêmes conclusions.

14. F. H. BORSCH, *The Son of Man in Myth and History*, Londres, 1967. — M. D. HOOKER, *The Son of Man in Mark*, Londres, 1967. — R. MADDOX, *The Quest for Valid Methods in « Son of Man » Research*, dans *Austr. Bibl. Review*, octobre 1971, t. XIX, pp. 36-51. — W. S. DUVEKOT, *Heeft Jezus zichzelf voor de Messias gehouden?*, Assen, 1972. — Voir aussi X. LÉON-DUFOUR, *Ce que Jésus a dit de lui-même*, dans *Bulletin du Comité des Études* (Compagnie de Saint-Sulpice), n° 35, 1961, p. 427.

15. Ph. VIELHAUER, *Gottesreich und Menschensohn in der Verkündigung Jesu*, dans *Festschrift G. Dehn*, Neukirchen, 1957 et *Aufsätze zum Neuen Testament*, dans *Theol. Bücherei*, t. XXXI, Munich, 1965. — H. CONZELMANN, *Grundriss der Theologie des Neuen Testaments*, Munich, 1967.

16. E. SCHWEIZER, *Der Menschensohn*, dans *ZNW*, 1959, t. L, pp. 185-209. Cfr pp. 200-201 : « aufs Ganze gesehen die Parusieworte am Unsichersten, die den Irdischen bezeichnenden Worte aber am Sichersten sind. »

17. E. PERCY, *Die Botschaft Jesu. Eine traditionskritische und exegetische Untersuchung*, dans *Lunds Universitets Årsskrift*, nouv. sér., sect. 1, t. XLIX, Lund, 1953. — Voir *In Memoriam E. Percy*, dans *New Test. Stud.*, 1970-1971, t. XVII, p. 121.

18. H. E. TÖDT, *Der Menschensohn in der synoptischen Ueberlieferung*, Gütersloh, 1959. Cfr A. STROBEL, *Kerygma und Apokalyptik. Ein religionsgeschichtlicher und theologischer Beitrag zur Christologie*, Goettingue, 1967, p. 53. — Tödt accepte comme paroles susceptibles de remonter à Jésus *Mc.*, VIII, 38, surtout la forme transmise par *Lc.*, XII, 8 ; *Mt.*, XXIV, 27 par., *Mt.*, XXIV, 37 par. (Q); *Lc.*, XVII, 30 ; *Mt.*, XXIV, 44 par. (Q); cfr R. H. FULLER, *The Foundations of New Testament Christology*, dans *The Fontana Library Theol. Phil.*, 2ᵉ éd., Londres, 1972, pp. 122-123.

19. J. JEREMIAS, *op. cit.*, p. 251 : *Mc.*, XIII, 26 par. *Mt.*, XXIV, 30; *Lc.*, XXI, 27 (triple tradition). — *Mt.*, XXIV, 27, 37ᵇ, 39ᵇ par. *Lc.*, XVII, 24, 26 (*Quelle?*) — *Mt.*, X, 23; XXV, 31 (*Sondergut* matthéen). — *Lc.*, XVII, 22, 30; XVIII, 8; XXI, 36 (*Sondergut* lucanien). — R. H. FULLER (*loc. cit.*, p. 123) se range à l'avis de H. E. Tödt, mais ajoute aux logia retenus par l'exégète allemand *Mt.*, XIX, 28, quitte à y supprimer certains éléments.

Et voici comment Carsten Colpe se représente la genèse des traditions évangéliques concernant le Fils de l'homme[20]. Gardons-nous, note-t-il, d'attribuer leur origine uniquement à la réflexion des premières communautés judéo-chrétiennes. Le temps, les prophètes, l'autorité leur ont fait défaut pour rendre compte d'une créativité aussi intense. N'essayons pas non plus d'invoquer la signification générique de la locution *bar* *'enašā* comme point de départ valable d'une interprétation qui aurait fini par y découvrir la figure énigmatique attestée dans les traditions littéraires daniéliques et hénochiques[21]. L'araméen tant galiléen que judéen ne s'y prêterait pas. Dans ces conditions, ne convient-il pas de faire remonter à Jésus lui-même un certain nombre de logia où le Fils de l'homme figure? D'après Colpe, huit paroles résistent aux assauts de la critique, à savoir six logia lucaniens: XVII, 24 par. *Mt.*, XXIV, 27; XVII, 26 par. *Mt.*, XXIV. 37; XVII, 30; XVIII, 8; XXI, 36; XXII, 69 par. *Mc.*, XIV, 62; *Mt.*, XXVI, 64, et, si nous comprenons bien son exposé, deux logia matthéens: *Mt.*, X, 23 et XXIV, 30a[22].

La tradition évangélique ne se contenta pas de transmettre ces huit paroles. Au fur et à mesure qu'elle interpréta la locution comme désignant le Christ et qu'elle estima que le Sauveur s'en était servi pour se désigner, elle l'introduisit dans de nouveaux contextes. Quelquefois elle substitua la locution au terme «homme» employé génériquement[23]. Puis elle l'inséra dans les annonces de la passion et de la résurrection à partir du moment où elle comprit à la lumière du Chant isaïen du Serviteur souffrant que le Fils de l'homme ne pouvait accéder à sa gloire qu'à travers les souffrances et la mort[24]. Enfin elle n'hésita pas à créer des paroles entièrement nouvelles pour ancrer l'allusion au Fils de l'homme dans toutes les étapes, même les premières, du ministère public de Jésus[25].

Colpe conclut son exposé en examinant l'influence de l'évolution des traditions sur la rédaction de l'évangile de Marc[26] et sur celle du *Sondergut* lucanien[27], deux documents qu'il situe au point de départ des compositions évangéliques littéraires, puis sur l'évangile de Luc qui représente selon lui en quelque sorte une deuxième étape[28], enfin sur l'évangile de Matthieu avec lequel s'achèverait la rédaction des synoptiques[29].

20. C. COLPE, ὁ υἱὸς τοῦ ἀνθρώπου, dans *Theol. Wört. N.T.*, 1967, t. VIII, p. 403-481.
21. *Ibid.*, p. 441.
22. *Ibid.*, pp. 435-441, 444, 460.
23. *Ibid.*, pp. 444-446.
24. *Ibid.*, pp. 446-451.
25. *Ibid.*, pp. 452-456.
26. *Ibid.*, pp. 456-460.
27. *Ibid.*, pp. 460-461.
28. *Ibid.*, pp. 461-462.
29. *Ibid.*, pp. 462-465.

Des recherches entreprises sur l'authenticité et l'historicité des logia en discussion, il ressort que préalablement à tout essai d'interprétation, *l'examen de trois problèmes* s'impose. Il s'agit d'examiner d'abord dans quelle mesure le Judaïsme palestinien contemporain du Christ s'était familiarisé avec l'idée d'un Fils d'homme céleste appelé à assumer le rôle de juge universel à la fin des temps, puis de rechercher si dans l'araméen de la même époque et du même milieu la locution *bar 'enašā* peut se substituer dans le discours à la première personne. Enfin il importe de se demander s'il existe des critères valables pour discerner parmi les logia transmis par les évangiles ceux qui ont quelque chance de remonter jusqu'au Sauveur.

1. Touchant la présence d'une croyance au Fils d'homme dans le milieu palestinien au premier siècle de notre ère, les avis ne concordent guère. Une première opinion admet la croyance en l'existence d'un Fils d'homme céleste dont l'image dériverait en dernière instance de celle de l'Homme primordial telle qu'elle s'était établie et répandue dans les milieux syncrétistes du Moyen Orient[30]. Une deuxième opinion dont C. Colpe se fait l'avocat, refuse de prendre en considération pour expliquer le thème mythique de *Dan.*, VII, 13-14 les traditions orientales sur l'Homme primordial. Elle fixe les regards plutôt sur un prétendu ancien mythe palestinien. La figure d'un Fils d'homme aurait été un thème de la littérature religieuse déjà antérieurement à la composition des *Similitudes d'Hénoch*. D'ailleurs, les couches les plus anciennes des logia évangéliques ne révéleraient pas de traces de dépendance à l'endroit desdites *Similitudes* ni même de *Dan.*, VII[31]. Une troisième opinion représentée par M. Hooker récuse le matériel religionniste versé au débat par Borsch ou Colpe ; elle lui préfère une documentation juive apocryphe se représentant Adam dans un état royal avant la chute. Ni les *Similitudes d'Hénoch* ni la péricope du livre de Daniel (VII, 13-14) n'auraient servi d'arrière-fond à la pensée de Jésus. Seule une application du mythe daniélique aux israélites pieux, victimes de la persécution : *Dan.*, VII, 18, 21-22, 25, 27, pourrait entrer en ligne de compte[32]. Une quatrième opinion songe avant tout à la figure daniélique du Fils d'homme telle qu'elle avait évolué et pris consistance par exemple dans les *Similitudes* de l'*Hénoch éthiopien*[33]. Cette figure

---

30. Cfr F. H. BORSCH, *The Son of Man in Myth and History*, Londres, 1967 ; — *The Christian and Gnostic Son of Man*, Londres, 1970. — Cfr R. MADDOX, *art. cit.*, pp. 36-37, 40, 50-51.

31. Cfr R. MADDOX, *art. cit.*, pp. 39-40. — L'auteur renvoie à G. H. P. THOMPSON (*Journ. Theol. Stud.*, 1961, XII, 203-209) pour une confirmation des vues de C. Colpe sur la base de réflexions émises sur *Mc.*, II, 10 et *Jn.*, XII, 32-34. — D'après J. JEREMIAS (*op. cit.*, p. 256), C. Colpe a définitivement ruiné toute tentative d'établir un rapport entre le Fils d'homme daniélique ou hénochique et le Gayômart iranien.

32. *Ibid.*, pp. 38-39.

33. *Hén. éthiopien*, XXXVII-LXXI : cfr J. JEREMIAS, *op. cit.*, pp. 255-259. D'après

n'est nulle part conçue comme un être angélique[34]. Il s'agit au contraire d'un homme céleste tenu en réserve par Dieu pour le salut d'Israël. Certes les éléments pour l'identifier avec certitude ont fait défaut aux contemporains de Jésus. D'où les essais divergents auxquels les Juifs se livrèrent. Ils discernèrent dans le personnage tantôt Hénoch[35], tantôt Josué[36] ou Moïse[37], tantôt même le Messie[38]. Une cinquième opinion se réfère elle aussi à *Dan.*, VII, 13-14, mais elle entend faire abstraction des amplifications apportées au texte biblique par les spéculations juives apocryphes[39]. Le Christ lui-même, ou, en toute hypothèse, les premiers herméneutes chrétiens auraient puisé leur représentation du Fils de l'homme directement dans le livre de Daniel sans passer par l'intermédiaire d'une attente apocalyptique populaire telle qu'elle s'exprime dans les *Similitudes d'Hénoch*[40] et plus tard dans le *IVᵉ Livre d'Esdras*, dont malheureusement nous ne pouvons guère fixer avec certitude la date de composition et l'aire de diffusion. La voie suivie par les herméneutes chrétiens ou éventuellement par Jésus[41] pour l'élaboration de la figure mystérieuse fut celle du *pèšèr*, tel qu'aujourd'hui ce genre littéraire nous est connu grâce à la littérature qumrânienne[42].

Accordons sans peine que les traits de ressemblance ne manquent pas entre le Fils d'homme des *Similitudes d'Hénoch* et celui des traditions évangéliques[43]. De part et d'autre, le personnage entrevu se révé-

---

R. MADDOX (*art. cit.*, p. 41), la figure énigmatique des *Similitudes* ou *Paraboles* s'appelle avant tout «l'Élu». Ce nom apparaît à travers toute la section tandis que «Fils d'homme» ne se présente que dans trois parties relativement peu étendues : XLVI-XLVIII, LX-LXIII, LXIX-LXXI. Il n'y aurait pas lieu de postuler deux sources ainsi que R. H. Charles le suggérait. Voir aussi G. MINETTE DE TILLESSE, *Le Secret messianique dans l'évangile de Marc* (*Lectio divina*, XLVII), Paris, 1968, pp. 380-385.

34. J. JEREMIAS, *op. cit.*, p. 258.

35. *Hén. éthiopien*, LXXI, 14 : cfr J. JEREMIAS, *op. cit.*, p. 225.

36. *Or. Sib.*, V, 256-259, dans J. JEREMIAS, *op. cit.*, p. 257, note 61.

37. *Ibid.*, p. 257, note 61.

38. *IV Esdras*, XII, 32, dans J. JEREMIAS, *op. cit.*, p. 257.

39. C'est par exemple d'après R. MADDOX le point de vue adopté par N. PERRIN : cfr *art. cit.*, pp. 37-38.

40. Alors que N. Perrin songe à un auteur particulier, un visionnaire, pour expliquer les *Similitudes* ou *Paraboles d'Hénoch*, R. MADDOX songe plutôt à un groupe qu'il estime mentionné dans l'expression : «les justes, les élus et les saints» : *art. cit.*, p. 42, note 9.

41. Alors que Hooker attribue à Jésus l'utilisation de Daniel, Perrin en rend responsable les herméneutes-didascales chrétiens : cfr R. MADDOX, *art. cit.*, p. 40, note 7.

42. Cfr R. MADDOX, *op. cit.*, p. 42.

43. Cfr J. COPPENS-L. DEQUEKER, *Le Fils de l'homme et les Saints du Très-Haut en Daniel VII, dans les Apocryphes et dans le Nouveau Testament*, 2ᵉ éd., Louvain, 1961. — É. DHANIS, *De Filio hominis in Vetere Testamento et in Iudaismo*, dans *Gregorianum*, 1964, t. XLV, pp. 5-59. — Pour J. T. MILIK : *Problèmes de la littérature hénochique à la lumière des fragments araméens de Qumrân* (*Harv. Theol. Rev.*,

lera lors de l'avènement de l'ère eschatologique[44]. Ce jour-là, il sera intronisé dans la gloire[45], exercera le jugement[46], assumera dans son séjour céleste les justes et les élus pour leur assurer à jamais la communion de vie avec lui[47]. Bref il est l'espérance des affligés[48] et l'attente de ceux qui aiment la paix[49].

Toutefois les deux portraits ne sont pas identiques. Le Fils d'homme de l'*Hénoch éthiopien* et du *IVe Livre d'Esdras* possède des traits qui relèvent d'une apocalyptique spécifiquement juive, des traits qui trahissent les préoccupations d'une attente qui ne s'est pas affranchie d'un messianisme terrestre et nationaliste.

En tenant compte de l'incertitude concernant la date de composition des *Similitudes d'Hénoch*, il vaut mieux, semble-t-il, ne pas trop y faire appel, du moins pour définir la pensée de Jésus. Aujourd'hui d'ailleurs on accepte de plus en plus un impact direct du livre de Daniël sur les méditations du Seigneur[50]. Quoi de plus obvie que de se représenter Jésus scrutant les mystères de ce livre sacré, un des plus clairs à annoncer la venue de ce règne de Dieu, qui, de l'avis presque unanime des exégètes, se trouva au centre même de la prédication du Sauveur[51].

2. Le second problème à envisager préalablement à une enquête sur les logia du Christ touchant le « Fils de l'homme » concerne le sens que la locution *bar 'enašā* pouvait recevoir dans l'araméen en usage à l'époque de Jésus[52]. Depuis l'ouvrage fondamental de H. Lietzmann[53],

1971, t. LXIV, pp. 375, 377), les *Paraboles d'Hénoch* (*Hén. ethiop.*, XXXVII-LXXI) sont une composition chrétienne qui n'est pas antérieure à la fin du troisième siècle. Cfr nos remarques dans *Le Fils d'homme dans le Judaïsme de l'époque néotestamentaire*, ap. *Or. Lov. Period.*, 1975-1976, VI-VII, pp. 59-73.

44. *Hénoch éthiopien*, XL, 3, cité par J. JEREMIAS, *op. cit.*, p. 257.

45. *Hénoch éthiopien*, XLV, 3; LV, 4; LXI, 8; LXII, 2-3; LIX, 27, cités par J. JEREMIAS, *op. cit.*, p. 257.

46. *Hénoch éthiopien*, XLV, 3; XLIX, 4; LV, 4; LXI, 8-9; LXII, 3; LIX, 27, cfr *ibid.*, p. 257. Cfr *IV Esdr.*, XIII, 9-11.

47. *Hénoch éthiopien*, XLVIII, 4; LXII, 14, *ibid.*, p. 257.

48. *Henoch éthiopien*, XLVIII, 4, *ibid.*, p. 257.

49. *IV Esdr.*, XIII, 12-13, *ibid.*, p. 257.

50. Voir L. CERFAUX, *Jésus aux origines de la tradition*, dans *Pour une histoire de Jésus*, III, Bruges, 1968, pp. 170-172.

51. Voir l'ouvrage de C. PIEPENBRING, *Jésus historique*, 2e éd., Paris, 1922 et, comme ouvrages récents J. JEREMIAS, *op. cit.*, pp. 99-110 : *Die anbrechende königliche Herrschaft Gottes.* — H. CONZELMANN, *Grundriss der Theologie des Neuen Testaments*, Munich, 1968, pp. 125-134. — W. G. KÜMMEL, *Die Theologie des Neuen Testaments nach seinen Hauptzeugen Jesus, Paulus, Johannes*, Goettingue, 1969, pp. 35-40.

52. Cfr P. NICKELS, *Targum and New Testament together with a New Testament Index*, Rome, 1967.

53. H. LIETZMANN, *Der Menschensohn. Ein Beitrag zur neutestamentlichen Theologie*, Fribourg-en-Br. et Leipzig, 1896. — Voir aussi une bonne discussion du problème dans Th. ZAHN, *Das Evangelium des Matthäus*, 2e éd., dans *Komm. N.T.*, t. I, Leipzig, 1905, pp. 347-357.

des progrès substantiels n'ont guère été réalisés. D'après J. Jeremias [54], la locution *bar °enašā* avait abouti sous sa forme déterminée à deux sens. L'un, attesté dans les *Similitudes d'Hénoch* et réservé à la langue solennelle de l'apocalyptique, impliquait la valeur d'un titre messianique; l'autre, relevant de la langue courante, exprimait le concept générique d'«homme» et serait à traduire «l'homme» ou même «un homme», vu qu'à l'époque du Christ l'araméen populaire commençait à perdre de vue la valeur de la détermination. En revanche, contrairement à l'avis de G. Dalman [55], P. Joüon [56] et G. Vermes [57], Jeremias n'accepte pas l'emploi stylistique de la locution pour indiquer la première personne [58]. Les exemples apportés par G. Dalman n'auraient pas la portée que ce savant philologue leur attribua. De même, la locution *hahû gabrā* n'aurait pas la signification générique, indéfinie «un (l') homme comme moi» [59].

A suivre Jeremias, il appert donc qu'à l'époque et dans la bouche de Jésus, la locution se prêtait à l'ambiguïté. Suivant les circonstances, elle signifiait «un homme» ou «l'homme» en général, ou elle évoquait, tout en la précisant, la figure daniélique. Nous ajoutons «en la précisant». En effet, le groupe génitival *bar °enašā* se trouve en Daniel à l'état indéterminé et il n'y est qu'un terme de comparaison. En d'autres termes, il n'y possède nullement la valeur d'un titre désignant éventuellement le Messie [60].

La locution pouvait-elle se prêter encore à une autre signification que Paul Joüon suggère? [61] En d'autres termes, pouvait-elle servir à insister sur la filiation humaine et dès lors à marquer le caractère

54. *Op. cit.*, pp. 248-250.

55. G. DALMAN, *Grammatik des jüdisch-palästinischen Aramäisch*, 2e éd., 1905, p. 108.

56. P. JOÜON, *L'évangile de Notre-Seigneur Jésus-Christ. Traduction et commentaire du texte original grec, compte tenu du substrat araméen*, dans *Verbum salutis*, t. V, Paris, 1930, p. 604.

57. G. VERMES, *The Use of br nš/br nš' in Jewish Aramaic*, dans M. BLACK, *An Aramaic Approach to the Gospels and Acts*, 3e éd., Oxford, 1967, pp. 310-328, en particulier pp. 320-327.

58. J. JEREMIAS, *op. cit.*, p. 248, note 21.

59. On renvoie parfois pour ce sens à Mt., IV, 4 et Jn., VII, 22.

60. Cfr J. COPPENS, *Le messianisme sapiential et les origines littéraires du Fils de l'homme daniélique*, dans *Wisdom in Israel and in the Ancient East*, pp. 433-41, Leyde, 1955. — *Le fils de l'homme daniélique et les relectures de Dan., VII, 13 dans les Apocryphes et les écrits du Nouveau Testament*, dans *Eph. Theol. Lov.*, 1961, t. XXXVII, pp. 5-51. — *Le chapitre VII de Daniel*, ibid., 1963, t. XXXIX, pp. 87-94. — *Les Saints du Très-Haut sont-ils à identifier avec les milices celestes?*, ibid., pp. 94-100. — *Les origines du symbole «Fils d'homme»*, ibid., pp. 100-104. — *Le Serviteur de Yahvé et le Fils d'homme daniélique sont-ils des figures messianiques?*, ibid., pp. 104-114. — *Le Fils d'homme daniélique vizir céleste?*, ibid., 1964, t. XL, pp. 72-80. — *Un nouvel essai d'interpréter Dan., VII*, ibid., 1969, t. XLV, pp. 124-129. — *La vision daniélique du Fils d'homme*, dans *Vet. Test.*, 1969, t. XIX, pp. 172-182.

61. *Op. cit.*, p. 603.

humain de Jésus, au point que «fils de l'homme» aurait fini par faire antithèse avec «Fils de Dieu», ou peut-être également avec «Fils de David»?[62] La suggestion paraît peu plausible. D'ailleurs Joüon lui-même n'y voit qu'une hypothèse : «Les âmes droites ... le petit nombre des intimes ... ont fort bien pu voir dans 'le Fils de l'homme' un analogue antithétique aux titres plus glorieux»[63], hypothèse qui réclamerait toutefois dans la bouche de Jésus plutôt la locution *b^{e}reh d$^{\cdot a}$našā*[64].

3. Un troisième problème préalable concerne la possibilité de trouver des critères qui puissent nous aider à discerner parmi les logia ceux qui ont le plus de chance de pouvoir remonter substantiellement à Jésus[65]. A parcourir les travaux récents, on peut retenir, semble-t-il, surtout six indications. En premier lieu, les logia qui contiennent dans toutes les traditions la mention uniforme du Fils de l'homme, méritent d'être privilégiés[66]. On constate en effet qu'en règle générale les logia nouvellement formés ne sont pas parvenus à s'imposer partout, ni surtout partout d'une manière uniforme : d'où le droit d'accorder la faveur à ceux unanimement attestés. Une attention spéciale s'impose ensuite aux paroles qui ne se présentent pas comme *vaticinia ex eventu*. Et voici un troisième critère : l'absence de citations, surtout de centons bibliques dans le logion en discussion par manière de prédictions d'événements salvifiques de la vie du Christ[67]. Est également importante

62. *Ibid.*, p. 603 : «Le terme modeste est mystérieux dont il se servait pour se désigner avait quelque chose de provocateur qui devait les inciter à se demander : 'Lui qui affecte de s'appeler *le Fils de l'homme* n'est-il donc qu'un homme comme nous'.» Joüon renvoie à A. D'ALÈS, *Lumen vitae. L'espérance du salut au début de l'ère chrétienne*, Paris, 1916, p. 251.

63. Dans les *Theol. Blätter*, 1942, t. XXI, col. 17, O. PROCKSCH affirma que Jésus s'est servi non de *bar $^{\cdot e}$našā* mais de *b^{e}reh d$^{\cdot a}$našā* (cfr P. JOÜON, *op. cit.*, p. 602), expression qui figure dans l'évangéliaire palestinien et qui aurait été tout désigné pour exprimer l'unicité de Jésus. Par contre, Joüon estime que cette locution aurait plutôt souligné le caractère humain de Jésus (*op. cit.*, p. 602).

64. *Op. cit.*, p. 602.

65. Voir sur le problème des *ipsissima verba Jesu* H. SCHÜRMANN, *Die vorösterlichen Anfänge der Logientradition. Versuch eines formgeschichtliches Zugangs zum Leben Jesu*, dans *Der historische Jesus und der kerygmatische Christus. Beiträge zum Christusverständnis*, dans *Forschung und Verkündigung hrsg. von* H. RISTOW *und* K. MATTHIAE, Berlin, 1961, pp. 342-370, et dans H. SCHÜRMANN, *Traditionsgeschichtliche Untersuchungen zu den synoptischen Evangelien*, dans *Kommentare und Beiträge zum Alten und Neuen Testament*, Düsseldorf, 1968, pp. 39-64 et dans H. SCHÜRMANN, *Das Geheimnis Jesu. Versuche zur Jesusfrage* (Die Botschaft Gottes), Leipzig, 1972, pp. 14-72. — D. LÜHR-MANN, *Die Frage nach Kriterien für ursprüngliche Jesusworte. Eine Problemskizze*, ap. J. DUPONT (éd.), *Jésus aux origines de la christologie*, ap. *BETL*, t. XL, Gembloux, 1975, pp. 59-72.

66. J. JEREMIAS, *op. cit.*, p. 281 : «... ein Rest von Menschensohnworten..., die konkurrenzlos nur in der Menschensohnfassung überliefert sind».

67. Signalons aussi l'importance attribuée par J. JEREMIAS (*op. cit.*, p. 253) à cer-

l'absence de toute tendance visant à introduire des étapes successives dans la glorification posthume du Seigneur, par conséquent à distinguer entre la résurrection, l'ascension, la parousie[68]. Une autre absence est peut-être encore plus significative, celle de tout indice identifiant explicitement le Fils de l'homme avec Jésus[69]. Enfin dernier critère également notable à l'appui de l'authenticité : l'impossibilité d'expliquer la présence du terme à partir d'une prétendue version fautive d'un substrat araméen[70].

II. Le dossier des logia

A la suite, de ces prolégomènes, nous sommes désormais mieux en mesure d'aborder l'analyse des péricopes marciennes relatives au Fils de l'homme, péricopes dont voici le dossier[71] :

Logion propre à Marc (IX, 12).

Ὁ δὲ ἔφη αὐτοῖς, Ἠλίας μὲν ἐλθὼν πρῶτον ἀποκαθιστάνει πάντα, καὶ πῶς γέγραπται ἐπὶ τὸν υἱὸν τοῦ ἀνθρώπου ἵνα πολλὰ πάθῃ καὶ ἐξουδενηθῇ;

Il leur dit : Oui, Élie vient d'abord révéler tout.
Comment donc est-il écrit du Fils de l'homme qu'il doit beaucoup souffrir et être méprisé?

tains logia distincts de ceux du Fils de l'homme où seul le livre de Daniel est cité sans conflation avec d'autres textes : cfr *Lc.*, XII, 32; *Mt.*, XIX, 28 par. *Lc.*, XXII, 28, 30b.

68. J. Jeremias, *op.* cit., p. 253.

69. *Ibid.*, p. 253.

70. *Ibid.*, p. 251 : «... Menschensohnworten... bei denen auch die Möglichkeit einer Fehlübersetzung ausscheidet». — Sont retenues comme versions fautives : par J. Jeremias, *op. cit.*, pp. 249-250, *Mc.*, II, 10; II, 28; *Lc.*, XII, 10 par. *Mt.*, XII, 32; *Mt.*, VIII, 20 par. *Lc.*, IX, 58; *Mt.*, XI, 19 par. *Lc.*, VII, 34; — par C. Colpe, *art. cit.*, pp. 433-435 : *Mc.*, II, 10; *Mt.*, XI, 18-19; *Mt.*, VIII, 20 par.

71. Les éditions critiques du Nouveau Testament les plus répandues, celle de Nestle et celle de K. Aland - M. Black - Br. M. Metzger - A. Wikgren, reproduisent nos textes sans variantes. Cet accord n'implique pas que le texte transmis est absolument sûr. Le problème de la tradition du texte est loin d'être résolu à la satisfaction de tous. Voir par exemple pour l'évangile de Matthieu C. M. Martini, *La problématique générale du texte de Matthieu*, dans *L'évangile selon Matthieu. Rédaction et théologie* (Bibl. Eph. Theol. Lov., t. XXIX), Gembloux, 1972, pp. 21-36.

En la matière, le professeur Hubert Pernot se comporta en franc-tireur. Tout en acceptant l'influence exercée en Orient par la tradition de l'*Alexandrinus* et celle obtenue en Occident à la fois par l'*Alexandrinus* et le *Vaticanus*, il estimait trop facilement sousestimée l'importance des traditions secondaires : cfr *Pages choisies des Évangiles littéralement traduites de l'original et commentées à l'usage du public lettré avec le texte en regard*, dans *Collect. Inst. Néohellénique Univ. Paris*, fasc. 2, Paris, 1925. — *Études sur la langue des Évangiles*, *ibid.*, fasc. 6, Paris, 1927. — *Recherches sur le texte original des Évangiles*, dans *Collect. Instit. Néo-hell. Univ. Paris*, t. IV, Paris, 1938. — *La déformation des Évangiles*, dans *Meded. Ned. Akad. Wet.*, afd. Letterkunde, Amsterdam, 1941.

Logia communs à Marc et Matthieu.

IX, 9

Καὶ καταβαινόντων αὐτῶν ἐκ τοῦ ὄρους διεστείλατο αὐτοῖς ἵνα μηδενὶ ἃ εἶδον διηγήσωνται, εἰ μὴ ὅταν ὁ υἱὸς τοῦ ἀνθρώπου ἐκ νεκρῶν ἀναστῇ.

Et comme ils descendaient de la montagne, il leur intimait de ne raconter à personne ce qu'ils avaient vu sinon quand le Fils de l'homme serait ressuscité d'entre les morts.

X, 45

Καὶ γὰρ ὁ υἱὸς τοῦ ἀνθρώπου οὐκ ἦλθεν διακονηθῆναι ἀλλὰ διακονῆσαι καὶ δοῦναι τὴν ψυχὴν αὐτοῦ λύτρον ἀντὶ πολλῶν.

Aussi bien le Fils de l'homme n'est pas venu pour être servi, mais pour servir et donner sa vie en rançon pour une multitude.

XIV, 21b

Ὅτι ὁ μὲν υἱὸς τοῦ ἀνθρώπου ὑπάγει καθὼς γέγραπται περὶ αὐτοῦ· οὐαὶ δὲ τῷ ἀνθρώπῳ ἐκείνῳ δι' οὗ ὁ υἱὸς τοῦ ἀνθρώπου παραδίδοται· καλὸν αὐτῷ εἰ οὐκ ἐγεννήθη ὁ ἄνθρωπος ἐκεῖνος.

Oui, le Fils de l'homme s'en va selon qu'il est écrit de lui, mais malheur à cet homme-là par qui le Fils de l'homme est livré! Mieux eût valu pour lui, pour cet homme-là, de ne pas naître!

XIV, 41

Καὶ ἔρχεται τὸ τρίτον καὶ λέγει αὐτοῖς, Καθεύδετε τὸ λοιπὸν καὶ ἀναπαύεσθε, ἀπέχει· ἦλθεν ἡ ὥρα, ἰδοὺ παραδίδοται ὁ υἱὸς τοῦ ἀνθρώπου εἰς τὰς χεῖρας τῶν ἁμαρτωλῶν.

Et il revient pour la troisième fois et leur dit : Dormez désormais et reposez-vous! Cela suffit. L'heure est venue : voici que le Fils de l'homme est livré aux mains des pécheurs.

VIII, 38b*

... ὅταν ἔλθῃ ἐν τῇ δόξῃ τοῦ πατρὸς αὐτοῦ μετὰ τῶν ἀγγέλων τῶν ἁγίων.

...quand il viendra dans la gloire de son Père avec les anges les saints.

* Cfr *Mt.*, XVI, 27, contexte différent.

Logion commun à Marc et Luc.

VIII, 38*

Ὃς γὰρ ἐὰν ἐπαισχυνθῇ με καὶ τοὺς ἐμοὺς λόγους ἐν τῇ γενεᾷ

Car celui qui aura honte de moi et de mes paroles dans cette

ταύτῃ μοιχαλίδι καὶ ἁμαρτωλῷ, καὶ ὁ υἱὸς τοῦ ἀνθρώπου ἐπαισχυνθήσεται αὐτὸν ὅταν ἔλθῃ ἐν τῇ δόξῃ τοῦ πατρὸς αὐτοῦ μετὰ τῶν ἀγγέλων τῶν ἁγίων.

génération adultère et pécheresse, le Fils de l'homme aussi aura honte de lui quand il viendra dans la gloire de son Père avec les anges les saints.

* *Mc.*, VIII, 31 : cfr *infra*.

Logia communs à Marc, Matthieu et Luc.

II, 10

Ἵνα δὲ εἰδῆτε ὅτι ἐξουσίαν ἔχει ὁ υἱὸς τοῦ ἀνθρώπου ἀφιέναι ἁμαρτίας ἐπὶ τῆς γῆς

Mais pour que vous sachiez que le Fils de l'homme a pouvoir sur la terre de remettre les péchés...

II, 28

... ὥστε κύριός ἐστιν ὁ υἱὸς τοῦ ἀνθρώπου καὶ τοῦ σαββάτου.

...de sorte que le Fils de l'homme est seigneur aussi du sabbat.

VIII, 31

Καὶ ἤρξατο διδάσκειν αὐτοὺς ὅτι δεῖ τὸν υἱὸν τοῦ ἀνθρώπου πολλὰ παθεῖν καὶ ἀποδοκιμασθῆναι ὑπὸ τῶν πρεσβυτέρων καὶ τῶν ἀρχιερέων καὶ τῶν γραμματέων καὶ ἀποκτανθῆναι καὶ μετὰ τρεῖς ἡμέρας ἀναστῆναι*.

Et il commença de leur enseigner que le Fils de l'homme doit beaucoup souffrir, et être rejeté par les anciens et les grands prêtres et les scribes, et être tué et, trois jours après, ressusciter.

* En Matthieu, le terme « Fils de l'homme » fait défaut.

IX, 31

Ἐδίδασκεν γὰρ τοὺς μαθητὰς αὐτοῦ καὶ ἔλεγεν αὐτοῖς ὅτι ὁ υἱὸς τοῦ ἀνθρώπου παραδίδοται εἰς χεῖρας ἀνθρώπων καὶ ἀποκτενοῦσιν αὐτόν, καὶ ἀποκτανθεὶς μετὰ τρεῖς ἡμέρας ἀναστήσεται.

Car il enseignait ses disciples. Il leur disait : Le Fils de l'homme est livré aux mains des hommes, ils vont le tuer, et tué, après trois jours, il ressuscitera.

X, 33

Ὅτι ἰδοὺ ἀναβαίνομεν εἰς Ἱεροσόλυμα, καὶ ὁ υἱὸς τοῦ ἀνθρώπου παραδοθήσεται τοῖς ἀρχιερεῦσιν, καὶ τοῖς γραμματεῦσιν καὶ κατακρινοῦσιν αὐτὸν θανάτῳ καὶ παραδώσουσιν αὐτὸν τοῖς ἔθνεσιν.

Voilà que nous montons à Jérusalem, et le Fils de l'homme sera livré aux grands prêtres, et aux scribes, et ils le condamneront à mort, et ils le livreront aux nations.

XIII, 26

Καὶ τότε ὄψονται τὸν υἱὸν τοῦ ἀνθρώπου ἐρχόμενον ἐν νεφέλαις μετὰ δυνάμεως πολλῆς καὶ δόξῆς.

Et alors ils verront le Fils de l'homme venir en nuées avec beaucoup de puissance et de gloire.

XIV, 21a

Ὅτι ὁ μὲν υἱὸς τοῦ ἀνθρώπου ὑπάγει καθὼς γέγραπται περὶ αὐτοῦ· οὐαὶ δὲ τῷ ἀνθρώπῳ ἐκείνῳ δι᾽ οὗ υἱὸς τοῦ ἀνθρώπου παραδίδοται*.

Car le Fils de l'homme s'en va selon ce qui est écrit de lui, mais malheur à cet homme par qui le Fils de l'homme est livré.

* En Luc, la deuxième mention au «Fils de l'homme» fait défaut.

XIV, 62

Ὁ δὲ Ἰησοῦς εἶπεν, Ἐγώ εἰμι, καὶ ὄψεσθε τὸν υἱὸν τοῦ ἀνθρώπου ἐκ δεξιῶν καθήμενον τῆς δυνάμεως καὶ ἐρχόμενον μετὰ τῶν νεφελῶν τοῦ οὐρανοῦ.

Mais Jésus dit : Je le suis, et vous verrez le Fils de l'homme assis à droite de la Puissance venir avec les nuées du Ciel.

De ce dossier nous examinerons successivement les logia relatifs à l'activité eschatologique du Sauveur, c'est-à-dire les moins contestés, puis ceux qui annoncent la passion ou la résurrection ou plus communément les deux à la fois, enfin ceux ayant trait à l'activité terrestre du Christ.

III. Paroles à portée eschatologique

Marc possède trois paroles à portée eschatologique, à savoir VIII, 38, XIII, 26 et XIV, 62. Selon pas mal d'auteurs, le plus intéressant est *Mc.*, VIII, 38 par. *Lc.*, IX, 26, à rapprocher de *Mt.*, X, 33 et de *Lc.*, XII, 9.

Mc., VIII, 38 par. *Lc.*, IX, 26 appartient à un ensemble de logia groupés communément sous le titre : «exigences de la vie chrétienne et rétribution d'une vie consacrée à suivre Jésus». En Matthieu, le Christ s'adresse aux seuls disciples[72], tandis qu'en Marc[73] et en Luc[74], la

---

72. *Mt.*, XVI, 14.
73. *Mc.*, VIII, 34. — On observe que le bout de phrase σὺν τοῖς μαθηταῖς αὐτοῦ évoque les τοῖς μαθηταῖς αὐτοῦ de *Mt.*, XVI, 24 et pourrait dès lors indiquer que le καὶ προσκαλεσάμενος τὸν ὄχλον est une addition ultérieure, peut-être d'un reviseur du texte marcien : cfr R. A. Hoffmann, *Das Marcusevangelium und seine Quellen. Ein Beitrag zur Lösung der Urmarcusfrage*, Königsberg-en-Prusse, 1904, p. 342.
74. *Lc.*, IX, 23.

foule est elle aussi concernée. D'après M.-J. Lagrange[75], les versets se suivent logiquement et forment une unité[76]. Après deux impératifs à l'aoriste énonçant les conditions du statut de disciple et un impératif au présent formulant en fonction d'elles l'invitation à suivre le Sauveur, la péricope développe les raisons qui plaident pour un engagement total au service du Christ jusqu'au martyre. C'est qu'un tel engagement garantit le sauvetage de l'âme, c'est-à-dire l'immortalité en compagnie du Seigneur; c'est qu'à avoir eu honte du Christ en cette vie, on sera méconnu et rejeté par lui au jour de la rétribution finale.

La section VIII, 34-38 se comprend à la lumière de la prédiction que le Christ est censé avoir faite de sa propre passion en *Mc.*, VIII, 31. Pour que Jésus pût en effet réclamer de ses disciples une vie aussi dure ne fallut-il pas qu'au préalable il annonçât sa propre passion? Celle-ci une fois prédite, il était naturel qu'il osa inviter ses disciples à suivre son exemple.

En revanche, il est moins évident que *Mc.*, IX, 1 se soude à ce qui précède. M.-J. Lagrange le conteste, mais sa position s'inspire, semble-t-il, d'une préoccupation apologétique[77]. Ad. Hoffmann au contraire l'affirme, insistant sur le fait qu'en *Mt.*, XVI, 28, parallèle de *Mc.*, IX, 1, le Fils de l'homme rentre en scène[78]. En réalité, beaucoup dépend de la variante à laquelle on accorde sa préférence. Celle de Luc (IX, 27) paraît la plus évoluée, la plus retravaillée. Celle de Matthieu a l'inconvénient de parler du « royaume du Fils de l'homme », expression qui dans son évangile vise l'Église[79]. Bref celle de Marc paraît l'emporter du moins pour l'essentiel[80]. A opter pour elle (IX, 1 diff. *Mt.*, XVI, 28; *Lc.*, IX, 27), la venue du Royaume de Dieu (IX, 1) est rapprochée du rôle du Fils de l'homme à la parousie (VIII, 38). Marc infligerait ainsi un démenti à une assertion souvent répétée, à savoir que jamais les Évangiles n'associent le royaume de Dieu à celui qui, depuis *Dan.*, VII, 13-14, pouvait passer pour son représentant.

Que *Mc.*, IX, 1 offre une teneur plus originale du logion que les pa-

---

75. *Évangile selon saint Marc*, 2e éd., Paris, 1920, *in loc.* — Voir désormais sur la section J. M. NÜTZEL, *Die Verklärungserzählung im Markusevangelium. Eine redaktionsgeschichtliche Untersuchung*, dans *Forschung zur Bibel*, t. VI, Wurzbourg, 1972, pp. 256-267.

76. *Ibid.* — Toutefois R. BULTMANN (*Geschichte der synoptischen Tradition*, 3e éd., Goettingue, 1967, pp. 86-87) considère *Mc.*, VIII, 34-36 comme un conglomérat de logia en partie primitivement distincts.

77. *Ibid.*, p. 214.

78. *Op. cit.*, pp. 347-350.

79. Cfr *Mt.*, XIII, 43. Voir R. SCHNACKENBURG, *Zum Verfahren der Urkirche bei ihrer Jesus-überlieferung*, dans *Der historische Jesus und der kerygmatische Christus. Beiträge zum Christusverständnis in Forschung und Verkündigung*. Hrg. von H. RISTOW u. K. MATTHIAE, Berlin, 1961, p. 450.

80. R. A. HOFFMANN, *op. cit.*, p. 349, conteste l'élément ἐν δυνάμει, qu'il interprète comme une trace de paulinisme, à rapprocher de *Rom.*, I, 4.

rallèles, s'accorde avec le jugement porté généralement sur la section VIII, 34-IX, 1. N'en concluons pas cependant qu'elle ne présente pas des traits secondaires. Nous avons déjà signalé le ἐν δυνάμει[81] et προσκαλεσάμενος τὸν ὄχλον[82]. Relevons encore καὶ τοῦ εὐαγγελίου[83], καὶ τοὺς ἐμοὺς λόγους[84], ἐν τῇ γενεᾷ ταύτῃ τῇ μοιχαλίδι[85], τῶν ἁγίων[86], καὶ ἔλεγεν αὐτοῖς[87] : autant d'indices qui jadis amenèrent Hoffmann à postuler deux éditions du second évangile.

A rapprocher Marc et Luc et à tenir compte des observations précédentes, on peut être tenté de lire Mc., VIII, 38 comme suit : Ὃς γὰρ ἐὰν ἐπαισχυνθῇ με... καὶ ὁ υἱὸς τοῦ ἀνθρώπου ἐπαισχυνθήσεται αὐτὸν ὅταν ἔλθῃ ἐν τῇ δόξῃ τοῦ πατρὸς αὐτοῦ μετὰ τῶν ἀγγέλων[88].

L'ancienneté du logion trouve un appui dans un passage parallèle de la Quelle : Mt., X, 32-33 par. Lc., XII, 8-9. Mais des traits particuliers le caractérisent : d'abord ce texte réclame une adhésion positive à Jésus, une confession de foi : Mt., X, 32 par. Lc., XII, 8 ; puis il s'abstient de faire allusion à la parousie alors que celle-ci est explicitement attestée en Mc., VIII, 38b ; Mt., XVI, 27 ; Lc., IX, 26b.

Un des traits les plus frappants du logion c'est la distinction qu'il paraît présupposer entre le Fils de l'homme et Jésus. C'est précisément la donnée retenue par R. Bultmann pour reconnaître en Mc., VIII, 38 une parole ancienne, une parole qui pourrait remonter jusqu'au Seigneur[89]. Concédons que le logion s'abstient d'identifier explicitement Jésus avec le personnage mystérieux, mais qu'il affirme une distinction nette et totale, nous éprouvons de la peine à le croire. S'il en était ainsi, Jésus ne se serait plus cru le héraut et le fondateur du Royaume. Il se serait en quelque sorte abaissé au rang, d'ailleurs déjà occupé par le

81. *Ibid.*, p. 349.
82. *Ibid.*, p. 342. Cfr *supra*, n. 73.
83. *Ibid.*, p. 347. L'auteur note la préférence marcienne pour les binômes. Cfr Fr. NEIRYNCK, *Duality in Mark. Contributions to the Study of the Markan Redaction*, dans *Bibl Eph. Theol. Lov.*, t. 31, Louvain, 1972.
84. *Ibid.*, p. 347.
85. *Ibid.*, p. 347.
86. *Ibid.*, p. 342.
87. *Ibid.*, p. 348, où l'auteur souligne la préférence marcienne pour cette manière de souligner que le Christ reprend la parole.
88. Luc envisage une triple gloire : celles du Père, du Fils de l'homme et des Anges. Le «Père» figure ici comme nom propre de Dieu sans autre détermination; la lecture est généralement retenue bien que ce soit l'unique endroit où «le Père» soit ainsi employé.
89. R. BULTMANN, *Die Geschichte der synoptischen Tradition*, 7ᵉ éd., Goettingue, 1967, p. 163. Quelques paroles concernant le Fils de l'homme, note-t-il, ne sont pas des créations de la communauté mais appartiennent à la strate des formations primaires, voire peuvent remonter à Jésus. Et de renvoyer à *Mc.*, VIII, 38 comparé à *Lc.*, XII, 8-9 et à *Lc.*, XVII, 23-24 par. En ce qui concerne *Mt.*, XXIV, 37-39 par. ; 43-44 par., il se montre hésitant : ces paroles pourraient provenir des traditions juives. Tel serait notamment le cas de *Mc.*, XIII, 24-27.

Baptiste, de précurseur d'un plus grand, le Fils de l'homme. Au reste, la relecture matthéenne du logion (X, 33) n'hésité plus à substituer Jésus au Fils de l'homme. Ajoutons d'ailleurs que même en Marc l'identification de Jésus avec le personnage énigmatique se fait implicitement du fait qu'en *Mc.*, VIII, 38b (cfr *Mt.*, XVI, 27), le Fils de l'homme est présenté comme le Fils du Père et que dans les évangiles ce fils n'est autre que Jésus.

Comment dès lors comprendre la réserve de notre logion devant une identification explicite ? Ne convient-il pas de dire que durant sa carrière terrestre Jésus avait conscience de devoir se distinguer fonctionnellement d'une identification totale avec le Fils de l'homme ? Dans son ministère terrestre, il ne put exercer la fonction royale et judiciaire que *Dan.*, VIII, 13-14 attribue au personnage. Fils de l'homme, Jésus ne devait le devenir entièrement formellement, qu'au lendemain de son triomphe sur la mort et de son exaltation posthume.

Concluons que *Mc.*, VIII, 38 par. *Lc.*, IX, 26 ; *Mt.*, XVI, 27 nous met en présence d'un logion qui, dans sa substance, remonte à Jésus. Il attribue au Sauveur l'usage de la locution du Fils de l'homme daniélique. En y ayant recours, Jésus affirma le rôle de justicier suprême qui allait revenir au personnage daniélique. En outre, il insinua son identité avec le personnage, notamment en lui donnant Dieu comme père (*Mc.*, VIII, 38 ; *Mt.*, XVI, 27), en d'autres mots en lui donnant un statut que par ailleurs il n'hésita pas de revendiquer pour lui-même.

Pour confirmer l'ancienneté du logion, nous pouvons, à la suite de E. Percy, insister sur le caractère extraordinaire de la revendication de Jésus. Il n'hésita pas en effet d'assumer l'attitude que les hommes prendraient envers lui, comme base du jugement qui les frapperait au jour de l'avènement du Règne de Dieu. Une telle revendication, une telle audace dans les paroles, se conçoit difficilement comme émanant de la communauté chrétienne primitive, même interprétant la condition céleste de Jésus[90].

*
* *

Passons aux deux logia : *Mc.*, XIII, 26 et XIV, 62, qui se réfèrent explicitement à la parousie. En l'occurrence, les difficultés s'accroissent pour celui qui pense pouvoir montrer qu'eux aussi pourraient remonter, au-delà de toute rédaction ou tradition, jusqu'à des souvenirs conservant, pour la substance, des paroles authentiques du Sauveur.

Bien peu d'auteurs sont enclins à interpréter le grand discours apocalyptique du chapitre XIII comme transmettant fidèlement une allocution de Jésus. Pour R. Pesch, le morceau se base sur une *Flugschrift*,

---

90. E. PERCY, *op. cit.*, pp. 249-250, avec renvoi à R. BULTMANN, *Geschichte*, pp. 135-136.

composition prémarcienne d'inspiration largement juive. En particulier, le verset 26 aurait appartenu à ladite source. Pour J. Lambrecht qui n'accepte pas l'hypothèse de R. Pesch, les sections apocalyptiques : XIII, 7-8, 19-20, 24-27, ne sont pas, il est vrai, prémarciennes, mais elles ne constituent pas non plus, ainsi que G. R. Beasley-Murray essaya de l'établir, des éléments d'un discours authentique de Jésus[91].

La description de la « venue » ou du « retour » du Seigneur en *Mc.*, XIII, 26 et parallèles (*Mt.*, XXIV, 30 ; *Lc.*, XXI, 27) n'offre pas trop de variantes. L'adjectif πολλῆς qui chez Marc définit la puissance du Fils de l'homme, passe chez Matthieu à la « gloire ». Puis le rôle des nuées paraît quelque peu différent. Chez Luc, le terme est au singulier ; Marc et Matthieu usent du pluriel, et le dernier précise qu'il s'agit des « nuées du ciel ». En Matthieu, les nuées paraissent porter le Fils de l'homme ; en Marc et Luc, elles l'enveloppent, à moins que le ἐν de *Mc.*, XIII, 26 ; *Lc.*, XXI, 27 ne soit à traduire « avec », signifiant en l'occurrence l'accompagnement et possédant la valeur de μετά ou σύν. D'ailleurs, on observe que *Mc.*, XIV, 62, d'accord avec la version de Daniel VII, 13 par Théodotion, lit μετά, mais qu'en XIII, 26 l'évangéliste évite μετά pour des raisons stylistiques, désireux peut-être de ne pas répéter la même préposition.

Au premier abord, les hagiographes semblent songer à une descente du Fils de l'homme sur la terre. Telle est de fait la représentation paulinienne de la parousie dans la première lettre aux Thessaloniciens[92], bien que même ici la rencontre, *l'apantèsis*, du Christ et des fidèles se réalise à mi-chemin entre le ciel et la terre, car les justes sont enlevés et assumés vers les cieux. En tout cas, le verbe *katabainein* n'est pas employé hors *I Thess.*, IV, 16 pour décrire la parousie. Partout c'est au verbe *erchesthai* que nous avons affaire, généralement sans que le terme du

---

91. Voir G. R. BEASLEY-MURRAY, *A Commentary on Mark Thirteen*, Londres, 1957. — *Jesus and the Future. An Examination of the Criticism of the Eschatological Discourse, Mark 13, with Special Reference to the Little Apocalypse Theory*, Londres, 1954. — *The Eschatological Discourse of Jesus*, dans *R. Exp.*, 1960, t. LVII, pp. 153-166. — R. Pesch, *Naherwartungen. Tradition und Redaktion in Mk 13*, dans *Komm. und Beitr. z. A.u.N. Test.*, Düsseldorf, 1968, pp. 166-172, en particulier pp. 169-170. — J. LAMBRECHT, *Die Redaktion der Markus-Apokalypse. Literarische Analyse und Struktur-Untersuchung*, dans *Anal. Bibl.*, t. XXVIII, Rome, 1967, p. 258. — R. H. FULLER, *The Foundation of New Testament Christology*, 2ᵉ éd., Londres, 1972, p. 145. — R. PESCH, *Markus 13*, ap. J. LAMBRECHT (éd.), *L'Apocalypse johannique et l'Apocalyptique du Nouveau Testament*, ap *BETL*, t. LIII, Gembloux-Louvain, 1980, pp. 355-368. — F. NEIRYNCK, *Marc 13. Examen critique de l'interprétation de R. Pesch*, ibid., pp. 369-401.

Sur le terme et la notion de « parousie », terme dont seul Matthieu se sert dans le discours eschatologique (XXIV, 3, 27, 37, 39), voir J. DUPONT, *Sun Xristoi. L'union avec le Christ suivant saint Paul. Première partie : « Avec le Christ » dans la vie future*, Paris, 1952, pp. 49-64.

92. *I Thess.*, IV, 16. — Cfr J. DUPONT, *op. cit.*, pp. 64-73. — B. RIGAUX, *Saint Paul. Les épîtres aux Thessaloniciens*, dans *Études bibliques*, Paris, 1956, pp. 540-551.

déplacement soit indiqué [93]. Même en *Mc.*, XIII, 26 par. *Mt.*, XXIV, 30, la descente n'aboutit pas jusqu'à la terre puisque le rassemblement des élus se fait par les anges envoyés à cet effet par le Fils de l'homme (*Mc.*, XIII, 27 par. *Mt.*, XXIV, 31) [94].

Qu'on ne fasse pas appel à *Mt.*, XIX, 28 par. *Lc.*, XXII, 30 pour trancher la question de savoir comment les évangélistes se représentent la parousie. Ces versets nous montrent le Fils de l'homme (*Mt.*, XIX, 28) et les Douze (*Mt.*, XIX, 28; *Lc.*, XXII, 30) siégeant comme juges sur des trônes. En l'occurrence, l'acte de siéger se conçoit tout naturellement comme postérieur à la parousie et au rassemblement de ceux qui doivent passer en cour de justice. En *Mt.*, XXV, 31, la parousie et la session judiciaire du Fils de l'homme sont harmonieusement unies. Elles sont également évoquées en *Mc.*, XIV, 62; *Mt.*, XXVI, 64 diff. *Lc.*, XXII, 69, mais dans un ordre de succession inverse.

Nous savons déjà que R. Bultmann n'est pas porté à retenir *Mc.*, XIII, 26 comme parole susceptible de remonter à Jésus [95]. Il fait valoir que le verset et ses parallèles charrient l'utilisation de textes bibliques ainsi que divers thèmes de l'apocalyptique juive. En outre, ils ne s'harmoniseraient pas avec *Lc.*, XVII, 23-24 par. *Mt.*, XXIV, 26-28, versets censés nous livrer une vision plus primitive de la parousie [96] et interprétés comme l'utilisation lucanienne d'un texte plus ancien, celui de la source Q, également connue par Matthieu [97].

93. *Mt.*, XVI, 28 ferait-il exception? On traduit généralement «avant d'avoir vu le Fils de l'homme venant en son royaume»: P. BONNARD, *L'évangile selon saint Matthieu*, dans *Commentaire du Nouveau Testament*, Neuchâtel, 1963, p. 248. Mais E. OSTY, observant sans doute que ἐν n'équivaut pas à εἰς (cfr *Lc.*, XXIII, 42) traduit: «avant d'avoir vu le Fils de l'homme venir avec son royaume»: *op. cit.*, p. 51. Voir C. L. W. GRIMM, *Lexicon graeco-latinum in libros Novi Testamenti*, 4ᵉ éd., Giessen, s.d., p. 146a : «ἐν τῇ βασιλείᾳ αὐτοῦ, regia Messiae potestate instructus (im Besitze seiner Königsherrschaft)». Le renvoi à *Lc.*, XXIII, 42 n'est pas *ad rem*. — Sur le sens du verbe *erchesthai*, «venir» ou «revenir», voir J. LAMBRECHT, *op. cit.*, pp. 181-182 et R. PESCH, *op. cit.*, pp. 170-171.

94. Remarquons que seul *Mc.*, XIII, 27 diff. *Mt.*, XXIV, 31 fait descendre les anges jusque sur la terre.

95. *Op. cit.*, p. 163.

96. Cfr R. SCHNACKENBURG, *Der eschatologische Abschnitt Lk 17, 20-37*, dans *Mélanges bibliques B. Rigaux*, Gembloux, 1970, pp. 213-234. — B. RIGAUX, *La petite apocalypse de Luc (XVII, 22-37)*, dans *Ecclesia a Spiritu Sancto edocta. Mélanges G. Philips (Bibl. Eph. Theol. Lov.*, t. XXVII), Gembloux, 1971, pp. 415-416. — *Lc.*, XVII, 24, 26, 30 apparaissent également parmi les dix paroles sur le Fils de l'homme revendiquées par C. Colpe (cfr aussi XVIII, 8; XXI, 36; XXII, 69) comme remontant à Jésus: B. RIGAUX, *art. cit.*, p. 438. Cfr *supra*, p. 114.

97. B. RIGAUX, *art. cit.*, p. 416. — Paul HOFFMANN (*Studien zur Theologie der Logienquelle*, dans *Neutest. Abhandl.*, nouvelle série, t. VIII, Münster-in-W., 1972, p. 82) attribue à la *Quelle* les logia suivants où le Fils de l'homme est mentionné: *Lc.*, XI, 30 diff. *Mt.*, XII, 40; *Lc.*, XII, 8 diff. *Mt.*, X, 32; *Lc.*, XII, 40 par. *Mt.*, XXIV, 44; *Lc.*, XVII, 24 par. *Mt.*, XXIV, 27; *Lc.*, XVII, 26-27, 30 par. *Mt.*, XXIV, 37-39, tous logia eschatologiques; puis *Lc.*, VI, 22 diff. *Mt.*, V, 11; *Lc.*, IX, 58 par. *Mt.*, VIII, 20; *Lc.*, XII, 10 par. *Mt.*, XII, 32, logia relatifs à l'activité terrestre de Jésus.

Mais ne force-t-on pas la portée de *Lc.*, XVII, 23-24 si on met ce texte en opposition formelle à *Mc.*, XIII, 26? Luc vise autre chose. Il veut expliquer comment la parousie du Fils de l'homme atteindra la terre toute entière. Au reste, est-il indiqué de suivre en l'occurence C. Colpe et de voir dans lesdits versets lucaniens l'expression d'une représentation plus ancienne? La petite apocalypse de Luc est un tableau fort composite où ne manquent pas de traits disparates et où ne fait pas défaut même une réflexion théologique d'allure tardive, à savoir au verset 25 la combinaison d'une annonce de souffrance avec l'attente du Fils de l'homme glorieux[98]. En toute hypothèse, et R. Schnackenburg l'a bien montré, Luc a largement retravaillé les matériaux dont il disposa aussi bien pour composer sa petite apocalypse (XVII, 20-37) que son grand discours eschatologique (XXI, 5-36).

Qu'on ne reproche pas non plus au Christ de recourir à des citations bibliques ou de reprendre des thèmes de l'apocalyptique juive, en particulier du livre de Daniel. Cette manière de procéder par voie de réflexion et de commentaire, *midraš* ou *pèšèr*, sur les textes sacrés cadre non seulement avec les habitudes de l'époque et du milieu où Jésus prêcha, mais aussi avec ses propres habitudes et spécialement avec sa familiarité avec le livre de Daniel.

Et puis qu'on ne perde pas de vue la façon originale dont *Mc.*, XIII, 26 relit et transforme le texte daniélique. Il n'y a pas de parallèles juifs contemporains pour l'expliquer, surtout si les *Paraboles de l'Hénoch éthiopien* (chapitres XXXVII-LXXI) ne datent pas de l'époque du Christ mais sont une œuvre tardive, composée vers 270 de notre ère, composition grecque chrétienne qui utilisa le texte de la Septante, s'inspira visiblement des livres du Nouveau Testament, en particulier des Évangiles, et reprit les titres du Messie préexistant, «Fils de l'homme» et «Élu». Tel est du moins l'avis de J. T. Milik dans ses *Problèmes de la littérature hénochique à la lumière des fragments araméens de Qumrân*, avis qu'il exprima dans la *Harvard Theological Review* (1971, t. LXIV, pp. 375-378, en particulier pp. 375 et 377-378) en fonction des trouvailles faites sur le site de Qumrân, avis, ajoutons-le tout de suite, de plus en plus contesté : J. COPPENS, *Le Fils d'homme dans le Judaïsme de l'époque néotestamentaire*, ap. *Or. Lov. Per.*, 1975-1976, t. VI-VII, pp. 59-73.

Enfin pourquoi oublier que *Mc.*, XIII, 26, comme d'ailleurs tout le discours eschatologique : *Mc.*, XIII, 5-37, se garde d'identifier explicitement le Fils de l'homme avec Jésus?[99]. Certes l'absence d'identification peut prêter à équivoque. Toutefois R. Bultmann y découvre, nous le savons déjà, un des indices les plus dignes d'être retenus en faveur de

---

98. B. RIGAUX, *art. cit.*, p. 437.
99. Le discours nomme le «Christ» (XIII, 21), le «Fils de l'homme» (XIII, 26), «le Fils» (XIII, 32) sans qu'il se préoccupe de les identifier.

l'ancienneté, de l'authenticité des logia où il se présente[100]. A notre tour, d'accord avec J. Jeremias, nous estimons pouvoir nous y fier.

Bref, bien que de l'avis de la plupart des exégètes récents, le discours apocalyptique du chapitre treize soit une composition marcienne, il n'est pas exclu qu'il contient des logia qui dérivent de traditions antérieures remontant à des souvenirs authentiques des disciples immédiats de Jésus. Qu'en l'occurrence on se rappelle les réflexions judicieuses de Br. de Solages dans *Critique des évangiles et méthode historique* (Toulouse, 1972) pour se préserver d'une recherche qui ne tiendrait pas compte de ce que nous apprend l'expérience courante relative aux témoignages et à leur mode de transmission.

Le deuxième logion annonçant la parousie, c'est-à-dire la réponse de Jésus au grand prêtre : *Mc.*, XIV, 62 par. offre à première vue encore plus de difficultés du point de vue de sa valeur historique. Selon W. Grundmann[101], le Sauveur aurait revendiqué surtout la dignité de grand prêtre messianique et, dans son commentaire de l'évangile de Luc, il considère *Lc.*, XXII, 69 comme une addition[102]. Plusieurs auteurs ne se donnent même pas la peine d'envisager le cas d'une historicité limitée. *Mc.*, XIV, 62, remarquent-ils, n'est qu'un assemblage mal réussi de citations bibliques. Puis la teneur du verset n'est pas identique dans les trois évangiles qui l'ont transmis, et le terme δύναμις y figure avec un sens différent de *Mc.*, XIII, 26. Et où sont les témoins chrétiens de la scène de l'interrogation de Jésus par le grand prêtre qui auraient pu entendre le logion, le recueillir fidèlement, le retenir, le transmettre?

Un article récent prétend d'ailleurs pouvoir établir d'une manière positive l'origine tardive de *Mc.*, XIV, 62[103]. Le logion se compose en effet de deux affirmations relatives au rôle posthume de Jésus. La première affirme son exaltation céleste, sa session à la droite de la Puissance, c'est-à-dire de Dieu ; l'autre va au-delà de cette vision et énonce la parousie, le retour glorieux du Seigneur. Des deux représentations, celle de la session de Jésus à la droite de Dieu serait de loin le thème le plus ancien, la conception la plus primitive de la glorification du Sauveur. Or, dans l'évocation la plus ancienne de cette session, le titre « Fils de l'homme » n'intervenait pas. Sa mention aurait été introduite par voie de *pèšèr*, et la route suivie aboutissant à l'insertion pourrait même être reconstruite. Le texte grec du *Ps.* CX, qui servit à thématiser l'intronisation céleste du Christ, comportait la sujétion de tous aux pieds du roi entrevu par le psalmiste. Or, cette même sujétion

100. R. BULTMANN, *Geschichte*, p. 171.

101. W. GRUNDMANN, *Das Evangelium nach Markus*, dans *Theol. Handkomm. N.T.*, Berlin, 1959, p. 302.

102. *Das Evangelium nach Lukas, ibid.*, 2ᵉ éd., Berlin, 1961, p. 420, note 8.

103. Wm. O. WALKER Jr., *The Origin of the Son of Man Concept as Applied to Jesus*, dans *Journ. Bibl. Lit.*, 1972, t. XCI, pp. 482-490.

est évoquée au *Ps.* VIII, et ce poème se sert précisément du terme « fils d'homme » : d'où l'introduction de ce titre dans la mention de l'intronisation et ultérieurement, par voie de conglomération progressive, l'addition de la «venue» du Fils de l'homme, venue annoncée dans Daniel et y relue comme une prédiction du retour glorieux du Seigneur, de sa parousie [104].

De fait, la teneur de *Mc.*, XIV, 62 varie dans les Synoptiques. Généralement on est tenté d'interpréter l'énoncé de *Lc.*, XXII, 69 comme une version secondaire. Elle élimine en effet la plus grosse difficulté, à savoir l'annonce d'une parousie dont le sanhédrin serait témoin. Puis Luc introduit dans l'interrogatoire de Jésus une séquence qui lui permet d'amener une gradation entre les titres de «messie», «fils d'homme» et «fils de Dieu» [105], gradation où l'on prétend discerner une réflexion de la communauté chrétienne.

Entre Marc et Matthieu apparaissent également quelques variantes. Matthieu substitue ἐπί à μετά (XXVI, 64), déplace ἐκ δεξιῶν (XXVI, 64) et ajoute ἀπ᾽ ἄρτι que Luc remplace par ἀπὸ τοῦ νῦν.

On entreprend de diverses façons de résoudre la difficulté que la précision matthéenne et lucanienne : ἀπ᾽ ἄρτι et ἀπὸ τοῦ νῦν soulève [106]. On proposa par exemple de rattacher l'ἀπ᾽ ἄρτι à λέγω [107] ou à καθήμενον [108], ou de lui substituer ἀπαρτί au sens non temporel de *immo vero* [109]. Ce ne sont là, faut-il l'observer, que des expédients que l'ἀπὸ τοῦ νῦν lucanien exclut. Marc qui n'a pas la précision matthéenne ou lucanienne, n'en pose pas moins le même problème, car lui aussi paraît annoncer au sanhédrin la vision du Fils de l'homme exalté et revenant glorieux sur terre.

---

104. La preuve que le Ps. VIII a servi d'intermédiaire pour introduire la mention du Fils de l'homme résulterait du fait que *Mc.*, XII, 36b substitue dans la citation du *Ps.* CX, 1 l'expression ὑποκάτω τῶν ποδῶν σου, reprise au *Ps.* VIII, 6, à ὑποπόδιον τῶν ποδῶν σου du *Ps.* CX, I.

L'usage de la Septante établirait en outre que l'introduction de la référence au Fils de l'homme serait due à une communauté chrétienne d'expression grecque. Walker songe aux juifs hellénistiques dont parlent les Actes des Apôtres et il évoque la vision du diacre Étienne (VII, 55).

105. H. E. Tödt reconnaît la gradation tandis que H. Conzelmann soupçonne un essai d'harmoniser les titres christologiques en usage dans la communauté primitive : cfr W. GRUNDMANN, *Das Evangelium nach Lukas*, dans *Theol. Handkomm. N.T.*, t. III, Berlin, 1961, p. 420, note 8.

106. L'ἀπὸ τοῦ νῦν de *Lc.*, XXII, 69 fait moins de difficulté du fait qu'il concerne seulement l'intronisation du Fils de l'homme et non une vision qui deviendrait le partage des membres du sanhédrin.

107. Opinion attribuée à Fr. Blass, citée par Th. ZAHN, *Dans Evangelium des Matthäus ausgelegt*, 2ᵉ éd., dans *Komm. N.T.*, t. I, Berlin, 1905, p. 697, note 70.

108. Th. ZAHN, *loc. cit.*

109. Suggestion rapportée par Th. ZAHN (*loc. cit.*) avec renvoi à LOBECK, *ad Phryn.*, pp. 20-21, mais sans qu'il s'y arrête.

Revenons donc au texte de Marc et examinons les questions qu'il soulève. A quel événement précis l'évangéliste songe-t-il, à l'intronisation du Fils de l'homme ou à son retour glorieux? Comment expliquer l'inversion qui situe la session à la droite de Dieu avant la parousie? Que penser de la prétendue proximité de l'événement parousiaque? Enfin quel rapport le logion introduit-il entre le Christ-fils de Dieu et le Fils de l'homme?

Que l'évangéliste ne songe pas à la parousie mais à la seule intronisation du Fils de l'homme, n'est guère vraisemblable. C'est là, il est vrai, le point de vue de Luc (XXII, 69) que l'on a voulu retrouver chez Marc[110]. Aussi bien le texte de Matthieu que même celui de Marc s'y opposent. Certes, à première vue, ainsi que nous l'avons noté, les deux évangélistes présentent une succession plutôt bizarre. On peut toutefois la comprendre. Quand, immédiatement avant la parousie, le ciel s'ouvre, n'est-il pas naturel que l'on voit d'abord le Fils de l'homme assis à côté de Dieu, puis se levant pour descendre des cieux[111]. Au reste, déjà une remarque d'Ad. Hoffmann rendait suffisamment compte de la succession des verbes en *Mc.*, XIV, 62 par. *Mt.*, XXVI, 64.

Ajoutons que l'évangéliste insiste avant tout sur l'aspect de juge dans le rôle du Fils de l'homme. Dès lors, rien de plus obvie que de souligner d'abord l'acte de siéger à la droite de Dieu. Au tribunal et aux juges terrestres qui s'apprêtent à condamner un innocent s'opposent dans la vision marcienne un Juge et un tribunal célestes qui rétabliront l'ordre violé par une assemblée terrestre scandaleusement inique.

L'apparente proximité de la parousie pose une plus grave difficulté. Quelques-uns tentent de l'éliminer en intervertissant la succession des verbes, de façon à réduire la vision à la seule scène d'une intronisation céleste, réalisant *Dan.*, VII, 13-14. D'autres entreprennent de spiritualiser la vision comme si le Sauveur allait manifester son règne par et dans la vie de ses fidèles[112]. On a pensé aussi que le Christ s'adresse, au-delà de ses adversaires passagers, à tous ceux qui au cours des siècles ne manqueraient pas de le contester à leur tour.

A ce qu'il nous semble, le Christ situe le logion dans le cadre eschatologique auquel le Fils de l'homme appartient. Or ce cadre, qui est celui du livre de Daniel, est précisément celui de l'ère finale, celui de l'*apokatastase* (*Act.*, III, 21), celui qui comportera la résurrection universelle (*Dan.*, XII, 2). Bref, quelle que soit la date de la parousie, prochaine ou retardée, survenant du vivant des membres du sanhédrin ou après leur décès, il n'est pas douteux qu'en toute hypothèse les auditeurs de

---

110. R. A. HOFFMANN (*op. cit.*, p. 588, note 2) note que καὶ ἐρχόμενον fait défaut dans D^gr, mais que les paroles μετὰ τῶν νεφελῶν réclament ce bout de texte. Il en serait autrement peut-être si l'on pouvait lire ἐπί à la place de μετά.

111. *Ibid.*, p. 588. — R. H. FULLER (*op. cit.*, p. 146) le reconnaît sans difficulté.

112. Opinion signalée et récusée par R. A. HOFFMANN, *op. cit.*, pp. 587-588.

Jésus, appelés à ressusciter, y seront présents et dès lors qu'ils verront le Fils de l'homme.

Enfin il n'est pas douteux que le Christ s'identifie au Fils de l'homme même chez Marc et Matthieu. Le σὺ εἶπας exprime un consentement tacite, quelque peu il est vrai forcé[113]. Par le biais de la reconnaissance de sa dignité, Jésus introduit le Fils de l'homme, ici comme ailleurs, pour corriger l'aspect terrestre, nationaliste de l'attente messianique[114].

Et voici quelques brèves réflexions sur les difficultés soulevées contre l'authenticité du texte en tant que souvenir d'un logion pouvant remonter jusqu'à Jésus. Les divergences relevées entre les synoptiques ne sont pas, nous l'avons constaté, en défaveur de la tradition marcienne. Que *Mc.*, XIV, 62 soit en partie un conglomérat de citations bibliques n'infirme pas non plus sa valeur. On connaît l'importance accordée aux témoignages, voire aux florilèges bibliques dans les milieux où Jésus exerça son ministère et proclama son message. Certes le phénomène littéraire appelé «duality in Mark»[115] pourrait nous inviter à voir dans l'énoncé de *Mc.*, XIV, 62bc une intervention rédactionnelle de l'auteur du deuxième évangile et à ramener le texte primitif du logion à ὄψεσθε τὸν υἱὸν τοῦ ἀνθρώπου ἐκ δεξιῶν καθήμενον τῆς δυνάμεως, texte plus ou moins parallèle à *Act.*, VII, 55. Quant à la prétendue absence d'auditeurs chrétiens, capables d'avoir pu rapporter fidèlement la proclamation du Christ, pourquoi refuser aux auditeurs juifs d'avoir retenu et colporté le logion, d'autant plus facile à être mémorisé qu'il était bref, catégorique, incisif, et qu'il avait servi à condamner le Seigneur?

Reste à juger la voie tracée par Walker pour introduire la mention du Fils de l'homme dans les logia sur l'exaltation posthume du Christ, pour évoquer ainsi le texte de *Dan.*, VII, 13-14 et pour créer finalement d'autres textes envisageant le retour du Christ à la manière d'un Fils de l'homme. L'hypothèse est ingénieuse mais elle se ramène à une suite de rapprochements littéraires plus ou moins valables en eux-mêmes mais privés d'appui dans l'ensemble des logia du Fils de l'homme.

Enfin n'oublions pas que les hypothèses qui refusent de faire remonter à Jésus lui-même l'appel à la figure du Fils de l'homme mais en rendent responsables les communautés chrétiennes primitives, d'expression araméenne ou même, à ce qu'affirme Wm. O. Walker, grecque, expliquent mal qu'aucun texte du kérygme primitif, aucun crédo primitif, aucun hymne des communautés primitives ne font mention du personnage

---

113. R. A. HOFFMANN, *op. cit.*, p. 586: «eine stillschweigende, wenn auch widerwillige Zustimmung.»

114. Que la dignité de «Fils de l'homme» joue le rôle de correctif de la notion de «Messie», le professeur Perrin aux Journées bibliques de Louvain en 1971 n'hésita pas à le reconnaître.

115. Voir Fr. NEIRYNCK, *Duality in Mark. Contributions to the Study of the Markan Redaction*, dans *Bibl. Eph. Theol. Lov.*, t. 31, Louvain, 1972, pp. 5, 26, 30.

énigmatique. Enfin, à l'exception d'*Act.*, VII, 55, le titre ne se rencontre que dans des paroles placées dans la bouche même de Jésus.

Concluons : réfléchissant sur la venue du Règne de Dieu à la lumière du livre de Daniel, puis rattachant cette venue définitive, radicale et totale, à l'avènement d'un jugement universel auquel même ses propres fidèles seraient soumis et auquel, d'après certains textes, ses apôtres prendraient part, Jésus fut amené à associer à la venue du Royaume celle du Fils de l'homme. Il se conforma ainsi à la vision daniélique où le personnage mystérieux fait fonction de juge. Toutefois dans la perspective du Sauveur, le Fils d'homme daniélique fut promu de pur symbole au rôle de personnage réel, fondateur du royaume. Puis à son arrivée aux cieux, contemplée par Daniel, se substitua une venue sur la terre pour y accomplir le jugement.

Comme nous l'avons noté, il n'est pas facile de déduire des textes que Jésus s'est toujours identifié clairement au Fils de l'homme. Là où il paraît le concevoir comme un personnage différent de lui, il s'est contenté pour justifier ses paroles et ses actes de faire sans plus appel à la figure apocalyptique que ses auditeurs, lecteurs de Daniel, pouvaient comprendre comme cautionnant en quelque sorte la prédication du Royaume de Dieu. Toutefois les déclarations répétées par lesquelles le Seigneur s'attribua un pouvoir et une autorité évoquant ceux d'un être transcendant, tel le Fils de l'homme censé par ailleurs être le Fils de Dieu[116], ont dû amener ses auditeurs à soupçonner, voire à reconnaître de plus en plus distinctement que Jésus réclamait pour lui-même l'identité avec le personnage mystérieux. En tout cas, ni ses ennemis, ni la communauté primitive, ni les rédacteurs des évangiles ne s'y sont trompés.

IV. ANNONCES DE LA MORT ET DE LA RÉSURRECTION

En abordant les paroles qui annoncent la passion et la résurrection du Fils de l'homme, nous avons affaire à celles dont l'historicité est le plus vivement contestée. On leur reproche de se trouver uniquement dans les Synoptiques, de n'avoir pas de liens avec les deux autres groupes de logia, d'associer, contrairement à la tradition, des perspectives de souffrances avec la figure glorieuse du Fils de l'homme, de se présenter comme des *vaticinia ex eventu*, de n'être que le reflet anticipé du kérygme apostolique touchant Jésus.

Il est cependant des auteurs qui acceptent l'authenticité totale ou partielle des logia relatifs à la passion. Ce fut jadis l'attitude de R. Otto[117]

---

116. Que le Fils de l'homme soit Fils de Dieu découle du fait que Dieu est présenté comme son «père»: *Mt.*, XVI, 27 par. *Mc.*, VIII, 38. Cfr dans *Lc.*, XXII, 67-70, le rapprochement des titres «christos», «fils de l'homme», «fils de Dieu». Cfr *supra*, note 99.

117. R. OTTO, *Reich Gottes und Menschensohn. Ein religionsgeschichtlicher Versuch*, Munich, 1934.

et aujourd'hui c'est celle d'E. Schweizer[118], A. Strobel[119], W. S. Duvekot[120], et même, avec pas mal de restrictions, de J. Jeremias[121]. D'après ce dernier, Jésus annonça sa fin douloureuse mais il le fit dans une formule brève, peu détaillée, que l'exégète allemand entreprend de reconstruire. Partant du texte de la deuxième annonce de la passion, telle que *Lc.*, IX, 44 la rapporte, texte auquel Lucien Cerfaux accorda lui aussi la priorité[122], il suppose comme énoncé araméen original : *mit mesar bar 'anašā lide 'anaša*, qu'il traduit : «Dieu livrera plutôt l'homme (singulier) aux mains des hommes (pluriel).» Nous serions ainsi en présence d'un texte ayant le caractère d'une énigme en raison du terme «l'homme», susceptible d'être compris soit de l'homme en général, soit de cet homme particulier qui, après avoir fait son apparition en *Dan.*, VII, 13-14, continua à hanter les spéculations de l'apocalyptique juive[123].

Ne nous engageons pas sur la voie de la reconstruction hypothétique du logion préconisée par Jeremias. Retenons seulement de ses observations d'abord qu'il n'est pas douteux que Jésus ait prévu et annoncé sa mort[124], puis qu'il l'ait fait en termes généraux[125]. Pour appuyer cette dernière assertion, pas besoin de recourir à des logia hypothétiquement reconstruits. Les traces d'annonces d'allure générale, où sont absents les détails de la mort qui sera infligée au Sauveur, ne manquent pas. Renvoyons à *Mc.*, IX, 12; *Lc.*, IX, 44; XVII, 25; XXIV, 26-27 (cfr *Act.*, III, 18)[126]. C'est précisément à *Mc.*, IX, 31, deuxième annonce de la passion, telle que Luc l'a conservée (IX, 44) : «Le Fils de l'homme va être livré aux mains des hommes» que Lucien Cerfaux s'arrêtait. Elle a

118. E. SCHWEIZER, *Der Menschensohn*, dans *ZNW*, 1959, t. L, pp. 185-209. — *The Son of Man*, dans *Journ. Bibl. Lit.*, 1961, t. LXXX, pp. 119-129. — *Der Menschensohn. Zur eschatologischen Erwartung Jesu*, dans *The Son of Man again*, Zurich-Stuttgart, 1963, pp. 56-84, 85-92.

119. A. STROBEL, *Kerygma und Apokalyptik. Ein religionsgeschichtlicher und theologischer Beitrag zur Christologie*, Goettingue, 1967.

120. W. S. DUVEKOT, *Heeft Jesus zichzelf voor de Messias gehouden? Een exegetischhistorisch onderzoek, in het bijzonder met het oog op het ontkennend antwoord op deze vraag door Bultmann en zijn leerlingen*, Assen, 1972.

121. J. JEREMIAS, *op. cit.*, pp. 264-272. — Voir aussi K. WEISS, *Ekklesiologie, Tradition und Geschichte in der Jüngerunterweisung Mark. 8, 27-10, 52*, dans H. RISTOW-K. MATTHIAE, *Der historische Jesus*, pp. 430-438.

122. *Jésus aux origines de la tradition*, p. 174.

123. J. JEREMIAS, *op. cit.*, p. 268.

124. Voir la discussion dans J. JEREMIAS, *op. cit.*, pp. 264-272. En dehors des annonces formelles de la passion, bien d'autres indices prouvent que Jésus eut le pressentiment de la mort violente, — celle de beaucoup de prophètes et notamment de Jean-Baptiste, — qui deviendrait également son sort : cfr J. JEREMIAS, *op. cit.*, pp. 268-269. Cfr J. M. NÜTZEL, cité *supra*, p. 124 note 75.

125. Voir L. CERFAUX, *op. cit.*, p. 174 et J. JEREMIAS, *op. cit.*, p. 268.

126. A l'hypothèse d'une formule brève aboutit aussi H. PERNOT, *Recherches sur le texte original des Évangiles*, pp. 207, 211, 212, 215-216.

« toutes chances, notait-il, de reproduire les propres termes de Jésus »[127].
«Luc, avec un sens très affiné de l'essentiel, n'a conservé que cette phrase»[128].

Nous sommes prêt à souscrire à cette conclusion quitte à nous interroger davantage sur la prétendue présence de la locution «Fils de l'homme» dans lesdites annonces. Une péricope par ailleurs difficile, à savoir *Mc.*, IX, 11-13 par. *Mt.*, XVII, 10-13, n'est-elle pas de nature à nous éclairer?

L'homogénéité de la section à laquelle *Mc.*, IX, 12 appartient, est fortement mise en question. D'après R. Bultmann[129], elle se rattachait originellement à *Mc.*, IX, 1, verset où le Christ annonce la venue du Royaume de Dieu en puissance. Dans la péricope même, les versets 12a et 13a se présentent comme des doublets, de sorte que le verset 12b pourrait être une interpolation due à une relecture faite sous l'influence de *Mt.*, XVII, 12b[130]. Cependant pas mal d'auteurs continuent à penser que l'on peut reconstituer sans failles le dialogue de Jésus avec ses disciples[131], surtout si on lit le verset 12a, à la suite du codex D, comme une phrase conditionnelle ou interrogative[132]. Après avoir répondu en *Mc.*, IX, 1, à la question des apôtres touchant la venue du Royaume de Dieu, le Seigneur aurait été amené à leur expliquer comment cette venue telle qu'il l'envisageait, pouvait se concilier avec l'annonce prophétique du retour d'Élie et la prédiction du succès de la mission de l'*Elias redivivus*[133].

---

127. *Op. cit.*, p. 174.

128. *Op. cit.*, p. 174. — On remarquera la prudence de Cerfaux quand il se contente de parler d'un «sens affiné pour l'essentiel».

Dans *Le Secret Messianique dans l'Évangile de Marc* (*Lectio divina*, XLVII, Paris, 1968, p. 376), G. Minette de Tillesse estime également que la tournure primitive de la prédiction de la passion devait être brève et correspondre au noyau commun des trois prédictions marciennes actuelles. Il incline aussi à penser qu'il ne convient de retenir qu'une seule prédiction étant donné que les trois correspondent à une insistance particulière de son message et à une structuration très apparente de l'évangile (p. 375). En outre, selon lui, la forme élémentaire de l'annonce présuppose un logion du Fils de l'homme souffrant antérieur à Marc, sur la base duquel le second évangile a fondé sa théologie.

129. R. Bultmann, *Geschichte*, p. 132, note 1, où il marque son accord avec Klostermann.

130. *Ibid.*, p. 132.

131. P. Benoit-M.-É. Boismard, *Synopse des quatre évangiles en français*, t. II : *Commentaire par* M.-É. Boismard *avec la collaboration* de A. Lamouille et P. Sandevoir. *Préface de* P. Benoit, Paris, 1972, pp. 254A-255B.

132. La variante est signalée par E. Nestle, *Novum Testamentum graece et latine*, 12e éd., Stuttgart, 1937 mais omise par K. Aland et al., *The Greek New Testament*, Stuttgart, 1967.

133. Cfr M.-É. Boismard, *Élie dans le Nouveau Testament*, dans *Élie le prophète selon les Écritures et les traditions chrétiennes*, Paris, 1956, pp. 123-124. La suite des idées devient plus facile si l'on met la question du verset 12b dans la bouche du Seigneur et si l'on comprend 12a comme une conditionnelle et une interrogative.

Mais il s'agit avant tout de savoir si *Mc.*, IX, 12b a quelque chance d'être authentique. En *Mt.*, XVII, 12, texte correspondant, l'annonce de la passion du Fils de l'homme se présente comme une déclaration que Jésus déduit du sort réservé par les Juifs au nouvel Élie, Jean-Baptiste. Mais le texte de *Mt.*, XVII, 10-13 ne se recommande guère comme le meilleur. Il renforce l'antinomie entre le but de la mission d'Élie (v. 11) et son échec (v. 12), et il évite de renvoyer pour la passion du Fils de l'homme aux Écritures, sans doute parce que cette référence lui paraissait difficile. Marc au contraire nous met en présence d'une discussion au sujet de textes scripturaires, difficiles à harmoniser, discussion qui a pu se produire.

Au reste, le logion de *Mc.*, IX, 12b possède deux traits qui plaident pour son ancienneté. D'abord il se garde d'identifier clairement Jésus avec le Fils de l'homme, puis il s'abstient de fournir des détails sur la passion du Seigneur, évitant même de parler de sa mort[134], contraire- ment aux logia qui précisent le sort réservé au Maître[135]. A parcourir ces passages plus précis, il apparaît en effet que l'énumération des souffrances à endurer par le Sauveur fut sujette à de nombreux flotte- ments[136] et à de multiples harmonisations[137]. Bref, les additions aux paroles de Jésus n'ont certes pas manqué[138].

Ce qui à notre avis frappe le plus l'attention à la lecture de *Mc.*, IX, 12 et ce qui de plus jette peut-être un éclairage nouveau sur la genèse des logia du Seigneur annonçant la passion, c'est que ces paroles paraissent dériver d'une part de discussions engagées avec les scribes ou les disciples touchant le sens de certains textes scripturaires et, de l'autre, de com- mentaires de ces mêmes passages par manière de *pèšèr*, analogues à ceux auxquels les testes de Qumrân nous ont familiarisés. Les discussions touchant les implications du titre « fils de David » offrent d'ailleurs un parallèle frappant[139]. Ces controverses et ces relectures bibliques furent pour le Seigneur l'occasion d'affirmer sur la base de certains textes

---

Dans *Les évangiles synoptiques. Traduction nouvelle avec introduction et notes* (Paris, 1947), E. Osty suggère de lire : « 12 Élie en effet doit venir d'abord et remettre tout en ordre. Mais alors pourquoi est-il écrit du Fils de l'homme qu'il aura à endurer beaucoup de souffrances et de mépris? 13 Eh bien! je vous le dis, Élie est venu, et ils lui ont fait tout ce qui leur semblait bon, ainsi qu'il est écrit de lui. » Cette version, loin de supprimer l'aporie, la souligne. — Voir aussi J. M. NÜTZEL, cité *supra*, p. 124, note 75.

134. La remarque est de M. Goguel. Elle est rapportée par R. BULTMANN, *Geschichte*, p. 132, note 1.

135. Cfr la première annonce de la passion : *Mc.*, VIII, 31 par. *Mt.*, XVI, 21; *Lc.*, IX, 22; — la deuxième : *Mc.*, IX, 31; par. *Mt.*, XVII, 22-23; diff. *Lc.*, IX, 44; — la troisième *Mc.*, X, 33-34; par. *Mt.*, XX, 18-19; *Lc.*, XXII, 31-33. — Cfr B. WILLAERT, *De drie grote synoptische Lijdensvoorzeggingen* (Diss. Theol.), Louvain, 1954.

136. H. PERNOT, *Recherches*, pp. 207, 211.

137. *Ibid.*, p. 211.

138. *Ibid.*, pp. 207, 211.

139. Cfr *Mt.*, XXII, 42-46. — Cfr *Mc.*, XII, 35-37; *Lc.*, XX, 41-44.

vétéro-testamentaires, — songeons en l'occurence à *Dan*., VII, 21,25 [140],
— que la mission du Fils de l'homme devait comporter non seulement
une glorification finale et un retour glorieux comme juge universel
mais également une carrière de contestation, de persécution, de
souffrances [141].

Au début, le Seigneur énonça sans doute la perspective de la passion
du Fils de l'homme sans référence directe et claire à sa propre
personne, conformément à l'ambiguïté déjà constatée et relevée à propos
de l'identification du personnage. Mais au fur et à mesure qu'au
niveau de la conscience humaine, Jésus réalisa cette identification et
qu'il n'hésita plus à l'insinuer distinctement, il n'est pas exclu qu'il
ait fini par annoncer sa propre passion en termes de Fils de
l'homme. On peut être tenté de l'admettre pour des déclarations faites
vers la fin de sa vie, à la dernière cène (*Mc*., XIV, 21 par. *Mt*., XXVI,
24; *Lc*., XXII, 22) et au jardin de Gethsémani (*Mc*., XIV, 41 par.
Mt., XXVI, 45). On peut même soupçonner qu'il le fit déjà lors de sa
dernière montée vers Jérusalem, lorsqu'il eut acquis la conviction
ferme que le drame final n'allait plus tarder.

Que dans les annonces de la passion Jésus ait toujours fait allusion
également à la résurrection, *Lc*., IX, 44 nous autorise à en douter.
D'ailleurs, les passages qui prédisent à la fois la passion et la résurrection
ne sont pas si nombreux [142]. Que toutefois le Christ ait pu faire
allusion à un retour à la vie, ne doit pas être exclu, puisque la carrière
du Fils de l'homme ne pouvait aboutir à un échec et que les
traditions daniéliques et hénochiques proclamaient l'exaltation finale du
personnage.

Que penser dès lors des objections soulevées contre l'authenticité
des logia relatifs à la passion et la résurrection? Accordons que les
paroles touchant la passion sont présentes dans les évangiles synoptiques,
et notamment dans celui de Marc [143], mais ce fait ne leur est pas
défavorable. Leur absence dans la *Quelle*, à moins d'y inclure le
logion matthéen XII, 40, est plus grave, mais elle s'explique sans
doute par leur caractère nettement biographique, caractère qui ne
retint pas l'attention de ladite Source.

---

140. Cfr L. CERFAUX, *Jésus aux origines de la tradition*, p. 174.
141. Parmi les logia concernant la fin de Jésus, *Mc*., IX, 9 par. *Mt*., XVII, 9 n'en-
visage que la résurrection, — *Mc*., IX, 12 par. *Mt*., XVII, 12; — XIV, 21a par.
Mt. XXVI, 24; *Lc*., XXII, 22; *Mc*., XIV, 21b par. *Mt*., XXVI, 24; *Lc*., XXII, 22; —
Mc., XIV, 41 par. *Mt*., XXVI, 45 ne visent que la passion. En revanche, *Mc*.,
VIII, 31 par. *Mt*., XVI, 21; *Lc*., IX, 22 (première grande annonce), — *Mc*., IX, 31
par. *Mt*., XVII, 22-23, diff. *Lc*. (deuxième annonce), — et *Mc*., X, 33-34 par. *Mt*.,
XX, 18-19; *Lc*., XVIII, 32-33 (troisième annonce, la plus détaillée), concernant à la
fois la passion et la résurrection.
142. Cfr la note précédente.
143. Cfr A. SALAS, *Discurso escatologico prelucano. Estudio de Lc., XXI, 20-36*, El
Escorial, 1967, p. 174.

Que lesdits logia n'aient aucune relation avec ceux des deux autres groupes, n'est pas absolument exact. Un certain rapport s'établit en *Lc.*, XVII, 25 et XXIV, 26, mais sans doute s'agit-il là de passages rédactionnels. Il reste qu'il faudrait prouver au préalable que la relation en question s'imposait. Et puis, que dans les traditions sur le Fils de l'homme antérieures aux évangiles, la souffrance n'apparaisse jamais, est pour le moins sujet à caution[144]. Reconnaissons certes que l'accent sur la passion fut dû surtout au rapprochement entre le Fils de l'homme et le Serviteur de Yahvé[145]. Enfin, dès que l'on consent à reduire les annonces de la passion à l'énoncé qui paraît être le plus primitif[146], il n'y a pas lieu de parler de *vaticinia ex eventu* ou de formules du kérygme apostolique. Il reste que la relecture catéchétique et kérygmatique des logia évangéliques n'hésita pas à rendre les annonces plus détaillées. Comment exclure qu'en essayant de se rappeler les paroles du Seigneur[147], ses disciples aient plus d'une fois inconsciemment augmenté les précisions de leur contenu?

V. L'ACTIVITÉ TERRESTRE DE JÉSUS

Du troisième groupe de logia relatifs au Fils de l'homme, ceux concernant l'activité terrestre, Marc[148] possède seulement deux passages que nous rencontrons au début de son évangile, dans la section des miracles et des controverses, à savoir *Mc.*, II, 10 par. *Mt.*, IX, 6; *Lc.*, V, 24 et *Mc.*, II, 28 par. *Mt.*, XII, 8; *Lc.*, VI, 5. Selon pas mal d'auteurs, nous serions dans les deux cas en présence de mentions qui n'ont d'autre appui qu'une mauvaise version d'un original araméen.

Parmi les exégètes qui prônent la suppression du titre par un recours à une locution araméenne mal traduite se signale J. Jeremias[149]. Pour

---

144. Cfr L. CERFAUX, *Jésus aux origines de la tradition*, p. 174.

145. Alors qu'E. SJÖBERG affirme que Jésus fut le premier à rapprocher les figures du Serviteur de Yahvé et du Fils de l'homme, E. STAUFFER estime que déjà l'*Hénoch éthiopien* opéra ce rapprochement : cfr le renvoi à ces auteurs dans K. WEISS, *Ekklesiologie, Tradition und Geschichte in der Jüngerunterweisung Mark 8,27-10,52*, dans H. RISTOW-K. MATTHIAE, *Der historische Jesus* (*op. cit., supra*, note 65), p. 431.

146. Cfr *supra*, notes 124, 125, 126, 127.

147. Cfr *Lc.*, XXIV, 6 : «Et elles se rappelèrent ses paroles.»

148. A. SALAS (*op. cit.*, p. 173) propose de les appeler «historiques» par opposition à ceux dénommés par lui «thanatologiques» et «eschatologiques». C'est là, faut-il le souligner, une terminologie peu exacte qui au surplus prête à l'équivoque. D'après R. H. FULLER (*op. cit.*, p. 137), Kirsopp Lake aurait été le premier à distinguer clairement les trois groupes.

149. J. JEREMIAS, *op. cit.*, pp. 249-250. Voir désormais sur *Mc.*, II, 10 l'ouvrage de Ingrid MAISCH, *Die Heilung des Gelähmten*, dans *Stuttgarter Bibelstudien*, n° 52, Stuttgart, 1972. L'auteur accepte comme probable l'addition de la péricope II, 6-10 et elle propose même de substituer 11b à 5b. Quant à l'interprétation du terme «Fils de l'homme», elle écarte successivement 1) l'hypothèse de J. Wellhausen proposant de comprendre «homme» avec renvoi à *Mc.*, IX, 8; cfr V. Taylor; 2) celle de E. Schweizer,

justifier sa position, il s'appuie, dans le cas de *Mc.*, II, 10, sur la présence du terme «hommes» au verset qui clôt la péricope dans le texte parallèle de Matthieu, IX, 8. Mais la mention d'ἄνθρωποι y a-t-elle vraiment la portée que Jeremias lui attribue? Tout d'abord le pluriel n'évoque pas précisément le υἱὸς τοῦ ἀνθρώπου. Puis, à ce que M.-É. Boismard, reprenant une remarque de R. Bultmann, observe[150], la pointe de *Mt.*, IX, 8, est différente. Il s'agit là d'une référence non plus à l'activité de Jésus mais à la pratique de la rémission des péchés, pratique déjà fermement établie dans la communauté chrétienne d'où dérive le premier évangile[151].

Divers autres indices ne recommandent pas la solution de Jeremias et nous invitent à comprendre le «Fils de l'homme» de *Mc.*, II, 10 par. *Mt.*, IX, 6; *Lc.*, V, 24 comme un titre christologique en rapport étroit avec la figure apocalyptique de *Dan.*, VII, 13-14[152]. M.-É. Boismard découvre en effet dans *Mc.*, II, 10 et ses parallèles quelques éléments qui peuvent dériver de la lecture méditative du livre de Daniel. Le ἵνα δὲ εἰδῆτε[153] et le thème de la rémission des péchés[154] renverraient respectivement à *Dan.*, IV, 17,31 et *Dan.*, IV, 27[155]. La mention de ἐπὶ τῆς γῆς en *Mt.*, IX, 6 par. *Lc.*, V, 24, absente il est vrai dans Marc, nous orienterait également vers l'*exousia* entrevue par le livre de Daniel et, à travers elle, vers un titre déjà christologique[156].

Ajoutons que l'instance sur le fait que seul Dieu peut remettre les péchés, — insistance omise par Matthieu sans doute en raison de *Mt.*,

---

C. Colpe, W. G. Kümmel suggérant le sens de «l'homme» comme périphrase pour indiquer la personnalité toute spéciale de Jésus; 3) celle de R. Bultmann y découvrant un substitut pour le pronom de la première personne; 4) celle de T. W. Manson recourant à l'hypothèse de la *corporate personality*. Elle-même se rallie à l'opinion de R. H. Fuller, G. Friedrich, E. Percy, H. E. Tödt, Ph. Vielhauer, qui tous, certes avec des nuances, interprètent la présence du Fils de l'homme dans le logion comme remontant à une communauté chrétienne primitive ou à l'œuvre de Marc. Cfr *op. cit.*, pp. 90-104.

Voir aussi Karl KERTELGE, *Die Vollmacht des Menschensohnes zur Sündenvergebung*, dans *Orientierung an Jesu. Festschrift Schmid*, Fribourg-en-Br., 1973, pp. 205-213.

150. *Synopse des quatre évangiles*, t. II: *Commentaire*, pp. 109B-110A. — Cfr R. BULTMANN, *Geschichte*, p. 13.

151. *Ibid.*, p. 109A.

152. S'opposant à J. WELLHAUSEN, R. BULTMANN conteste lui aussi qu'il faille comprendre et traduire «homme». Toutefois, renvoyant à Arn. MEYER et F. SCHULTHESS, il n'exclut pas que la locution fut prise dans le texte original comme périphrase de la première personne: *Geschichte*, pp. 13 et 13, note 3.

153. P. BENOIT-M.-É. BOISMARD, *Synopse*, p. 108 avec renvoi à *Dan.*, IV, 17,27 (Septante).

154. *Ibid.*, p. 108 avec renvoi à *Dan.*, IV, 27 (Septante).

155. *Ibid.*, p. 108B: «Il faut se référer encore et surtout à *Dan.*, IV, 14, 22, 29 Le texte araméen de ces trois passages est presque identique sauf un simple changement de personnes.» — Mais c'est surtout la Septante, dont la numérotation est différente: IV, 17,27,31, qui offre de l'intérêt. C'est elle qui fait allusion à la rémission des péchés (IV, 27) et insiste sur le pouvoir «sur la terre» (IV, 17,27).

156. Cfr *Dan.*, IV, 17,27 (Septante).

IX, 8, — invite également le lecteur à découvrir en Jésus un personnage qui transcende l'humanité.

Dans ces conditions, quelle pourrait être l'origine littéraire de *Mc.*, II, 10? Pas mal d'auteurs soulignent le manque d'homogénéité de *Mc.*, II, 1-12 par. *Mt.*, IX, 1-8; *Lc.*, V, 17-26[157]. Ils y distinguent d'abord le récit du miracle, narration de composition facile et sommaire (II, 1-5a, 11-12), puis la controverse concernant le pouvoir de Jésus de remettre les péchés[158]. Grâce à la présence de deux λέγει τῷ παραλυτικῷ (vv. 5 et 10) qui forment inclusion[159], le récit primitif: 1-5a + 11-12, se détache parfaitement. Or, ce n'est pas à l'intérieur du récit mais uniquement à la fin de la section rapportant la controverse que surgit la mention du Fils de l'homme[160], et cela au surplus dans une phrase dont la construction est inachevée[161].

Concluons que *Mc.*, II, 10 et les versets parallèles contiennent un titre de Jésus évoquant *Dan.*, VII, 13-14, mais qu'ils sont le fruit de la relecture rédactionnelle complétant une tradition plus primitive. Ajoutons que selon M.-É. Boismard, la rédaction actuelle de Marc, II, 1-10, offre d'autres traces de relectures rédactionnelles, telles l'addition du v. 7b, reprise par *Lc.*, V, 21b, appelée à expliquer la raison du blasphème, et celle de l'expression: «ils glorifiaient Dieu», typique du style lucanien[162].

157. Cfr par exemple R. BULTMANN, *Geschichte*, p. 12: «V. 5b-10 sind sekundäre Einfügung» et E. SCHWEIZER, *Das Evangelium nach Markus*, dans *Das Neue Testament Deutsch*, t. I, Goettingue, 1967, p. 32: «Man hat darum wohl mit Recht vermutet, das ursprünglich nur V. 1-5,11-12 erzählt wurden.»

158. P. BENOIT- M.-É. BOISMARD, *Synopse*, p. 107A: «... développement... qui apparaît comme un ajout, avec la suture rédactionnelle marquée par la reprise de l'expression *il dit au paralytique*».

159. Le σοὶ λέγω (*Mc.*, II, 11), est un indice complémentaire. Il se rattachait peut-être primitivement à la phrase-anacoluthe du v. 10.

160. P. BENOIT-M.-É. BOISMARD, *Synopse*, p. 109A: «Ce logion sur le pouvoir donné au Fils de l'homme de remettre les péchés a dû être élaboré dans la tradition matthéenne.» Voir sur ce pouvoir *Mt.*, XVI, 19; XVIII, 18; XXVI, 28 et, en dehors de Matthieu, *Lc.*, VII, 47; *Jn.*, XX, 22-23.

161. Nous sommes en présence, semble-t-il, d'une anacoluthe. Pour d'autres façons d'expliquer la façon abrupte de terminer la phrase voir V. TAYLOR, *The Gospel according to St. Mark. The Greek Text with Introduction, Notes and Indexes*, Londres, 1952, p. 197, note sur le verset 10. — M. D. HOOKER, *The Son of Man in Mark*, Londres, 1967, pp. 84-85.

Dans *Études sur la langue des Évangiles* (Paris, 1927, pp. 99-101), H. PERNOT suggère une solution originale en estimant que ἵνα introduit un futur rapproché. Il traduit: «Or, vous allez vous rendre compte que le Fils de l'homme a l'autorisation (sic!) de pardonner les fautes sur terre.» Il hésite lui-même touchant la valeur de cette suggestion, *ibid.*, p. 101: «Peut-être ai-je un peu forcé le sens en traduisant ἵνα par un futur rapproché. Il est possible qu'on soit en présence d'un subjonctif-impératif. La nuance est si peu différente qu'elle ne mérite pas qu'on s'y arrête.».

162. *Synopse*, pp. 110A et B. — I. MAISCH (*op. cit.*, pp. 97-101) se range, elle aussi, fermement à l'interprétation qui voit un titre christologique dans la mention

Pour le second logion marcien relatif à l'activité terrestre du Fils de l'homme, J. Jeremias suggère également une version inexacte de l'araméen *bar 'enaša*[163]. En l'occurrence, il n'a pas tort au premier abord d'en appeler à *Mc.*, II, 27 : « Le sabbat est venu à exister pour l'homme mais non l'homme pour le sabbat. » M.-É. Boismard découvre en cette phrase un libéralisme antilégaliste qui serait celui de milieux chrétiens issus du paganisme[164]. Quelle que soit la valeur de cette remarque, le principe émis en *Mc.*, II, 27 suffit à justifier l'action des disciples de Jésus. Dès lors le verset 28, énonçant le pouvoir du Fils d'homme sur le sabbat, apparaît superflu. Il se présente comme un ajout, fruit d'une relecture christologique[165]. En toute hypothèse, la valeur de la locution y est, tout comme en *Mc.*, II, 10, celle d'un titre christologique, impliquant le caractère transcendant de Jésus. D'ailleurs on se représente difficilement la tradition chrétienne primitive proclamant l'homme «seigneur», κύριος, d'une institution divine tel le sabbat. Puis la référence à David, auquel les trois évangélistes renvoient pour justifier l'intervention de Jésus, et surtout l'addition de Matthieu (XII, 6) : « Or, je vous le dis, il y a ici plus grand que le Temple », préparent le lecteur à comprendre la locution « Fils de l'homme » au sens fort, aux sens daniélique et hénochique[166].

Bref, les deux logia marciens de la triple tradition relatifs à l'activité terrestre du Fils de l'homme se servent de l'expression comme d'un titre christologique, mais, dans les deux cas, nous sommes en présence

du Fils de l'homme. S'appuyant sur les vues de H. E. TÖDT, elle explique par l'*exousia* de Jésus l'appel à la figure du Fils de l'homme comme «modèle d'interprétation».

163. J. JEREMIAS, *op. cit.*, p. 249.

164. *Synopse*, p. 117B.

165. P. BENOIT-M.-É. BOISMARD (*Synopse*, p. 116B) estiment eux aussi que du fait de se mettre en parallèle avec David, Jésus insinue sa qualité de personnage messianique.

166. R. BULTMANN (*Geschichte*, p. 15) ne tranche pas la question de savoir si *Mc.*, II, 28 est une addition. — M.-É. BOISMARD (*Synopse*, p. 116A) formule sur Mt. le jugement suivant : «Le logion sur le Fils de l'homme au v. 8, est sûrement de même origine que celui de *Mt.*, 9,6 et serait donc de Mt-intermédiaire; il aurait été reprise ensuite par le proto-Luc d'une part, l'ultime Rédacteur marcien d'autre part (Mc., 2,28).» La synopse de Benoit-Boismard donne de Marc la généalogie suivante :

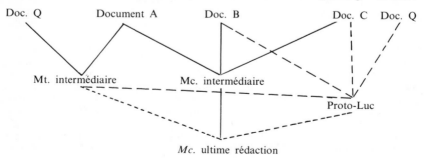

Mc. ultime rédaction

d'additions à la tradition évangélique primitive, additions faites à un moment où l'expression et la figure du Fils de l'homme daniélique étaient acceptées et utilisées par la communauté primitive, sans doute palestinienne, pour interpréter sa foi en la transcendance de la personne de Jésus[167].

VI. LOGIA SUSCEPTIBLES D'ÊTRE HISTORIQUES

Nous sommes désormais en mesure de résumer le témoignage du deuxième évangile tel qu'il nous a paru se dégager d'une lecture critique. Marc se sert avec prédilection de la locution «Fils de l'homme». Ce faisant, il s'inspire sans doute de la faveur dont ce titre jouissait dans certaines communautés chrétiennes primitives, probablement palestiniennes. Bien que l'usage de l'expression soit chez lui d'origine largement rédactionnelle, quatre logia paraissent nous conduire au-delà de son travail rédactionnel à une tradition plus ancienne, susceptible de nous faire accéder à l'essentiel des *ipsissima verba Christi*, à savoir *Mc.*, VIII, 38; IX, 12; XIII, 26; XIV, 62. La deuxième de ces paroles concerne la vocation de Jésus à assumer une carrière de souffrances; les trois autres visent son destin eschatologique. Il convient d'y distinguer entre un rôle de consulteur, défenseur, paraclet, présent au jugement (*Mc.*, VIII, 38; cfr *Lc.*, IX, 26; XII, 8-9) et celui de juge eschatologique (*Mc.*, XIII, 26; XIV, 62; cfr *Lc.*, XVII, 30)[168].

A retenir les quatre logia, il ressort que Jésus partagea la conviction de ceux qui interprétaient le Fils de l'homme daniélique comme une figure eschatologique susceptible d'être pour le moins rapprochée de celle du Messie[169]. L'association du Fils de l'homme à l'attente messianique permit au Seigneur de donner à celle-ci une portée transcendante, céleste, spirituelle, et de substituer aux espérances terrestres et nationalistes de ses contemporains juifs, l'espoir en la venue du règne de Dieu. Elle lui permit aussi, par le biais de *Dan.*, VII, 21, 25, d'y

---

167. Les conclusions de August STROBEL, *Kerygma und Apokalyptik. Ein religionsgeschichtlicher und theologischer Beitrag zur Christologie*, Goettingue, 1967, pp. 58-63: «Der auf Erden wirkende Menschensohn der Evangelien», manquent de clarté. Discutant les vues de E. SCHWEIZER, *Der Menschensohn*, parues dans *ZNW*, 1959, t. L, pp. 188ss., et soutenant que les logia sur le Fils de l'homme relatifs à l'activité terrestre de Jésus ne sont à rejeter sans plus comme non historiques, il paraît enclin à lui donner raison du moins en partie.

G. MINETTE DE TILLESSE (*op. cit.*, p. 368) est d'accord avec nous pour voir dans *Mc.*, II, 10 et 28 une relecture chrétienne. Les raccords rédactionnels (*ibid.*, pp. 116-120, 137-139) le manifestent.

168. Voir B. RIGAUX, *La petite apocalypse de Luc*, p. 437. — Rigaux admet qu'en *Mc.*, VIII, 38 par. *Lc.*, IX, 26 et *Lc.*, XII, 8-9 par. *Mt.*, X, 32-33, le Fils de l'homme n'est que consulteur ou défenseur au jugement dernier et non pas, comme en *Lc.*, XVII, 30, le juge.

169. Cfr *supra*, notes 33 et 38.

inclure la croyance que le Sauveur des derniers temps aurait à assumer, tout comme son peuple, une part de souffrances. De cette façon, elle l'engagea à en rapprocher une troisième figure eschatologique de l'Ancien Testament, celle du Serviteur souffrant[170]. Grâce à ces rapprochements successifs, le Seigneur put faire accepter à ses disciples, certes de façon encore imparfaite[171], une vision nouvelle de l'attente sotériologique. Il put leur intimer aussi progressivement l'idée que la souffrance, éventuellement le martyre, voire la passion de la croix[172], pourraient et peut-être même devraient devenir leur propre destin.

Nous n'entendons pas ici étudier les logia sur le Fils de l'homme que nous rencontrons, en dehors de la triple ou de la double tradition, en *Mc.-Mt.* et *Mc.-Lc.* ou dans le *Sondergut* matthéen ou lucanien. Observons toutefois qu'aujourd'hui divers auteurs y trouvent également certaines paroles authentiques du Seigneur, susceptibles d'augmenter le dossier marcien. J. Jeremias par exemple est enclin à retenir, en dehors de *Mc.*, XIII, 26 par. et *Mc.*, XIV, 62 par., deux logia matthéens : *Mt.*, X, 23 ; XXV, 31[173], quatre logia lucaniens : *Lc.*, XVII, 22, 30 ; XVIII, 8 ; XXI, 36[174] et deux logia de la *Quelle* : *Mt.*, XXIV, 27 par. *Lc.*, XVII, 24 et *Mt.*, XXIV, 37 par. *Lc.*, XVII, 26[175]. C. Colpe paraît tout aussi généreux. Des passages retenus par J. Jeremias[176], il laisse tomber

170. Cfr J. COPPENS, *La mission du Serviteur de Yahvé et son statut eschatologique*, dans *Eph. Theol. Lov.*, 1972, t. XLVIII, pp. 342-371.

171. Cfr *Lc.*, XXIV, 25.

172. M.-J. LAGRANGE (*Évangile selon saint Marc*, pp. 211ss.) appelle l'attention sur les nombreuses crucifixions auxquelles les Romains procédèrent. Varus fit crucifier 2.000 juifs (Flavius JOSÈPHE, *Ant.*, XVII, x, 4-10); Quadratus imposa ce supplice aux révoltés faits prisonniers par Cumanus (*Bell.*, II, xii, 6). Gessius Florus exécuta le supplice sur plusieurs personnes le même jour (*Bell.*, II, xiv, 9). Et Josèphe ajoute qu'il arriva qu'en temps de guerre les crucifixions furent si nombreuses que le bois pouvait manquer (*Bell.*, II, xiv, 9).

173. *Mt.*, X, 23b : « En vérité, je vous le dis, vous n'achèverez pas le tour des villes d'Israël avant que le Fils de l'homme ne vienne » ; XXV, 31 : « Quand le Fils de l'homme viendra dans sa gloire, escorté de tous les anges, alors il prendra place sur son trône de gloire. »

174. *Lc.*, XVII, 22 : « Un temps viendra où vous désirerez voir un seul des jours du Fils de l'homme et où vous ne le verrez pas » ; XVII, 30 : « De même en sera-t-il le Jour où le Fils de l'homme doit se révéler » ; XVIII, 8 : « Mais le Fils de l'homme quand il viendra, trouvera-t-il la foi sur la terre ? » ; XXI, 36 : « Veillez donc et priez en tout temps, afin d'avoir la force d'échapper à tout ce qui doit arriver, et de paraître avec assurance devant le Fils de l'homme. »

175. *Mt.*, XXIV, 27 par. *Lc.*, XVII, 24 : « Comme l'éclair part du levant et brille jusqu'au couchant, ainsi en sera-t-il à l'avènement du Fils de l'homme » ; *Mt.*, XXIV, 37 par. *Lc.*, XVII, 26 : « Comme les jours de Noë, ainsi sera l'avènement du Fils de l'homme. » Cfr *supra*, p. 128, note 97.

176. *Op. cit.*, p. 251 : *Mc.*, XIII, 26 par. ; XIV, 62 par. ; *Mt.*, X, 23 ; XXIV, 27,37b, 39b ; XXV, 31 ; *Lc.*, XVII, 22,24,26,30 ; XVIII, 18.

Voici un tableau des logia retenus comme susceptibles de pouvoir remonter au Christ :

seulement *Lc.*, XVII, 22; *Mt.*, XXIV, 37b, 39b, mais il ajoute *Mt.*, XXIV, 30a.

Il nous reste à faire deux observations. Dans les textes marciens retenus comme les plus susceptibles d'être historiques, nous n'avons pas trouvé d'appui pour supporter une interprétation collective, communautaire, du Fils de l'homme, chère à quelques exégètes anglais[177]. En revanche, ces textes suffisent à contester une remarque faite bien souvent, à savoir qu'il n'y aurait aucun lien entre l'attente du Royaume et celle du Fils de l'homme. Les affinités manifestes entre les textes eschatologiques du Fils de l'homme et le chapitre VII du livre de Daniel où le Règne de Dieu et la promotion du Fils de l'homme sont étroitement unis, suffisent à établir le contraire[178].

*
* *

JEREMIAS	TÖDT	FULLER	COLPE	COPPENS
	Mc., VIII, 38 (*Lc.*, XII, 8)	*Mc.*, VIII, 38 (*Lc.*, XII, 8)		*Mc.*, VIII, 38 (*Lc.*, XII, 8)
				Mc., IX, 12 (*Mt.*, XVII, 12)
Mc., XIII, 26 par.			*Mc.*, XIII, 26 par.	*Mc.*, XIII, 26 par.
Mc., XIV, 62 par.				*Mc.*, XIV, 62 par.
Mt., X, 23 (Sonder-gut = SG)			*Mt.*, X, 23	Les textes de *Mt.* et de *Lc.* ne sont pas étudiés dans le présent article.
		Mt., XIX, 28		
Mt., XXIV,27 XXIV, 37b XXIV, 39b	*Mt.*, XXIV,27 XXIV,37	*Mt.*, XXIV,27 XXIV,37	*Mt.*, XXIV, 30a	
	Mt., XXIV,44	*Mt.*, XXIV,44		
XXV, 31 (SG)			*Mt.*, XXV, 31	
	Lc., XI, 30	*Lc.*, XI, 30		
Lc., XVII, 22 XVII, 26 XVII, 30			*Lc.*, XVII, 24 XVII, 26 XVII, 30	
	Lc., XVII, 30	*Lc.*, XVII, 30	XVIII, 8 XXI, 36	
Lc., XVIII, 8 XXI,36				

---

177. Lire par exemple V. TAYLOR, *The Names of Jesus*, Londres, 1953, p. 31.
178. Lire aussi les réflexions de G. MINETTE DE TILLESSE, *op. cit.*, pp. 392-394

Bien qu'il ne soit plus à la mode d'entreprendre d'écrire une vie de Jésus ni même d'essayer d'y établir quelques points de repère et d'en cerner les principales étapes successives, Vincent Taylor esquissa ce qu'il estima pouvoir être la suite chronologique des logia relatifs au Fils de l'homme[179]. A l'en croire, il conviendrait de situer au début de la vie publique du Sauveur aussi bien des paroles portant sur l'activité terrestre du Fils de l'homme[180] que divers énoncés concernant son rôle eschatologique[181]. Si les dits de la dernière catégorie, tels *Mt.*, X, 23 et *Mc.*, XIV, 62 et par., appartiennent manifestement à l'ultime phase de la carrière de Jésus, d'autres pourraient se situer aussi bien, voire mieux, aux débuts de son ministère[182].

et de L. AUDET, *L'influence de l'apocalyptique sur la pensée de Jésus et de l'Église primitive*, dans *Science et Esprit*, 1973, t. XXV, pp. 51-74, surtout pp. 59-60.

On est surpris de constater combien certains auteurs hésitent à conférer à Jésus la faculté d'interpréter d'une manière personnelle et originale les Écritures et d'aboutir ainsi à une vision nouvelle du Fils d'homme, alors qu'ils l'attribuent généreusement à des «subsequent seers and scribes» anonymes, aux «scribes of the midrashic traditions» (cfr N. PERRIN, cité par Wm. O. WALKER, *The Origin of the Son of Man Concept as applied to Jesus*, dans *Journ. Bibl. Lit.*, 1972, t. XCI, p. 485).

Dans *Das Evangelium des Matthäus*, 2e éd., p. 356 (Leipzig, 1905), Th. ZAHN revendiqua jadis à bon droit pour Jésus le droit à une exégèse personnelle et éventuellement largement neuve des Écritures : «Endlich ist die Forderung abzuweisen, dass man in der jüdischen Literatur eine vollkommene Analogie zu dieser Redeweise Jesu müsse nachweisen können, ehe man als geschichtliche Tatsache behaupten dürfe, dass Jesus so von sich geredet habe. Jedem genialen Menschen gönnt man seine eigene Sprache und verzeiht ihm selbst kühne Neubildungen. »

Et voici une autre considération versée au débat par un collègue au cours des discussions qui s'engagèrent autour de notre communication : «On n'hésite pas à attribuer aux communautés chrétiennes primitives d'avoir fait appel à divers titres empruntés à l'Ancien Testament pour interpréter la personne de Jésus à partir de certains logia ou actes du Seigneur qu'elles se remémoraient. Pourquoi Jésus lui-même n'aurait-il pas pu procéder de même pour comprendre son autorité, sa puissance, sa personne? Pourquoi lui aussi n'aurait-il pas pu faire appel à des termes, à des modèles et à des figures lui offerts par des Écritures qu'il acceptait et interprétait comme la Parole de Dieu? »

179. *The Names of Jesus*, Londres, 1953, p. 33.

180. *Mc.*, II, 10 par. *Mt.*, IX, 6; *Lc.*, V, 24; — *Lc.*, VII, 34 par. *Mt.*, XI, 18; — *Lc.*, IX, 58 par. *Mt.*, VIII, 20; — *Lc.*, XI, 30 par. *Mt.*, XII, 40.

181. *Ibid.*, p. 33. — A l'exception de *Mt.*, X, 23 et *Mc.*, XIV, 62 par., aucun logion parousiaque ne requiert d'être situé dans les dernières étapes de la vie de Jésus.

182. R. BULTMANN (*Geschichte*, p. 291) se déclara absolument allergique, voire opposé à ces tentatives de cerner des étapes historiques : «zunächst muss doch getragt werden : nicht, was ist geschichtlich denkbar? sondern : was ist als christliche Gemeindetradition verständlich.» A ce qu'il nous semble, l'énoncé de ce critère implique une contradiction. Rechercher ce qui est «intelligible comme expression de la tradition chrétienne primitive», c'est encore et toujours se demander ce qui est intelligible historiquement.

Il vaudrait la peine de dégager systématiquement les critères d'historicité énoncés par Bultmann dans sa *Geschichte* et de les évaluer à la lumière des règles classiques de la critique historique.

L'analyse des textes marciens nous invite toutefois à ne pas suivre Taylor quand il accepte comme littéralement historiques une série de logia relatifs à l'activité terrestre du Fils de l'homme et surtout quand il les reporte au commencement de la prédication du Sauveur. Au reste, les passages que l'exégète anglais suggère d'ajouter à *Mc.*, II, 10 pour appuyer sa manière de voir, sont d'une interprétation difficile et le commentaire qu'il en offre est contestable[183].

En revanche, nous sommes prêt à le suivre quand il estime que certains logia concernant le Fils de l'homme eschatologique peuvent remonter assez haut dans le ministère public de Jésus. C'est à notre avis le cas de *Mc.*, VIII, 38 par. *Lc.*, IX, 26; cfr *Mt.*, X, 33; *Lc.*, XII, 9. Ce qui confirme le cadre chronologique dudit logion, c'est que Jésus paraît y évoquer le Fils de l'homme non pas encore formellement comme juge eschatologique, — fonction lui attribuée plus tard en *Mc.*, XIII, 26 par. *Mt.*, XXIV, 30; *Lc.*, XXI, 27, et en *Mc.*, XIV, 62 par. *Mt.*, XXVI, 64; *Lc.*, XXII, 69, — mais comme témoin à charge ou à décharge, comme consulteur, paraclet, avocat de ses disciples fidèles, au jour du grand jugement.

Une fois la figure du Fils de l'homme introduite dans les discours de Jésus à ses disciples, elle ne pouvait et ne devait plus en disparaître. Au contraire, elle dut prendre un relief plus accusé et recevoir une précision de plus en plus grande. C'est ainsi qu'au cours d'entretiens avec ses disciples (*Mc.*, IX, 9-13 par. *Mt.*, XVII, 9-13) sur la venue d'Élie et les raisons de l'apparent échec de l'*Elias redivivus*, le Seigneur fut amené à expliquer cette faillite comme une situation providentiellement requise pour que les prédictions vétérotestamentaires touchant les souffrances du Fils de l'homme pussent se réaliser. A partir de ce moment, que Marc et Matthieu situent au lendemain de la transfiguration, le thème de la passion du Fils de l'homme prit définitivement corps et place dans les entretiens du Sauveur. Certes nous ne sommes plus à même de définir avec précision dans quelles annonces de la passion la mention du Fils d'homme est à retenir comme strictement historique. Dans le premier des trois principaux logia du groupe, Matthieu, on se le rappellera, n'introduit pas la locution (*Mt.*, XVI, 21 diff. *Mc.*, VIII, 31; *Lc.*, IX, 22)[184]. Rien toutefois ne dut empêcher le Christ de le faire une fois qu'il eut affirmé, conformément aux Écritures[185], la connexion entre le Fils de l'homme et la souffrance, puis et surtout une fois qu'il eut la

---

183. Selon C. COLPE (*art. cit.*, pp. 433-434) dans trois des logia allégués par Taylor (cfr *supra*, note 80), à savoir dans *Mc.*, II, 10; *Lc.*, VII, 34, par. *Mt.*, XI, 19; *Lc.*, IX, 58, par. *Mt.*, VIII, 20, le texte primitif parlait de «l'homme» et non du «Fils de l'homme».

184. Notons d'ailleurs que la première annonce de la passion n'est pas rapportée en style direct.

185. *Mc.*, IX, 12b; *Mc.*, XIV, 21, par. *Mt.*, XXVI, 24 diff. *Lc.*, XXII, 22 (κατὰ τὸ ὡρισμένον).

conscience humaine nette de devoir assumer lui-même le rôle et les souffrances du Serviteur de Yahvé[186]. Dès lors, il y a lieu de se demander s'il ne convient pas de retenir comme historiques, ainsi que nous l'avons suggéré, les logia mis dans la bouche du Seigneur à la dernière cène (*Mc.*, XIV, 21 par. *Mt.*, XXVI, 24; *Lc.*, XXII, 22) et au jardin de Gethsémani (*Mc.*, XIV, 41 par. *Mt.*, XXVI, 45) la veille de sa mort?

Enfin, au cours des dernières semaines de sa vie, au cours de son ministère à Jérusalem (*Mc.*, XIII, 26 par. *Mt.*, XXIV, 30; *Lc.*, XXI, 27) et dans sa réponse au grand prêtre (*Mc.*, XIV, 62 par. *Mt.*, XXVI, 64; *Lc.*, XXII, 69), Jésus précisa le rôle eschatologique du Fils de l'homme désormais nettement entrevu comme juge suprême et universel des derniers temps[187].

Dans les logia les plus susceptibles d'être retenus comme historiques, même ceux du groupe eschatologique, le Christ, rappelons-le, se garda de s'identifier formellement avec le Fils de l'homme. Il paraît lui avoir suffi de l'insinuer, — il est vrai de plus en plus clairement, — notamment par le biais de la relation spéciale de filiation avec le Père qu'il énonça de lui-même[188] et en même temps du Fils de l'homme[189]. Quoiqu'en pense R. Bultmann, la réserve du Sauveur s'explique, — ainsi que nous l'avons noté, — du fait que Jésus eut conscience de ne pas réaliser entièrement au cours de sa vie terrestre la fonction du Fils de l'homme. La phase finale, la plus glorieuse, ne pouvait et ne devait s'accomplir qu'au-delà de la mort, au lendemain d'une glorieuse exaltation[190].

Les communautés chrétiennes primitives qui s'organisèrent et subsistèrent dans des milieux familiarisés avec les traditions apocalyptiques de la Bible et du Judaïsme et par conséquent avec la locution araméenne

186. Voir J. JEREMIAS, *op. cit.*, p. 272.

187. Notons que d'aucuns ont nié la présence d'une allusion au jugement dans l'apocalypse marcienne, R. PESCH s'y oppose à juste titre : *op. cit.*, pp. 166-169.

Quant à *Mc.*, XIV, 62, aussi bien B. RIGAUX : *La seconde venue de Jésus*, dans *La venue du Messie* (*Recherches bibliques*, VI), Bruges, 1962, pp. 208-210 qu'A. VÖGTLE : *Menschensohn*, dans *Lex. Theol. Kirche*, 1962, t. VII, p. 300, en admettent l'historicité.

188. Cfr le titre ὁ υἱός : *Mc.*, XIII, 32; *Mt.*, XXIV, 36; *Mt.*, XI, 27; *Lc.*, X, 22. — Voir B. VAN IERSEL, *Der Sohn in den synoptischen Jesusworten*, Leyde, 1961. — Voir aussi *supra*, note 9.

189. Cfr *Mt.*, XVI, 27 par. *Mc.*, VIII, 38.

190. D. FLUSSER : *Jesus in Selbstzeugnissen und Bilddokumenten dargestellt*, dans *Rowohlts Monographien* (Berlin, 1968, pp. 96-102) n'hésite pas à attribuer à Jésus l'évocation de la figure du Fils de l'homme et il reconnaît même que Jésus finit par s'identifier avec lui : «Konnte sich Jesus so verstanden haben? Vergessen wir nicht, dass er gefühlt hat, er sei der Erwählte Gottes, sein Knecht, der einzige Sohn, vor dem die Geheimnisse seines himmlischen Vaters offen liegen. Gerade dieses Hoheitsgefühl konnte bei ihm dazu führen, dass er sich offenbar am Ende gerade mit dem Menschensohn gleichzusetzen getraute, — und der Menschensohn wurde im Judentum manchmal als der Messias verstanden.»

bar ʾᵉnašā, gardèrent le « modèle » du Fils de l'homme pour interpréter la transcendance de Jésus[191]. En revanche, les églises d'obédience
et de théologie hellénistiques renoncèrent à s'en servir. Elles lui
préfèrent d'autres concepts, plus intelligibles à leurs fidèles, pour
exprimer la dignité du Sauveur et sa relation filiale unique avec le
Père[192]. Mais il ne rentre pas dans le cadre de cet article d'aborder
et d'exposer cette étape nouvelle de la christologie apostolique et
subapostolique[193].

191. D. FLUSSER, *op. cit.*, p. 102 : « Der menschenähnliche, auf dem Throne der
Herrlichkeit Gottes sitzende, erhabene endzeitliche Richter ist die höchste Vorstellung vom Heiland, die je das antike Judentum entwickelt hat. »

192. Voir par exemple L. CERFAUX, *Le Christ dans la théologie de saint Paul*, dans
Lectio divina, t. VI, Paris 1951 et H. B. BUMPUS, *The Christology of Clement of
Rome and its Sources*, Cambridge (Mass.), 1972.

193. Rappelons que pour une bibliographie du Fils de l'homme nous nous permettons de renvoyer à J. COPPENS, *De Mensenzoon-logia in Markus. Avec un résumé,
des notes et une bibliographie en français*, dans *Meded. Kon. Acad. België*, *Klasse der
Letteren*, Bruxelles, Palais des Académies, 1973, pp. 29-50.

Pour le problème de l'absence des *Similitudes d'Hénoch* à Qumrân voir M. BLACK,
The Fragments of the Aramaic Enoch from Qumran, dans W. C. VAN UNNIK et al. ;
La Littérature juive entre Tenach et Mischnah, Leyde, 1974, pp. 15-28. Nous étudions
l'évolution du titre « Fils d'homme » dans l'article : *Le Fils d'homme dans le Judaïsme
de l'époque néotestamentaire*, ap. *Orientalia Lovaniensia Periodica*, 1975-1976, t. VI-VII,
pp. 59-73.

Dans une leçon faite à Louvain le 10 mai 1974, le Rév. Père J.-A. FITZMYER
observa sur la base des documents araméens parus jusqu'à présent et replacés dans
leur succession historique qu'à l'époque du Christ l'expression *bar ʾᵉnaša* peut signifier
« homme » ou « quelqu'un », mais n'est jamais employé comme substitut de la première
personne du singulier, ou comme apostrophe, ou comme titre.

Depuis la parution de cette étude, le titre « fils d'homme » tel qu'il apparaît en
Mc., XIV, 62, a été étudié par J. R. DONAHUE, *Are You the Christ? The Trial
Narrative in the Gospel of Mark*, Missoula, 1973. Pour l'impact du Fils d'homme sur
l'évangile de Matthieu, on peut désormais se référer à J. LANGE, *Das Erscheinen des
Auferstandenen im Evangelium nach Mathäus. Eine traditions- und redaktionsgeschichtliche
Untersuchung zu Mt 28, 16-20*, dans *Forschung zur Bibel*, t. XI, Wurzbourg, 1973.

Remarquons qu'au témoignage de TERTULLIEN, *De Cultu feminarum*, I, 3, 1, éd.
M. TURCAN, *Sources chrétiennes*, n° 173, Paris, 1971, p. 57, les Juifs se sont
montrés hostiles à la littérature hénochique. Cette attitude remonte peut-être déjà à
l'époque néotestamentaire, quand ils constatèrent l'usage que les textes attribués à
Jésus faisaient du titre « Fils de l'homme ». D'où peut-être aussi l'indifférence ou
l'hostilité des Qumrâniens aux *Similitudes d'Hénoch* qui ont pu leur paraître trop favorables
au Christianisme et, par conséquent, l'absence de traces d'*Hén.*, XXXVII-LXXI parmi
les fragments du *Livre d'Hénoch* recueillis à Qumrân.

CONCLUSION FINALE

Quand au niveau de sa science humaine, ouverte, voire soumise à la croissance, Jésus se rendit clairement compte du dessein tragique qui l'attendait, lui qui croyait aux Écritures, fut naturellement amené à y rechercher des textes susceptibles de l'expliquer et même éventuellement de le prédire. Il découvrit dans deux livres qui lui ont été particulièrement familiers, le Deutéro-Isaïe et Daniel, deux figures prestigieuses auxquelles ce rôle paraissait revenir. La première, celle du Serviteur souffrant : *Is.*, LII, 13 — LIII, 12, lui permit de comprendre le mystère de sa mort sacrificielle et d'en mesurer la portée, tout en ouvrant déjà une perspective sur une glorification posthume. La deuxième, celle du Fils d'homme : *Dan.*, VII, 13-14, lui fit entrevoir en quelque sorte une anticipation et une ébauche prophétiques de cette exaltation. Elle lui permit aussi, grâce à son cadre céleste, de libérer le messianisme royal de son caractère terrestre. Que ces deux figures aient surgi tout spécialement dans l'esprit de Jésus au moment où la tragédie de la passion allait s'accomplir, quoi de plus psychologiquement naturel. La première se profila derrière et dans le rite de l'eucharistie ; la deuxième fut évoquée par Jésus quand il opposa à ses juges et à la sentence qui le condamnait à mort la certitude d'une assomption et d'un retour glorieux, réalisant, au-delà de la lettre, la vision daniélique d'un Fils d'homme exalté auprès de Dieu.

POSTFACE

Avec ce volume nous publions le tome III de ce que nous avons appelé *La Relève apocalyptique du Messianisme royal*. Il nous reste à achever le tome II : *Le Fils d'homme vétéro- et intertestamentaire*, si la Providence nous en donne encore le temps et les forces. Beaucoup de matériaux sont rassemblés ; diverses parties sont même rédigées ; mais tout est à relire et à compléter. Surtout la section réservée au Fils d'homme hénochique n'est guère terminée.

En attendant une éventuelle publication, voici les conclusions principales auxquelles nous avons abouti en vue de ce deuxième volume.

Dans la première partie de l'ouvrage où nous étudions le Fils d'homme daniélique, nous estimons devoir diviser le chapitre VII de Daniel en trois sections : 1-14, 15-18, 19-28, exposant respectivement le songe-vision, une première et une deuxième interprétation de ce que Daniel a entrevu. Le Fils d'homme n'est pas un titre. Il ne vise pas un personnage concret. C'est un pur symbole, amené non pas par quelque antécédent biblique ou par un parallèle religionniste mais par l'opposition que l'hagiographe a établie avec le symbolisme animalier.

Dans la première explication, le Fils d'homme est le symbole des «Saints du Très-Haut» : expression rare et bizarre que nous continuons à comprendre des archontes célestes, d'autant plus que le nombre d'auteurs se ralliant à cette opinion ne diminue pas : voir par exemple K. MÜLLER, *Der Menschensohn im Danielzyklus*, ap. *Jesus und der Menschensohn. Festschrift A. Vögtle*, pp. 37-80, Fribourg-en-Br., 1975 et P. WEIMAR, *Daniel 7. Eine Textanalyse*, *ibid.*, pp. 11-36. En revanche, dans la relecture complémentaire et deuxième explication : 19-28, c'est le peuple des Saints du Très-Haut, c'est-à-dire Israël purifié et sanctifié par la persécution maccabéenne qui est manifestement visé.

Suit une deuxième partie consacrée entièrement au Fils d'homme tel qu'il réapparaît dans *Le Livre des Paraboles*. Cet écrit comprend les chapitres XXXVII-LXXI de l'*Hénoch éthiopien*. Il contient plusieurs passages qui s'avèrent sans contestation comme adventices. Il n'en va pas ainsi des chapitres LXX-LXXI. Aussi bien Caquot que M. Casey estiment qu'il sont parties intégrantes de l'écrit primitif : A. CAQUOT, *Remarques sur les chap. 70 et 71 du Livre éthiopien d'Hénoch*, ap. *Apocalypses et théologie de l'espérance* (*Lectio divina*, XCV), Paris,

1977, pp. 111-122 et M. CASEY, *Son of Man*, pp. 99-112. L'un et l'autre voient en effet dans Hénoch le Fils d'homme du *Livre des Paraboles*.

Nous regrettons ne pas pouvoir suivre les deux auteurs. En réalité, la rédaction actuelle du *Livre des Paraboles* identifie le Fils de l'homme avec son Elu. Il en acquiert dès lors le statut et le destin, ceux du Juge et du Sauveur eschatologiques de la fin des temps.

Les controverses sont nombreuses et vives touchant la nature et les origines du *Livre des Paraboles*. J. T. Milik a émis l'hypothèse d'un écrit chrétien composé au IIIe siècle de notre ère. Jusqu'à présent elle ne s'est guère imposée : voir J. COPPENS, *Le Fils d'homme dans le Judaïsme de l'époque néotestamentaire*, ap. *Or. Lov. Period.*, 1975-1976, t. VI-VII, pp. 59-73. Le moins compliqué est de supposer que les données sur le Fils de l'homme de Jésus et de la communauté chrétienne primitive d'une part et, de l'autre, celles du *Livre des Paraboles* sont des développements indépendants, au point que la suggestion de M. Jaz ne s'impose pas.

Rien de plus naturel que l'attribution de la troisième et dernière partie aux témoignages juifs distincts de l'écrit hénochique, en particulier aux traditions rabbiniques. Si l'on excepte un logion de sens douteux de Rabbi Aqiba et le témoignage du rabbin Tryphon, c'est le black out jusqu'à Rabbi Abuhu de l'époque des Amoraïm. Nous avons offert aux lecteurs des *Ephemerides Theologicae Lovanienses* les prémices de cette troisième et dernière partie : *Le Fils d'homme dans les traditions juives postbibliques hormis le Livre des Paraboles de l'Hénoch éthiopien*, ap. *ETL*, 1981, t. LVII, pp. 58-82.

Louvain, le 21 mai 1981.

APPENDICE

LE FILS DE L'HOMME DANS LA QUELLE

INTRODUCTION

Parmi les documents de la tradition évangélique auxquels les synoptiques, du moins Matthieu et Luc, auraient eu recours pour leur œuvres, un large consensus signale un recueil de paroles du Seigneur généralement désigné par le sigle Q, représentant le terme *Quelle*, devenu l'appellation dominante de ce document dans les travaux de langue allemande[1]. C'est par l'examen des logia du Fils de l'homme contenus dans la *Quelle* que nous abordons l'étude des synoptiques.

Voici au préalable brièvement présentées les vues actuellement les plus répandues sur cette source de la tradition évangélique.

Au cours de la dernière décennie les études sur la *Quelle* ont notablement augmenté[2]. Partant de l'existence de ladite source comme d'une donnée indiscutable, divers auteurs se préoccupent désormais d'en préciser davantage les contours, puis d'y distinguer les strates d'une formation progressive, enfin d'en dégager la théologie tant à ses étapes successives qu'au terme de sa croissance. Parmi les ouvrages récents qui ont marqué le plus l'investigation signalons ceux de A. Polag[3], P. Hoffmann[4], D. Lührmann[5] et S. Schulz[6].

Les conclusions auxquelles les auteurs cités aboutissent ne se recoupent pas toujours. Des divergences subsistent plus d'une fois notables[7]. On n'est pas d'accord par exemple sur les traditions les plus anciennes, celles à placer au point de départ du recueil, ni sur les rédactions successives. Les trois strates préconisées par A. Polag dont deux ne consisteraient que dans un travail rédactionnel, n'ont pas obtenu un large consensus. On ne s'accorde pas non plus sur les raisons invoqués par d'aucuns pour enrichir le contenu de la *Quelle* d'emprunts au *Sondergut* matthéen ou lucanien. Souvent on patauge également dans l'incertitude quand il s'agit d'opter entre les textes lucanien et matthéen ou de fixer l'acolouthie des logia[8]. On hésite enfin à tomber d'accord touchant les critères à mettre en œuvre pour distinguer dans le recueil les données les plus primitives.

1. Voir M. GOGUEL, *Introduction au Nouveau Testament*, t. I : *Les Évangiles synoptiques*, Paris, 1923, p. 164-169, 212-273. — A. WIKENHAUSER - J. SCHMID, *Einleitung in das Neue Testament*, 6e éd., Fribourg-en-Br., 1973, p. 272-289.

2. Voir M. DEVISCH, *La source dite des Logia et ses problèmes*, dans *Eph. Theol. Lov.*, 1975, t. LI, p. 82-89. — Sur le témoignage de Papias cfr R. GRYSON, *A propos du témoignage de Papias sur Matthieu*, dans *Eph. Theol. Lov.*, 1965, t. XLI, p. 530-547, article où l'auteur étudie le sens de λόγιον chez les Pères.

3. *Zu den Stufen der Christologie*, dans *Studia evangelica* IV (*TU*, t. CII), Berlin, 1968, p. 72-74. — *Die Christologie der Logienquelle* (Diss. Theol.), Trèves, 1968.

4. *Studien zur Theologie der Logienquelle* (Diss. Theol.), Munster-en-W., 1968. — *Jesusverkündigung in der Logienquelle*, dans *Jesus in den Evangelien* (*SBS*, t. XLV), Stuttgart, 1970, p. 50-70.

5. *Die Redaktion der Logienquelle* (*WMANT*, t. XXXIII), Neukirchen, 1969.

6. *Q die Spruchquelle der Evangelisten*, Zurich, 1972. — *Griechisch-deutsche Synopse der Q-Ueberlieferungen*, Zurich, 1972.

7. U. LUZ, *Die wiederentdeckte Logienquelle*, dans *Evang. Theologie*, 1973, t. XXXIII, p. 527-533.

8. Voir sur ces problèmes l'exposé déjà ancien mais toujours valable de M. GOGUEL, *op. cit.*, p. 226-237 et 237-250.

En voici quelques-uns mis en avant pour discerner des éléments plus récents, portant l'empreinte d'un christianisme déjà hellénistique : le recours au texte de la Septante, — l'absence de logia ayant une allure prophétique, subsistant indépendamment de leur contexte et dès lors introduites par des incipits tels μακάριος et λέγω ὑμῖν, — la présence d'apophtegmes d'une certaine ampleur, — celle de logia débutant par ἦλθον, c'est-à-dire de paroles se référant à l'envoi de Jésus pour une mission terrestre et évoquant le style de Marc, — l'émergence du genre littéraire sapiential, — l'opposition à une christologie plus primitive, dite du θεῖος ἀνήρ, familière au deuxième évangile, — le recul de l'attente prochaine de la parousie, d'une *Naherwartung*, — enfin l'extension de la polémique antijuive de l'opposition aux pharisiens à l'hostilité envers le peuple d'Israël tout entier presque jusqu'à l'exclure du salut. En revanche pour les traditions les plus anciennes plaideraient la concision gnomique des logia, — l'enthousiasme pneumatique dont vibrent certaines paroles, — le radicalisme prônant une fidélité absolue à la Tôrah, — la forte tension apocalyptique se traduisant dans l'espérance en la venue prochaine du Royaume de Dieu et de son mandataire, le Fils de l'homme, et inspirant une vie sans soucis, résultant d'une confiance illimitée et aveugle dans la Providence.

Nonobstant les vues divergentes, le consensus tend à s'introduire sur une donnée intéressant directement l'objet de notre enquête, à savoir la présence du Fils de l'homme dans les données christologiques de la *Quelle*. On tend même à s'accorder sur trois points plus précis : d'abord sur le fait que le Fils de l'homme n'y apparaît pas dans des logia relatifs à la passion ou la résurrection de Jésus ; puis sur le constat qu'il est présent dans des paroles concernant aussi bien le ministère terrestre du Sauveur que son retour et son rôle de juge eschatologique ; enfin sur l'affirmation que le titre est le plus caractéristique de la christologie du Recueil. Certes la *Quelle* qualifie Jésus également de fils, υἱός, et de seigneur, κύριος, mais ces deux titres n'obtiennent pas la même importance. Ils ne s'y rattachent pas aussi étroitement à la βασιλεία, le Royaume de Dieu, dont l'annonce et l'attitude sont fondamentales dans le recueil et dont même l'appartenance est attribuée à Jésus.

Surtout sur deux points la divergence paraît subsister : d'abord tous les auteurs ne sont pas prêts à faire remonter une importante présence du Fils de l'homme à la strate la plus primitive de la *Quelle* ; puis tous ne sont pas disposés à reconnaître dans la mention du personnage un écho de l'*ipsissima vox* de Jésus.

Ajoutons que la majorité des critiques tend à affirmer que dans l'utilisation de la *Quelle* Luc ne dépend pas de Matthieu[9] et par conséquent que les deux évangélistes n'ont pas eu accès exactement au même document ou à la même tradition[10]. Que dans les deux cas on ne remonte pas à un document parfaitement identique la divergence aussi bien du texte que de l'acolouthie[11] l'établirait. Des logia dont nous aurons à nous occuper trois ont la forme proche mais l'acolouthie différente : *Mt.*, VIII, 20 par. *Lc.*, IX, 58 ; *Mt.*, XI, 19 par. *Lc.*, VII, 34 ; *Mt.*, XXIV, 44 par. *Lc.*, XII, 40 ; cinq diffèrent quant à la forme et l'acolouthie : *Mt.*, XII, 32 par. *Lc.*, XII, 10 ; *Mt.*, XII, 40 (cfr XVI,4) par.

---

9. Voir déjà M. GOGUEL, *op. cit.*, p. 237, 247.
10. *Ibid.*, p. 247-248.
11. Ibid., p. 248-250.

Lc., XI, 30; *Mt.*, XXIV, 27 par. *Lc.*, XVII, 24; *Mt.*, XXIV, 37, 39 par. *Lc.*, XVII, 26.

Les logia que nous venons d'énumérer appartiennent tous à la *Quelle* telle que S. Schulz a estimé pouvoir la reconstituer[12]. Ils formeront donc pour le recueil des logia le dossier que nous avons à examiner. Nous nous sommes toutefois demandé s'il ne convenait pas d'y ajouter *Lc.*, IX, 26 par. *Mc.*, VIII, 38. M.-E. Boismard, il est vrai, ne l'attribue pas à Q mais paraît l'attribuer à un des documents primitifs, à savoir B, qu'il estime avoir découverts comme sources des synoptiques[13]. Comme il n'est pas exclu qu'il s'agit d'une variante de *Mt.*, X, 33 par. *Lc.*, XII, 9, dérivant en dernière instance d'une tradition apparentée à Q[14], nous avons inclus ledit logion dans le dossier.

LECTURE COMMENTÉE DES LOGIA

I. *Lc.*, VI, 22.
Les disciples de Jésus maltraités à cause du Fils de l'homme.

Lc., VI, 22 est un verset des béatitudes dont seul l'énoncé lucanien contient, la mention du Fils de l'homme[15].

On a observé à juste titre que le texte exact de cette béatitude, — la quatrième dans Luc, — diffère notablement des précédentes. Contrairement à celles-ci, elle ne se réfère à aucun texte de l'Ancien Testament. Puis son style est différent : deuxième personne du pluriel, structure littéraire plus complexe, insistance sur l'hostilité des opposants, imprécision de la récompense promise. Enfin l'atmosphère n'est plus celui du discours inaugural invitant à entrer dans le royaume mais celle du discours apostolique prédisant aux apôtres de l'évangile les persécutions qu'ils auront à affronter[16]. On en déduit que cette béatitude ne faisait pas partie du noyau primitif des béatitudes[17], sans toutefois contester pour autant qu'au niveau du document Q elle était déjà unie aux énoncés précédents[18].

12. Voir *supra*, n. 6.
13. P. Benoit-M.-E. Boismard, *Synopse des quatre évangiles en français*, t. II, *Commentaire par* M.-E. Boismard *avec la collaboration de* A. Lamouille et P. Sandevoir, Paris, 1972, p. 249.
14. Que Marc ait connu et subi dans une certaine mesure l'influence de Q est une hypothèse contestée. M. Goguel, *op. cit.*, p. 266, l'admet. Cfr *ibid.*, p. 251-267.
15. Voir entre autres ouvrages A. Loisy, *Les évangiles synoptiques*, t. I, Ceffonds, 1907. — Th. Zahn, *Das Evangelium des Lucas ausgelegt*, 1re et 2e éd., ap. *KNT*, I-III, Leipzig, 1913. — E. Klostermann, *Die Evangelien Lukas*, ap. *HNT*, Tubingue, 1919. — M.-J. Lagrange, *Évangile selon saint Luc*, 2e éd., ap. *Études bibliques*, Paris, 1921. — W. Grundmann, *Das Evangelium nach Lukas*, ap. *ThHKNT*, t. III, Berlin, 1961. — K. H. Rengstorf, *Das Evangelium nach Lukas übersetzt und erklärt*, ap. *Das Neue Testament Deutsch*, t. III, Goettingue, 1965. — H. Schürmann, *Das Lukasevangelium Erster Teil*, ap. *Herders ThK*, t. III, Fribourg-en-Br., 1969. — J. Dupont, *Les Béatitudes*, t. III : *Les évangélistes*. Nouvelle édition entièrement refondue, ap. *Études bibliques*, Paris, 1973, p. 78-85. — P. Benoit - M.-E. Boismard, *Synopse des quatre évangiles en français*, t. II : *Commentaire par* M.-E. Boismard *avec la collaboration de* A. Lamouille et P. Sandevoir, Paris, 1972.
16. M.-E. Boismard, *op. cit.*, p. 128.
17. *Ibid.*, p. 129.
18. *Ibid.*, p. 129.

Une comparaison des deux textes parallèles permet de conclure que de part et d'autre nous sommes en mesure de relever des interventions rédactionnelles : Matthieu par exemple aurait supprimé le thème de la haine et introduit celui de la persécution, ajoutant également le participe «en mettant», retouche analogue à *Mt.*, XXVI, 59[19]. Luc serait responsable de l'addition «les hommes» et de divers ajouts plus frappants au v. 23. Il aurait également changé la formule de Matthieu : «disent de vous, en mettant, tout mal» en «et jettent dehors votre nom comme mauvais», pour évoquer la proscription du nom de chrétien attestée en *I Petr.*, IV, 16 et *Jac.*, II, 7. Pour décrire les sévices dont les apôtres, successeurs des prophètes, seront l'objet Luc se sert de quatre termes : μισήσωσιν, ἀφορίσωσιν, ὀνειδίσωσιν et ἐκβάλωσιν τὸ ὄνομα, mais l'authenticité de ὀνειδίσωσιν est douteuse : appliqué aux personnes, il paraît un peu faible après ἀφορίσωσιν[20]. En revanche, Matthieu fait appel à trois termes : ὀνειδίσωσιν, διώξωσιν et εἴπωσιν πᾶν πονηρόν. Leur succession ne pose pas de problèmes : d'outrages on passe à la persécution et au cours de celle-ci divers chefs d'accusation tous fallacieux sont proférés. D'après J. Wellhausen l'ἐκβάλωσιν τὸ ὄνομα ὑμῶν ὡς πονηρόν équivaudrait au texte correspondant de Matthieu. L'expression lucanienne s'appuierait sur *Deut.*, XXII, 19 et rendrait ce texte en mauvais grec : suggestion peu vraisemblable et généralement refusée[21]. Luc semble bien viser la proscription du nom même de chrétien.

A tout considérer, la rédaction lucanienne paraît refléter une situation plus récente. L'hostilité s'est élargie : il n'y a pas que les juifs à haïr les chrétiens, c'est devenu le cas des hommes en général : οἱ ἄνθρωποι. Puis l'opposition tend à exclure toute relation sociale. Enfin le nom de «chrétien» est lui-même devenu un objet de mépris, d'objection[22].

On se demande toutefois si la finale du v. 22 : ἕνεκα τοῦ υἱοῦ τοῦ ἀνθρώπου ne représente pas dans le texte lucanien un élément ancien. Jadis M.-J. Lagrange estima qu'«on ne peut savoir ce qui est primitif»[23]. Pour l'appartenance à Q opine Ph. Vielhauer[24] et H. E. Tödt l'estime pour le moins vraisemblable[25]. A notre avis, la variante lucanienne ne manque pas de garantie[26]. Il n'est même pas exclu que sa portée est plus grande qu'on se l'imagine généralement.

---

19. *Ibid.*, p. 128.

20. M.-J. LAGRANGE, *op. cit.*, p. 188. — Il n'est pourtant pas certain qu'en Luc ἀφορίζω désigne l'excommunication de la synagogue à laquelle songent *Jn.*, IX, 22; XII, 42; XVI, 2. Selon J. DUPONT, *op. cit.*, p. 80, Luc se sert du terme pour signifier non une procédure d'excommunication mais le refus de toute relation sociale.

21. E. KLOSTERMANN, *op. cit.*, *i.h.l.*, y renvoie.

22. A. LOISY, *op. cit.*, p. 551, note 2 : «horreur du nom chrétien»; p. 552 : «Cette influence des faits sur la rédaction paraît incontestable, au moins en ce qui regarde Luc.»

23. *Op. cit.*, p. 189. — J. DUPONT (*op. cit.*, p. 670) fait allusion à l'expression «à cause du Fils de l'homme» mais ne s'y arrête pas.

24. Cité par H. E. TÖDT, *Der Menschensohn in der synoptischen Überlieferung*, Gütersloh, 1959, p. 114.

25. *Ibid.*, p. 114.

26. A. LOISY, *op. cit.*, p. 551, le conteste : «L'emploi de ce dernier terme, au lieu du pronom personnel, montre que les évangélistes ne se sont pas fait scrupule de s'en servir, pour rehausser le discours, en des endroits où leurs sources ne le contenaient pas.»

N'impliquerait-elle pas que dans la *Quelle* le texte visait une communauté où Jésus était surtout salué comme le Fils de l'homme et que l'hostilité des ennemis des chrétiens se concentrait largement contre l'attribution du titre à Jésus? En En tout cas, cette opposition à la manipulation du titre par les chrétiens en faveur de leur Maître se retrouve en *Lc.*, XXII, 69 par. *Mt.*, XXVI, 64; *Mc.*, XIV, 62.

Que Luc ait conservé la mention du Fils de l'homme cadre avec l'importance du titre en son évangile, importance attestée par des paroles telles *Lc.*, XVIII, 18b; XIX, 10; XXI, 36 et en quelque sorte amorcée dès le début de son écrit par la finale de la généalogie de Jésus : «Jesus bèn Adam, bèn Elohim» (III, 38).

Notre interprétation de *Lc.*, VI, 22 permet d'affirmer qu'à travers la *Quelle* le logion remonte pour le moins à une communauté chrétienne probablement palestinienne. Qu'il dérive de Jésus lui-même est un problème bien différent que les éléments dont nous disposons ne permettent pas de trancher. Remarquons toutefois qu'à nous tenir strictement à la lettre du logion, le Fils de l'homme n'est pas indentifié avec Jésus. Tout intéressant qu'il soit, cet indice est néan-moins insuffisant.

II. *Lc.*, VII, 34 par. *Mt.*, XI, 19.
Le Fils de l'homme mal jugé et accueilli.

Lc., VII, 34 par. *Mt.*, XI, 19 est le premier logion dérivant de la *Quelle* transmis à la fois par Luc et Matthieu. Dans la source il aurait appartenu à la section concernant Jean-Baptiste.

La section à laquelle le logion appartient a subi des interventions rédaction-nelles importantes. Une première addition, commune aux deux versions, com-prendrait l'incise «des publicains ami et des pécheurs»[27]. D'autres plus nom-breuses se présentent dans le texte lucanien : substitution d'«hommes de cette génération»[28] à «cette génération», addition «et à qui sont-ils semblables», substitution de *allèlois* à *tois heterois*, de *klaiein* à *koptein*, au v. 33 addition de «pain» et «vin», au v. 35 addition de *pantôn* et substitution de *teknôn* à *ergôn*. Enfin, au v. 34 qui nous occupe substitution du parfait à l'aoriste et de «vous dites» à «ils disent»[29]. Ajoutons que l'appartenance de la finale *Lc.*, VII, 35 par. *Mt.*, XI, 19d est mise en question[30].

---

27. M.-E. BOISMARD, *op. cit.*, p. 167.
28. Remarquons qu'en *Lc.*, VI, 22 Luc introduisit également un ἄνθρωποι.
29. M.-E. BOISMARD, *op. cit.*, p. 168.
30. Le sens de la finale n'est pas facile à cerner. Comprenons que la «sagesse» des desseins divins s'est vérifiée dans et par les œuvres de Jean et de Jésus (version matthéenne) et par l'intelligence de ces œuvres dont firent preuves les disciples de Jean et de Jésus, devenus ainsi les fils de la Sagesse (version lucanienne) en opposition avec la génération incrédule réprouvée par le Seigneur : voir A. H. MCNEILE, *The Gospel according to St. Matthew*, Londres, 1915, p. 159.
L'authenticité de la leçon εργων est défendue par M.-J. LAGRANGE, *Évangile selon saint Matthieu*, Paris, 1923. La variante est attestée par א, ב, 124, pes boh, et retenue par Hort, von Soden, Vogels, et elle correspond à la mention des œuvres de Jésus en *Mt.*, XI, 2. On observe toutefois que l'*ergôn* matthéen pourrait provenir d'un artifice littéraire de Matthieu, désireux de réaliser une inclusion par référence à *Mt.*, XI, 2.
Pour fixer le sens de ἀπό, E. Schweizer (cfr *infra*, n. 36) renvoie au grec de la Septante en *Is.*, XLV, 25 et il en déduit la version «von, durch».

Concluons que chacun des deux évangélistes a probablement conservé des éléments primitifs. C'est par exemple le cas de τὴν γενεὰν ταυτήν en *Mt.*, XI, 16 et de φάγος, mot rare se présentant aussi bien chez Luc que chez Matthieu[31]. Mais qu'en est-il du «Fils de l'homme»? Le titre figurait-il déjà dans la *Quelle* et en quel sens fut-il employé par cette source ou par ceux qui l'ont retravaillée? A. Loisy signale la présence du titre mais n'explique ni sa présence ni sa portée[32]. Selon divers auteurs, l'expression n'appartient pas au texte primitif du logion. Une version erronée d'un substrat araméen l'aurait introduite[33]. Il est des commentateurs qui prêtent à l'utilisation du titre une préoccupation doctrinale, par exemple celle d'insister sur l'union de Jésus avec la nature humaine, ou plus exactement la communauté des hommes[34]. Selon d'autres, il ne convient pas d'y rechercher et d'y découvrir une intention spéciale. Il n'est pas exclu qu'en Luc le terme ne soit amené par les τοὺς ἀνθρώπους du v. 31[35] et en Matthieu par la γενεά du v. 16[36], deux vocables avec lesquels le Fils d'homme se trouve ailleurs associé.

Toutes ces suppositions ou explications sont insuffisantes ou superflues. Rappelons plutôt que l'on s'accorde largement pour attribuer à la *Quelle* une christologie centrée sur la figure du Fils de l'homme. En d'autres mots, tout nous invite à penser que Luc et Matthieu emploient tout comme leur source l'expression Fils de l'homme au sens précis et fort comme un titre christologique. Cette qualité de titre trouve ce nous semble une confirmation dans le fait que l'autre personnage mis en scène par le logion, Jean le précurseur, reçoit lui aussi son titre, celui de Baptiste.

Signalons que H. E. Tödt s'efforce d'assigner à l'expression un sens qui se situe en quelque sorte à mi-chemin entre l'acception vulgaire de l'expression, version d'un substrat araméen, et le sens fort évoquant la figure daniélique[37]. Il reconnaît sans ambages que l'expression est employé en tant que susceptible de signifier l'*exousia*, l'autorité de Jésus mais il refuse de l'expliquer par référence au Fils de l'homme de la parousie. Nous cherchons en vain d'où pourrait dans ces conditions dériver l'autorité.

III. *Lc.*, IX, 58 par. *Mt.*, VIII, 20.
Le dénuement du Fils de l'homme.

Après l'allusion quelque peu rapide au Fils de l'homme en *Lc.*, VI, 22 et, en *Lc.*, VII, 34 par. *Mt.*, XI, 20, le parallèle entre Jean-Baptiste et le Fils de l'homme, deux personnages provoquant l'un et l'autre l'incompréhension et l'hostilité des pharisiens et des scribes, mais recueillant l'adhésion des fils de

---

31. Voir M.-J. LAGRANGE, *Évangile selon Luc*, 3ᵉ éd., Paris, 1927, p. 225.

32. A. LOISY, *op. cit.*, p. 678, note 1.

33. Voir T.W. MANSON, *The Sayings of Jesus as Recorded in the Gospels according to St. Matthew and St. Luke*, Londres, 1954 (1ʳᵉ éd., 1937), p. 70 : «Misunderstanding of an aramaic idiom».

34. Voir A. SCHLATTER, *Der Evangelist Matthäus. Seine Sprache, sein Ziel, seine Selbständigkeit*, 6ᵉ éd., Stuttgart, 1963 (1ʳᵉ éd., 1948), p. 374.

35. Cfr le renvoi à *Lc.*, VI, 22; *Mt.*, XVI, 13.

36. Cfr le renvoi à *Mt.*, XII, 39-40; *Mc.*, VIII, 38; *Lc.*, XI, 30. Voir E. SCHWEIZER, *Das Evangelium nach Matthäus*, ap. *NTD*, t. II, Goettingue, 1973.

37. H. E. TÖDT, *op. cit.*, p. 115.

la Sagesse, *Lc.*, IX, 58 par. *Mt.*, VIII, 20 nous offre un troisième logion du Fils de l'homme.

Si le texte du verset est presque identique dans les deux évangiles, l'encadrement diffère. Conformément au schème ternaire qui lui est cher[38], Luc situe le logion dans un complexe de trois paroles : IX, 58 ; IX, 59-60 ; IX, 61-62, toutes centrées sur un même thème, celui des conditions requises pour s'engager comme disciple à la suite de Jésus. Des trois logia Matthieu n'en transmet que deux, le premier et le dernier, et il les situe dans un endroit de son évangile qui ne se recommande guère. Le cadre lucanien convient davantage : les paroles introduisent la grande parenthèse lucanienne rapportant la marche de Jésus vers Jérusalem : *Lc.*, IX, 51-XIX, 27 et elles précèdent l'envoi des soixante-dix disciples.

Au premier abord, on ne soupçonne pas de problèmes particuliers et difficiles. Nous y apprenons que Jésus n'a pas de gîte assuré ni même une pierre où reposer sa tête : extrême dénuement qui contraste selon le Sauveur lui-même avec le sort des renards et des oiseaux ayant leurs tannières ou leurs nids. Des deux termes de comparaison, celui faisant appel aux renards est de nature à nous intriguer. Pour l'expliquer on fut tenté d'y déceler une allusion historique. Les renards viseraient les Ammonites tandis que les oiseaux pourraient signifier les peuples païens en général[39]. L'hypothèse ne fut guère accueillie avec faveur. En revanche, on attacha plus d'importance à l'avis faisant remonter le logion évangélique à un proverbe populaire en cours dans les milieux du christianisme naissant et appliqué à la situation de vie nomade imposée à Jésus par ses adversaires[40]. Quel que soit le bien-fondé du parallèle invoqué, le logion est bien en place à côté des deux autres stipulant les circonstances d'un engagement à suivre le Sauveur[41].

Les trois logia lucaniens, nous l'avons déjà noté, formulent les conditions préalablement requises pour rallier et accompagner le Maître[42]. Le disciple de Jésus doit être prêt à ne pas posséder de gîte, à renoncer à sa famille (v. 60), à partir sur le champ pour la mission (v. 61). Peut-être n'a-t-on pas tort d'observer que le renoncement au gîte, du moins en ce qui concerne Jésus, n'est pas exactement de la même nature que les deux autres[43]. Alors que ceux-ci découlent d'initiatives personnelles, le manque d'un gîte est imposé du dehors à Jésus et, contrairement au renoncement à la famille, il n'est pas dicté pour mieux rendre service[44].

38. M.-E. BOISMARD, *op. cit.*, p. 161.

39. T. W. MANSON, *Sayings*, p. 72-73, cité par H. E. TÖDT, *op. cit.*, p. 113.

40. R. BULTMANN, *L'Histoire de la Tradition synoptique suivie du complément de 1971.* Traduit de l'allemand par A. MALET, Paris, 1973, p. 45-46. A la p. 129, note 2, l'auteur admet un certain parallélisme avec un texte de PLUTARQUE, *Tib. Gracchus*, 9, déjà allégué par J. WETTSTEIN, *Novum Testamentum Graecum*, Amsterdam, 1751 (éd. anast. 1962), p. 351, *in Mt.*, *VIII*, *20*, mais il récuse l'utilisation fantaisiste de ce passage par S. LURIA, *ZNW*, 1926, t. XXV, p. 282-286.

41. Convient-il d'observer que ni la *Quelle* ni les évangélistes n'ont songé aux animaux mis en scène par *Dan.*, VIII ? A. H. MCNEILE, *op. cit.*, *i.h.l.*, écarte à juste titre toute référence au texte daniélique.

42. C'est l'avis de H. E. TÖDT, *op. cit.*, p. 124, 128, 192.

43. *Ibid.*, p. 128.

44. H. E. TÖDT (*op. cit.*, p. 231-241) étudie divers aspects de la communauté de disciples établie selon la *Quelle* par Jésus et insiste sur leur union intime avec lui.

De l'appel de Jésus à le suivre, de son invitation à constituer avec lui un groupe restreint de prédicateurs de l'évangile, et surtout de sa volonté d'imposer aux candidats à l'apostolat des conditions de vie impliqueront une abnégation totale et radicale, ressort que Jésus se croit et s'affirme investi d'une autorité toute exceptionnelle[45]. Il paraît avoir les pleins pouvoirs du royaume de Dieu auquel précisément font allusion le deuxième et troisième logion lucaniens[46]. Et c'est dans la qualité de Fils de l'homme possédée par Jésus que le logion paraît situer la source, la raison d'être de cette autorité[47].

D'où ultérieurement la question : à quel titre la qualité de Fils d'homme pouvait-il selon l'évangéliste conférer à Jésus l'autorité dont il avait besoin pour lancer ses appels à le suivre et à le suivre dans des conditions requérant un renoncement aussi universel et absolu?

Une solution facile est de supposer que déjà en l'occurrence Jésus est censé s'identifier sans restriction avec le Fils de l'homme dont la venue était attendue à la parousie, mais cette hypothèse est jugée trop facile et contraire à ce que l'on pense savoir historiquement de la conscience de Jésus[48]. Pour une réponse plus nuancée, plus conforme aux données historiques de la vie de Jésus, on nous invite à partir de deux constats. D'abord il n'est pas douteux que Jésus ait eu conscience qu'avec et dans sa prédication le Royaume de Dieu faisait son entrée dans l'histoire. Puis il est également certain qu'il croyait au Fils de l'homme non seulement comme à celui appelé à instaurer l'instauration complète et définitive du Royaume mais aussi comme à celui qui ne manquerait pas de confirmer sa propre annonce du Royaume et les conditions par lui posées pour en devenir à sa suite les prédicateurs[49]. Dans ces conditions a dû surgir dans la conscience de Jésus la certitude d'une relation des plus étroites entre le Royaume de Dieu et le Royaume, puis sans doute aussi de plus en plus la conviction qu'entre lui-même et le Fils de l'homme un rapport existait appelé à devenir de plus en plus étroit. C'est pourquoi on a proposé de qualifier le Jésus terrestre de Fils d'homme *designatus* et de lui prêter l'espérance d'en assumer un jour le rôle[50].

Accordons que l'expression : *Filius hominis designatus* n'est pas des plus réussies. Ne pourrait-on pas parler de Jésus comme du ministre en quelque sorte plénipotentiaire du Fils de l'homme? Ou, — autre hypothèse, — ne conviendrait-il pas plutôt que Jésus interpréta le Fils de l'homme comme le symbole vétérotestamentaire par excellence du Royaume de Dieu[51]? Dès lors, comment aurait-il hésité, du moins à partir d'une certaine étape de sa vie, à

---

45. H. E. TÖDT, *op. cit.*, p. 279-280.

46. *Ibid.*, p. 114 : «Jesus erscheint als der vollmächtig in die Nachfolge rufende.»

47. *Ibid.*, p. 114 : «Zur Bezeichnung seiner Hoheit, seiner Vollmacht also wird der Menschensohnname verwendet».

48. A travers tout son ouvrage, H. E. Tödt me paraît préoccupé de fonder pour le ministère terrestre de Jésus une *exousia* indépendante de celle du Fils de l'homme eschatologique. Dans *A Modern Pilgrimage*, p. 69-70, N. PERRIN écarte cette manière de voir.

49. Cfr entre autres passages H. E. TÖDT, *op. cit.*, p. 239-240.

50. Voir N. PERRIN, *A Modern Pilgrimage*, p. 71.

51. H. E. TÖDT (*op. cit.*, p. 194-195) reconnaît dans la prédication de Jésus le signe de la venue du Royaume.

s'en servir, voire à se l'appliquer en tant que prédicateur et réalisateur de la phase initiale du Royaume [52] ?

N'hésitons donc pas à penser que Jésus a pu avoir recours au titre de Fils de l'homme en des circonstances où il entendait signifier grâce à la présence de sa personne la venue du Royaume. Rappelons à titre de curiosité que précisément pour *Lc.*, IX, 58 par. *Mt.*, VIII, 20 M. Dibelius l'a soutenu [53], en invoquant il est vrai des considérations qui n'ont guère été reçues [54].

De l'analyse du troisième logion lucanien deux traits se dégagent qui complètent le portrait du Fils de l'homme : son étroite relation avec le Royaume des cieux et l'autorité qui le qualifie pour inviter des volontiers à un dévouement total et radical à son service.

IV. *Lc.*, XI, 30 par. *Mt.*, XII, 40.
Le signe du Fils de l'homme.

Le quatrième logion lucanien du Fils de l'homme appartient à un contexte dont la transmission, contrairement à celle du logion précédent, a varié beaucoup. La parole est censée être présente pour le moins en quatre contextes différents : en *Mc.*, VIII, 11-12, où les pharisiens demandent un signe du ciel et n'en reçoivent aucun ; *Mt.*, XVI, 1-4, où pharisiens et sadducéens font la même demande et reçoivent comme réponse l'annonce du «signe de Jonas» ; *Lc.*, XI, 30-31 où le désir d'un signe non précisé émane de la foule, qui paraît assimilée à «une race méchante» et où le signe promis est comme dans *Mt.*, XVI, 1-4, «le signe de Jonas» sans explication ultérieure ; *Mt.*, XII, 38-39 où quelques scribes et pharisiens interpellent Jésus lui demandant un signe de lui et où ils obtiennent, tout comme en *Mt.*, XVI, 1-4 et *Lc.*, XI, 30-31, «le signe de Jonas», mais cette fois expliqué comme consistant dans le séjour pendant trois jours et trois nuits dans le ventre du poisson [55]. On admet souvent que la succession énumérée correspond à un développement progressif du logion [56]. On ajoute que les paroles commentant l'annonce du signe en *Lc.*, XI, 31-32 par. *Mt.*, XII, 41-42, à tout le moins celle concernant la reine de Saba : *Lc.*, XI, 31 par. *Mt.*, XII, 42 ne se rapportaient pas primitivement à la demande du signe.

Il n'est pas facile de dégager de l'ensemble des variantes celles qui ont le plus de chance. On est largement d'accord pour estimer que *Lc.*, XI, 31-32 et *Mt.*, XII, 41-42 n'appartiennent pas originellement au contexte du signe de Jonas. Surtout l'appel à la reine de Saba : *Lc.*, XI, 31 ; *Mt.*, XII, 42 détonne. Matthieu paraît s'en être aperçu et le relègue en deuxième lieu [57]. Beaucoup d'auteurs sont également d'accord pour interpréter *Mt.*, XII, 40 comme une

---

52. L'allusion au Royaume surgit de fait en *Lc.*, IX, 60 et 62. — A la p. 241, H. E. Tödt, *op. cit.*, admet que la *Quelle* est parvenue à identifier Jésus avec le futur Fils de l'homme.

53. M. Dibelius, *Jesus*, 2ᵉ éd., 1946, p. 87, 88, cité par H. E. Tödt, *op. cit.*, p. 112.

54. H. E. Tödt, *op. cit.*, p. 112-113.

55. Remarquez qu'en l'occurrence Matthieu reste fidèle au récit de Jonas et n'adapte pas le texte vétérotestamentaire au thème chrétien de la résurrection «au troisième jour».

56. Cfr M.-E. Boismard, *op. cit.*, p. 175.

57. R. Bultmann, *op. cit.*, p. 146, rattache les deux versets à une polémique du christianisme naissant.

addition rédactionnelle[58]. Que les scribes, les pharisiens, éventuellement les sadducéens[59] aient demandé à Jésus un signe est une tradition digne de foi. Qu'ils aient demandé un signe dans le ciel, — interprétation soutenue par la *Bible de Jérusalem*, — ne ressort pas du texte. Le ἐκ de *Mt.*, XVI, 1 et le ἀπό de *Mc.*, VIII, 11, s'entendent «de la part du ciel», c'est-à-dire de Dieu. Ils n'impliquent donc pas un sens de ἀπὸ σοῦ de *Mt.*, XII, 38[60]. Il est vrai que *Mt.*, XXIV, 30 connaît «le signe du Fils de l'homme» appelé à apparaître dans le ciel. *Mc.*, VIII, 12 semble attribuer à Jésus le refus de tout signe, mais ce refus peut se rapporter uniquement à la catégorie de signes envisagée par les juifs. Au reste, si pas mal d'auteurs préfèrent le texte de Marc à celui de Matthieu et Luc[61], d'autres opinent que Marc est secondaire[62]. Il aurait supprimé l'allusion au signe de Jonas en raison du caractère énigmatique de l'énoncé[63].

Acceptons donc que déjà la *Quelle* spécifiait le signe que Jésus accordait à la génération incrédule comme signe de Jonas[64]. Ayant écarté *Mt.*, XII, 40 comme interprétation rédactionnelle, il reste à déterminer en quoi selon Q et éventuellement la tradition antérieure ce signe consista. La solution ne me paraît pas douteuse : il n'a pu consister que dans la prédication de Jésus et de l'effet que l'accueil ou le refus de cette prédication étaient appelés à produire pour le peuple, la génération de Jésus. L'accueil serait source de paix et de salut ; le refus au contraire signifierait pour Israël la perte[65], d'une manière analogue à ce que valut aux Ninivites la prédication de Jonas. Nous ne croyons pas que Luc songe en l'occurrence à la venue eschatologique du Fils de l'homme comme juge universel[66]. Il se reporte plutôt à la catastrophe de 70 où s'accomplit de fait pour la génération incrédule le signe de Jonas. Venu entre autres pour apporter la paix pour son peuple[67], Jérusalem et ses habitants n'écoutèrent pas définitivement le message que pourtant au jour des Rameaux certains groupes avaient entrevu[68]. Ils se ruèrent ainsi vers leur perte, ayant été pires que les Ninivites, n'ayant pas suivi l'exemple de la pénitence qui assura leur salut[69].

---

58. *Ibid.*, p. 152. — Voir D. LÜHRMANN, *Die Redaktion der Logienquelle*, 1969, p. 36-43.

59. Qu'en *Mt.*, XVI, 1 les sadducéens soient associés aux pharisiens n'est pas l'ordinaire : cfr P. BONNARD, *L'Évangile selon saint Matthieu*, dans *CNT*, t. I, Neuchâtel, 1963, p. 237.

60. P. BONNARD, *op. cit.*, p. 238.

61. R. BULTMANN, *op. cit.*, p. 152, note 1, renvoie à E. VON DOBSCHÜTZ, *Vom Auslegen des NT*, 1927, p. 39 et à W. BOUSSET, *Kyrios Christos*, 2ᵉ éd.

62. R. BULTMANN, *op. cit.*, p. 152, note 1.

63. Voir déjà R. A. HOFFMANN, *Das Marcusevangelium und seine Quellen. Ein Beitrag zur Lösung der Urmarcusfrage*, Königsberg-en-Pr., 1904, p. 319.

64. Rappelons à titre de curiosité que dans le *Journ. Theol. Stud.*, 1920, t. XXI, p. 146-159 J. H. MICHAEL proposait de substituer «Jean» à «Jonas» : conjecture saugrenue récusée par R. BULTMANN, *op. cit.*, p. 152, note 2.

65. Cfr *Lc.*, XI, 30, où le parallélisme avec la mission de Jonas, les chances et les menaces qu'elle comportait, est claire.

66. C'est l'opinion de R. BULTMANN, *op. cit.*, p. 152.

67. Voir l'article suggestif de J. COMBLIN, *La paix dans la théologie de saint Luc*, ap. *Eph. Theol. Lov.*, 1956, t. XXXII, p. 439-460 : cfr *Lc.*, XIX, 41-44 ; XXIII, 28-31.

68. Cfr *Lc.*, XIX, 38 et J. COMBLIN, *art. cit.*, p. 454.

69. D'où le rapprochement de *Lc.*, XI, 32 par. *Mt.*, XII, 41 de l'annonce du signe de Jonas.

Une dernière remarque : dans le quatrième logion lucanien du Fils de l'homme, Jésus apparaît dans la lignée des prophètes [70], voire comme le prophète par excellence, le prophète de la fin des temps, le prophète eschatologique [71], celui qui annonce la fin et les grands bouleversements historiques appelés à la précéder, notamment la ruine de la Ville sainte. De tous les logia du Fils de l'homme, seul *Lc.*, XI, 30 combine ainsi la mission prophétique du Fils de l'homme à sa mission eschatologique.

NOTE

Observons que *La Bible de Jérusalem. Nouvelle édition revue et augmentée*, Paris, 1974, p. 1432, conserve *Mt.*, XII, 40 et lui accorde toute priorité. Pour le faire, elle s'appuie sur une donnée relevée par pas mal d'auteurs, à savoir le fait que Jonas était surtout connu dans la tradition juive plus ou moins contemporaine du Christ pour sa délivrance miraculeuse. La *Bible de Jérusalem* note qu'un renvoi à la prédication de Jésus comme signe, conformément au v. 41, est d'autant moins vraisemblable que le signe est annoncé pour l'avenir et que la prédication du Seigneur est sur le point d'appartenir au passé.

L'une et l'autre raison ne sont pas convaincantes. La première exagère l'importance des parallèles allégués et perd de vue qu'on ne peut refuser à Jésus une utilisation originale de la figure de Jonas. La deuxième ne tient pas compte de l'explication qui voit le signe dans les effets appelés à se réaliser suite à l'attitude prise à l'endroit de la prédication du Seigneur.

S'écartant de ceux qui voient dans le signe de Jonas une allusion à la résurrection, Pierre Bonnard propose d'y voir un «contre-signe». Le texte, note-t-il, ne contient aucune allusion à la délivrance de Jonas. Il n'y a en lui qu'une référence à la destinée douloureuse du prophète et par conséquent par analogie à la mort du Christ et son ensevelissement. Le passage est polémique. «A ceux qui demandent un signe extra-ordinaire ou contraignant, Jésus n'offre que le 'contre-signe' de sa mort prochaine» : *L'Évangile selon saint Matthieu*, p. 184.

L'exégèse singulière de P. Bonnard me paraît paradoxale. Elle met en lumière la difficulté du texte.

La *Traduction œcuménique de la Bible. Édition intégrale. Nouveau Testament* (Paris, 1972, p. 235) paraît se rallier en ce qui concerne le texte de Luc globalement à notre interprétation. Jonas a été un signe par son annonce du jugement et par son appel à la conversion (*Jon.*, III, 2-5). Notons toutefois que la *TOB* songe au Jugement eschatologique et non à celui qui atteignit la génération incrédule en 70 de notre ère, puis que *TOB* a tort de distinguer entre le sens originel du logion et celui lui attribué par Luc écrivant après la résurrection : «Quand Luc écrit après la résurrection, c'est dans celle-ci qu'il doit (sic) voir le signe par excellence de Jésus (cf. le futur : *il sera un signe*)».

Le futur s'explique tout aussi bien dans notre optique et rien n'invitait Luc à se départir de la signification originelle du signe, signification cadrant parfaitement, comme le montre J. COMBLIN (*ETL*, 1956, t. XXXII, p. 439-490), avec les préoccupations de l'évangéliste.

---

70. Cela résulte du parallélisme avec Jonas et de *Lc.*, XI, 32 par. *Mt.*, XII, 41, logia rapprochés de l'annonce du signe de Jonas.

71. Sur les traits prophétiques dans le portrait de Jésus voir J. COPPENS, *Le messianisme et sa relève prophétique. Les anticipations vétérotestamentaires. Leur accomplissement en Jésus*, ap. *BETL*, t. XXXVIII, Gembloux, 1974, p. 163-171, 172-180.

V. *Lc.*, IX, 26 par. *Mc.*, VIII, 38.
Ne pas rougir du Fils de l'homme.

Bien que *Lc.*, IX, 26 par. *Mc.*, VIII, 38 ne soit pas en règle générale attribué à Q, son étroite affinité avec *Lc.*, XII, 8-9 par *Mt.*, X, 32-33 nous invite à n'en pas omettre l'analyse. L'encadrement distinct du logion fournit la preuve d'une transmission particulière aux deux évangiles. Notons d'ailleurs que du complexe marcien : VIII, 38-XI, 1, *Mc.*, VIII, 38 trouve son parallèle en *Lc.*, IX, 26, et pour la finale du verset en *Mt.*, XVI, 27, tandis que *Mc.*, IX, 1 se retrouve moyennant des variantes en *Mt.*, XVI, 28 et *Lc.*, IX, 27.

La première partie du texte en *Lc.*, IX, 26 par *Mc.*, VIII, 38 offre déjà un certain nombre de divergences qui ne manquent pas d'intérêt. Omettant la mention de la «génération adultère et pécheresse» (*Mc.*, VIII, 38)[72], Luc ne limite pas la portée du logion aux seuls contemporains de Jésus. Il confirme ce point de vue nouveau en supprimant les «paroles» (*Mc.*, VIII, 38), préférant parler de la honte éprouvée au sujet non seulement du Christ mais également de ses frères[73]. Luc voit aussi autrement la venue en gloire du Fils de l'homme. Elle sera triple la gloire qui l'entourera, la sienne, celle du Père[74] et celle des anges, énumération quelque peu déroutante dans la mesure où celle du Fils de l'homme précède celle du Père en paraît pour ainsi dire indépendante. Selon Marc et Matthieu au contraire c'est dans la gloire de Dieu, qualifié «son Père»[75], que le Fils de l'homme se montrera. Aussi bien dans Marc que dans Matthieu les anges accompagnent apparemment en dehors de la gloire. Matthieu en fait son escorte de plein droit : les anges lui appartiennent tandis que Marc les conçoit plus indépendants, évoquant en outre une appellation vétérotestamentaire bien connu «les saints»[76].

Le reproche adressé aux disciples de Jésus n'est pas des plus graves. Il n'implique pas un abandon ou un reniement formel. On n'ose pas s'affirmer, on se cache, on voile sa qualité de chrétien. C'est le contraire de la fière attitude de Paul (*Rom.*, I, 16) et de celle dont Timothée est loué en *II Tim.*, I, 8, 16. On peut hésiter à définir la situation où ce manque de fierté chrétienne se manifeste. On n'est pas arrivé, semble-t-il, à la franche persécution des disciples, mais on est porté à les mépriser. Ou l'hagiographe ne vise-t-il pas une période où le simple mépris côtoie la vraie poursuite, et où les réactions chrétiennes diffèrent du courage, de la fierté, et s'assimilent à la peur, et au désir de se faire oublier et pardonner ?

---

72. L'appartenance de ce bout de phrase au texte primitif du logion est parfois mise en doute : cfr V. TAYLOR, *The Gospel according to St. Mark*, Londres, 1952, p. 383.

73. Lecture favorisée d'après V. TAYLOR, *loc. cit.*, p. 383 par C. H. Turner, T. W. Manson et A. T. Cadoux.

74. Quelques éditions préfèrent lire tout court «le Père». A accepter cette lecture, nous sommes en présence d'un des rares textes où ce terme est employé de Dieu sans détermination.

75. D'après V. TAYLOR, *op. cit.*, p. 383, il s'agit d'un cas sans parallèle en Hénoch éthiopien : «There is, however, no parallel to the use of the phrase τοῦ πατρὸς αὐτοῦ with reference to the Son of Man or the Elect one».

76. L. DEQUEKER, *Daniel VII et les Saints du Très-Haut*, ap. *Eph. Theol. Lov.*, 1960, t. XXXVI, p. 353-392. — S. LAMBERIGTS, *Le sens de qdšym dans les textes de Qumrân*, *ibid.*, 1970, t. XLVI, p. 24-39.

Le jugement eschatologique auquel le logion renvoie prévoit pour les prévenus l'application de la loi du talion. On rendra à chacun la parcelle. Le texte n'affirme pas explicitement que Jésus soit identique au Fils de l'homme et il ne présente pas celui-ci comme le juge[77]. Pour qu'il remplisse le rôle lui prêté, il suffit qu'il apparaisse au tribunal comme témoin à charge.

Il n'est pas douteux que *Mc.*, VIII, 38 par. *Lc.*, IX, 26 visent le jugement eschatologique mais ils s'abstiennent de se prononcer sur la date. En revanche, le logion suivant : *Mc.*, XI, 1 par. *Lc.*, IX, 27, ainsi que leur parallèle matthéen, appartenant il est vrai à un contexte distinct, y font allusion. Le passage matthéen appartient il est vrai à un contexte distinct, et on peut être tenté de lui donner raison. Par la cheville : καὶ ἔλεγεν αὐτοῖς (IX, 1) Marc semble en effet nous indiquer marquer encore cette distinction[78]. Quoiqu'il en soit, les exégètes découvrent généralement en *Mc.*, VIII, 38 et *Mt.*, XVI, 27 l'attente d'un avènement prochain de la parousie. En revanche, en IX, 27, Luc pourrait spiritualiser et par conséquent ne pas songer au royaume eschatologique[79].

En règle générale, on estime vains les efforts tentés pour éliminer l'attente prochaine de la venue du royaume telle que *Mc.*, IX, 1 par. *Lc.*, XVI, 28 l'entrevoient ou celle de la venue du Fils de l'homme dans son royaume telle que *Mt.*, XVI, 28 l'annonce et est seul à l'énoncer. On perd son temps, observe P. Bonnard[30], de faire appel à la transfiguration[81], ou à la résurrection[82], ou à la Pentecôte[83], ou à la destruction de Jérusalem[84], ou à la diffusion rapide et extraordinaire de l'évangile et de l'Église[85], pour atténuer l'affirmation matthéenne. Mieux voudrait dire que «Jésus a pensé eschatologiquement comme il a parlé en araméen»[86] ou peut-être émettre l'hypothèse d'une évolution de la pensée de Jésus, allant d'une parousie proche (*Mt.*, X, 23) en passant par *Mc.*, IX, 1 à une parousie éloignée (*Mc.*, XIII, 32)[87].

Notons toutefois que dans *Mc.*, IX, 1 et *Lc.*, IX, 27 l'évangéliste ne se reporte pas à l'avènement du Fils de l'homme mais à celle du Royaume, puis que Luc ouvre la porte à une interprétation spiritualiste de ce royaume[88], enfin qu'en *Mc.*, IX, 1 l'addition ἐν δυνάμει, impliquant la «venue dynamique» du Royaume pourrait bien viser le temps de l'Église au cours duquel la *dynamis* divine allait

---

77. V. TAYLOR, *op. cit.*, p. 382.

78. La cheville καὶ ἔλεγεν αὐτοῖς a donc son importance du point de vue de l'histoire des traditions. Notons cependant qu'elle est fréquente dans la rédaction marcienne : II, 27; IV, 2; IV, 24; VI, 4; VI, 10; VII, 9; VIII, 21.

79. P. BONNARD, *L'Évangile selon saint Matthieu*, p. 252.

80. *Ibid.*, p. 252.

81. *Ibid.*, p. 252 avec renvoi à J. JEREMIAS, *Jesus als Weltvollender*, Gütersloh, 1930, p. 57 ss.

82. *Ibid.*, p. 252 avec renvoi à M.-E. BOISMARD, ap. *Rev. Bibl.*, 1954, p. 629.

83. *Ibid.*, p. 252 avec renvoi à Calvin.

84. *Ibid.*, p. 252 avec renvoi à la *Bible de Jérusalem*. La nouvelle édition revue et augmentée de 1974 maintient l'interprétation, *in l.c.*, p. 1439, note b : «Les vv. 27-28 (de *Mt.*, XVI) rapprochent pour leur analogie deux paroles de Jésus sur deux avènements différents du règne de Dieu : le Règne du Père instauré par le jugement final, v. 27, le Règne du Christ qui se manifeste avec la ruine de Jérusalem».

85. *Ibid.*, p. 252 avec renvoi à J. BONSIRVEN, *Le Règne de Dieu*, Paris, 1957, p. 56.

86. *Ibid.*, p. 252 avec renvoi à M. GOGUEL, *Vie de Jésus*, 1re éd., Paris, 1932, p. 556.

87. *Ibid.*, p. 252.

88. *Ibid.*, p. 252.

se manifester[89]. Même en ce qui concerne *Mt.*, XVI, 28, on est en droit de se demander, en-dehors de tout souci d'apologétique, si la perspective strictement eschatologique n'est pas absente. Il s'agit en effet du royaume du Fils de l'homme; or ce royaume, c'est l'Église[90]. Ne s'agirait-il pas plus d'y manifester sa présence que de s'y amener[91]? Et dès lors ne suffit-il pas de se remémorer un passage matthéen tel XVIII, 20 pour en saisir toute la portée? Quelle que soit la solution adaptée, il reste que *Mc.*, IX, 1 par. *Mt.*, XVI, 28; *Lc.*, IX, 27 est un logion primitivement distinct du contexte actuel et indûment allégué pour préciser le sens de *Mc.*, VIII, 38 par. *Lc.*, IX, 26 ou de même de *Mt.*, XVI, 27[92].

Avant de prendre congé du logion, retenons qu'en Marc et Luc il n'identifie pas formellement Jésus avec le Fils de l'homme, bien qu'ils aient de façon la plus étroite partie liée. En revanche, dans le contexte matthéen l'identification est faite[93].

VI. *Lc.*, XII, 8-9 par. *Mt.*, X, 32-33.
Confesser le Fils de l'homme.

A tenir compte de *Lc.*, VI, 22 et à négliger de *Mc.*, VIII, 38 par. *Lc.*, IX, 26, nous rencontrons en *Lc.*, XII, 8-9 par. *Mt.*, X, 32-33 le cinquième logion du Fils de l'homme attesté par Q. Par rapport à *Lc.*, IX, 26 par. *Mc.*, VIII, 38, cette parole offre plusieurs divergences. La parole de Jésus est duelle : elle contient à côté d'une menace pour ceux qui renient le Fils de l'homme une promesse de bonheur pour ceux qui le confessent[94]. Puis elle reproche aux hommes non seulement d'avoir rougi du Fils de l'homme mais de ne pas être déclaré pour lui[95]. Troisième différence : Jésus envisage tous sans distinction et tous les temps et non pas seulement comme en *Mc.*, VIII, 38 de l'attitude prise en face de sa génération adultère et pécheresse. Autre menace : la confession ou le reniement se concentrent sur la personne de Jésus : aussi bien les paroles[96]

---

89. Les passages où la diffusion de l'évangile et la naissance de l'Église sont mises en relation avec la *dynamis*, en particulier celle du Saint-Esprit, sont nombreux : *Act.*, I, 8 ; III, 12 ; IV, 7 ; IV, 33 ; *Rom.*, I, 16 ; *I Cor.*, I, 18 ; II, 4, 5, 20 ; *II Cor.*, VI, 7 ; XII, 12.

90. Cfr *Mt.*, XIII, 41.

91. L'évangéliste se sert non de εἰς mais de ἐν. Il est vrai que ἐν peut être employé là où εἰς serait normal : cfr C.F.D. MOULE, *An Idiom Book of New Testament Greek*, Cambridge, 1953, p. 75-76.

92. Pour une raison particulière, peu acceptable, V. TAYLOR, *op. cit.*, p. 384, estime également que VIII, 38 n'est pas à sa place.

93. Dans *Are You the Christ? The Trial Narrative in the Gospel of Mark* (SBL, dissertation series, n° 10), Missoula, 1973, J. R. DONAHUE examina longuement *Mc.*, VIII, 38 et conclut p. 163 : «The saying of 8:38 is the first of the Marcan future Son of Man sayings and the first to describe the coming of the Son of Man in apocalyptic imagery».

94. L'expression ὁμολογέω ἐν ἐμοί est déroutante. On y voit un sémitisme (NESTLE, ap. *ZNW*, 1906, p. 279-280), une construction non hébraïque mais araméenne : cfr A. H. McNEILE, *op. cit.*, p. 146.

95. «Ne pas se déclarer pour le Christ», c'est la version proposée par A. CHOURAQUI, *Un pacte neuf. Évangiles traduits et présentés*, Paris, 1976, p. 49.

96. Cfr *Lc.*, IX, 26 ; *Mc.*, VIII, 38.

ou les disciples de Jésus [97] ne sont pas explicitement mentionnés. La perspective est incontestablement eschatologique : la réponse du Fils de l'homme en bonne ou en mauvaise part sera donnée au ciel en présence de son Père (*Mt.*) ou des «anges de Dieu» (*Lc.*), «des messagers d'Élohim» [98]. Mais le logion n'évoque pas formellement le jour de la parousie. Enfin sixième et dernière particularité; alors que *Mc.*, VIII, 38 par. *Lc.*, IX, 26 n'indiquent pas le juge, *Lc.*, XII, 9 paraît attribuer ce rôle à Dieu [99]. En tout cas ni dans Luc ni même dans Matthieu le Fils de l'homme n'est qualifié de juge. Matthieu lui reconnaît cette fonction, mais dans son *Sondergut* : XIII, 41; XVI, 27; XXV, 31-46.

Du fait que le logion fait abstraction de la génération présente, qu'il ne fait pas allusion à la parousie, qu'il concentre tout sur la personne de Jésus et que dans Matthieu le nom même du Fils de l'homme a disparu, on peut être tenté d'induire que nous sommes en présence d'un stade évolutif avancé. En revanche, en faveur d'une formulation restée primitive, sans doute encore toute proche de l'originel plaiderait la donnée qu'au moins en Luc et dans l'annonce de la menace Jésus paraît distingué du Fils de l'homme.

D'où l'invitation à reconnaître en la formulation de la menace telle que Luc l'a conservée, à rapprocher de celle transmise par *Lc.*, IX, 26 par. *Mc.*, VIII, 38, une des paroles relatives au Fils de l'homme eschatologique des plus anciennes, susceptible même de pouvoir remonter jusqu'à Jésus [100]. Des deux variantes : *Lc.*, XII, 9 et *Lc.*, IX, 26 par. *Mc.*, VIII, 38, où nous lisons le verbe ἐπαισχύνομαι au lieu d'ἀρνέομαι, *Lc.*, IX, 26 par. *Mc.*, VIII, 38, surtout sous la forme marcienne mériterait de l'emporter.

On fait toutefois valoir contre cette plaidoirie à l'appui d'un *ipsissimum verbum* de Jésus quelques difficultés. On lui reproche la présence d'ἀρνέομαι, qui pourrait trahir l'influence du reniement de Jésus par Pierre raconté dans le récit de la passion [101]. On lui objecte ensuite sa formulation juridique, reflétant un usage en vogue dans la communauté chrétienne [102]. On s'offusque enfin de la place y attribuée à la personne de Jésus : nous serions en présence d'une confession christologique où l'opposition coupable par excellence n'est pas celle à la réception du royaume mais celle à la reconnaissance du Fils de l'homme, fils de Dieu [103].

---

97. D'après une variante attestée surtout en Luc : cfr D, a, e, l, Or, syr[cur] : cfr R. A. HOFFMANN, *Das Marcusevangelium und seine Quellen*, p. 347.

98. A. CHOURAQUI, *op. cit.*, p. 352.

99. A. H. McNEILE, *op. cit.*, p. 146, voit dans μετὰ τῶν ἀγγέλων τοῦ θεοῦ une périphrase pour Dieu.

100. Voir H. E. TÖDT, *op. cit.*, p. 206, 308-312.

101. Cfr Ph. VIELHAUER, *Gottesreich und Menschensohn in der Verkündigung Jesu*, ap. *Festschrift für Günther Dehn*, 1957, p. 51-79, auquel H. E. TÖDT, *op. cit.*, p. 308-312 renvoie.

102. Ph. VIELHAUER, *art. cit.*, p. 70. E. KÄSEMANN, *Sätze heiligen Rechtes im Neuen Testament*, ap. *NTS*, 1954-1955, t. I, p. 248-260 et *Sentences of Holy Law in the New Testament*, ap. *New Testament Questions of Today*, 1969, p. 66-81. — Ph. VIELHAUER, *Jesus und der Menschensohn, zur Diskussion mit H. E. Tödt und E. Schweizer*, ap. *ZTK*, 1963, t. LX, p. 133-177. — N. PERRIN, *A Modern Pilgrimage*, p. 63, 89, 130-131.

103. Ph. VIELHAUER, *art. cit.*, p. 70, ap. H. E. TÖDT, *op. cit.*, p. 309.

A notre avis, ces objections ne ruinent pas l'authenticité d'un logion à restituer sur la base de *Mc.*, VIII, 38a, *Lc.*, IX, 26a et *Lc.*, XII, 9. Le verbe ἐπαισχύνομαι risque d'être plus primitif qu'ἀρνέομαι et enlève dès lors son fondement à l'hypothèse plutôt malotrue touchant un impact du récit de la passion[104]. Puis on n'a pas manqué de trouver exagérées sinon les allusions à une certaine formulation juridique du moins les déductions en déduites[105]. Enfin en renvoyant à des passages tels *Lc.*, XI, 20; X, 18; X, 23-24[106]. Ph. Vielhauer reconnaît à Jésus lui-même une autorité suffisante pour justifier le renvoi au tribunal de Dieu sur la base de l'attitude prise à l'endroit de la prédication de l'évangile[107]. Au total, sous sa forme la plus simple, *Lc.*, XII, 9, rapproché de *Mc.*, VIII, 28a par. *Lc.*, IX, 26a, nous met en présence d'un des logia des plus anciens sur le ministère terrestre du Fils de l'homme que Q nous ait conservés.

VII. *Lc.*, XII, 10 par. *Mt.*, XII, 32. Cfr *Mc.*, III, 28-29.
Le blasphème contre le Fils de l'homme.

Le sixième logion lucanien du Fils de l'homme a de commun avec *Lc.*, IX, 26, logion considéré communément comme ne dérivant pas de Q, d'avoir un correspondant en Marc, à savoir *Mc.*, III, 28-29. La question préalable se pose donc de savoir quelle version mérite la priorité.

En faveur de Marc se sont prononcés pour des raisons différentes par exemple J. Wellhausen[108], T. W. Manson[109], R. H. Fuller[110], N. Perrin[111].

En réalité, il semble du point de vue de l'histoire des traditions que nous sommes en présence de deux logia distincts : d'une part le logion de *Mc.*, III, 28-29 que nous retrouvons en *Mt.*, XII, 31 et, de l'autre, le logion de *Lc.*, XII, 10 par. *Mt.*, XII, 32. Si l'on part à la recherche de la parole qui puisse avoir le plus de chance d'être la plus ancienne, pas mal de raisons inclinent à opter pour *Mc.*, III, 28-29 par. *Mt.*, XII, 31.

Un lemme : ἀμὴν λέγω ὑμῖν, caractéristique du langage de Jésus, introduit en Marc le logion (*Mc.*, III, 28)[112]. Que l'opposition au message, à l'action de Jésus, en particulier à son pouvoir de chasser les démons[113], soit un péché

---

104. Le verbe ἀρνεῖσθαι est amené comme son correspondant naturel ainsi qu'il ressort par exemple de *Jn.*, I, 20 : ὡμολόγησεν καὶ οὐκ ἠρνήσατο.

105. H. E. TÖDT, *op. cit.*, p. 311, justifie sa position en renvoyant à O. MICHEL, ap. *ThWNT*, t. V, p. 208, l. 4-5 et H. SCHLIER, ap. *ThWNT*, t. I, p. 470.

106. H. E. TÖDT, *op. cit.*, p. 310 renvoie à Lc., XI, 20; X, 18; X, 23-24, que Ph. Vielhauer admet comme paroles authentiques de Jésus.

107. Ph. VIELHAUER, *Gottesreich*, p. 78.

108. J. WELLHAUSEN, *Einleitung in die drei ersten Evangelien*, 1905 et la discussion de l'opinion de Wellhausen dans H. E. TÖDT, *op. cit.*, p. 284-288.

109. T. W. MANSON, *The Sayings of Jesus*, p. 110.

110. R. H. FULLER, *The Foundations of New Testament Christology*, New York, 1965, p. 125.

111. N. PERRIN, *A Modern Pilgrimage*, p. 72, en note.

112. N. PERRIN, *loc. cit.*

113. Le contexte originel du logion n'est pas celui de *Lc.*, XII, 8-9, auquel XII, 10 paraît contraire mais celui lui assigné par Matthieu, XII, 22-32, c'est-à-dire les discussions à propos des exorcismes opérés par Jésus.

irrémissible se comprend parfaitement[114] et correspond au surplus à l'enseignement des paraboles[115]. Que cette opposition soit qualifiée un péché contre l'esprit se comprend également dans le cadre de l'exorcisme, car c'est par l'Esprit que Jésus était censé chasser les démons (*Mt.*, XII, 28) et c'était l'esprit de Jésus que ses ennemis calomniaient (*Mc.*, III, 28).

Contre la priorité marcienne on invoque il est vrai l'emploi du terme βλασφημεῖν. On le dit absent de la *Quelle* et caractéristique de la rédaction marcienne[116]. En revanche, l'expression : «dire une parole contre», attestée une fois chez Luc (XII, 10a) et les deux fois chez Matthieu (XII, 32a et b), reflèterait une manière de parler caractéristique de ceux qui s'en prennent à la Tôrah[117] ou dans la secte essénienne à la «nouvelle alliance»[118].

A mon avis, la distinction qu'on estime pouvoir introduire entre εἰπεῖν λόγον κατά et le terme ou la notion βλασφημία n'est pas fondée. Le substantif correspondant à l'expression verbale par ailleurs bien attestée[119] est tout naturel. Puis, ainsi que *Mechilta* sur *Exod.*, XIV, 31 l'énonce, parler contre un berger fidèle est identique à parler contre Dieu, donc à blasphémer[120].

Relevons plutôt que les deux logia : *Mc.*, III, 28-30 par. *Mt.*, XII, 31 et *Lc.*, XII, 10 par. *Mt.*, XII, 32 nous renvoient à la doctrine évangélique de la rémission des péchés. Jésus est censé apporter aux hommes le grand pardon levant les restrictions formulées sous l'Ancienne Alliance[121]. Il n'y a qu'une restriction : qu'on ne s'oppose pas au Saint-Esprit qui seul opère et assure la rémission[122]. Préoccupés de ne pas exclure du salut leurs contemporains qui étaient restés fermés aux appels de Jésus[123], les rédacteurs de *Lc.*, XII, 10 et *Mt.*, XII, 32 ont tenu à souligner qu'une opposition manifestée au Fils de l'homme seulement entrevu dans les limitations de son apparition humaine telles qu'exprimées par exemple en *Mt.*, VIII, 20 et XI, 19, n'équivalait pas à un blasphème de l'Esprit[124].

114. Cfr R. H. FULLER, *op. cit.*, p. 125 et N. PERRIN, *op. cit.*, p. 72, note.

115. N. PERRIN, *loc. cit.*

116. H. E. TÖDT, *op. cit.*, p. 286.

117. *Ibid.*, p. 286-287.

118. *Écrit de Damas*, V, 11ss., ap. H. E. TÖDT, *op. cit.*, p. 286.

119. Cfr FLAVIUS JOSÈPHE, *Ant.*, 15, 81, cité ap. A. SCHLATTER, *Der Evangelist Matthäus. Seine Sprache, sein Ziel, seine Selbständigkeit. Ein Kommentar zum ersten Evangelium*, Stuttgart, 1959, p. 409 : ἡ δὲ Σαλώμη καὶ κατὰ τἀνδρὸς Ἰωσήπου λόγον εἶπεν. — *Apol.*, 2, 223, *ibid.*, p. 409 : εἰ πρᾶξαί τι παρὰ τοὺς ἑαυτῶν νόμους ἢ λόγον εἰπεῖν παρ' ἐκείνοις (prop. ἐκείνους) παραβιασθεῖεν. — *Mechilta Exod. 14,31* en version grecque, *ibid.*, p. 409 : πᾶς ὁ λαλῶν κατὰ ποιμένος πιστοῦ ἐστιν ὡσεὶ λαλῶν κατὰ τοῦ θεοῦ.

120. Voir note 119.

121. *Is.*, XXII,14 : Οὐκ ἀφεθήσεται ὑμῖν αὕτη ἡ ἁμαρτία ἕως ἂν ἀποθάνητε.

122. *Jn.*, XX, 22. — La notion n'est pas absente du judaïsme contemporain de Jésus ainsi qu'il ressort des textes qumrâniens : cfr R. SCHNACKENBURG, *Das Johannes-evangelium*, t. III : *Kommentar zu Kap. 13-21*, ap. *HTK*, t. IV, Fribourg-en-Br., 1975, p. 385-386. — Pour les nuances à apporter voir J. COPPENS, *Le don de l'Esprit d'après les textes de Qumrân et le quatrième évangile*, ap. *L'Évangile de Jean. Études et problèmes* (*Recherches bibliques*, III), Bruges-Paris, 1958, p. 209-224.

123. Cfr entre autres textes *Lc.*, XXIII, 34 ; *Act.*, III, 17-21.

124. Cfr A. SCHLATTER, *op. cit.*, p. 409.

Jusqu'ici nous avons réfléchi sur les textes tels que les évangiles nous les ont transmis. On a néanmoins tenté d'aller au-delà de ces données pour leur assigner un substrat plus primitif, voire originel. Toutes ces tentatives ne se sont guère avérées fructueuses. Une des plus simples consiste à postuler au point de départ un *l^ebar nāšā*, expression susceptible d'amener une double version. La préposition pouvait être comprise comme l'équivalent de ὑπό en présence d'un passif ou comme celui d'un κατά, contre, et le *bar nāšā* pouvait s'entendre de l'homme en général ou du Fils de l'homme bien spécifié[125]. Mais même sous cette forme réduite à sa plus simple expression, l'hypothèse ne s'est guère imposée.

Au total, sous la forme lui donnée en *Lc.*, XII, 10 par. *Mt.*, XII, 31, le logion ne paraît pas remonter aux *ipsissima verba* du Sauveur. Celle de *Mt.*, XII, 30, nous met au contraire sur la piste d'une tradition plus ancienne dont la rédaction marcienne plus tourmentée et farcie d'apports récents, a moins bien conservé la teneur[126]

VIII. *Lc.*, XVII, 20-36 par. *Mt.*, XXIV, 26-28, 37-41.
L'avènement du Fils de l'homme

Les versets généralement attribués à Q sur l'avènement du Fils de l'homme se trouvent le mieux groupés dans l'évangile de Luc, à savoir en XVII, 20-36[127]. Toutefois même la composition lucanienne est loin de présenter un tout parfaitement homogène et on hésite à en rapporter tous les éléments à Q. Déjà une première lecture encore toute superficielle permet d'y distinguer diverses unités, à savoir vv. 20-21, réponse aux pharisiens touchant la venue du Royaume, vv. 22-25, réponse aux disciples touchant la venue du Fils de l'homme, vv. 26-27, précision par analogie avec la venue du déluge, vv. 28-30, précision par analogie avec la destruction de Sodome, vv. 31-33, conseils pour éviter la catastrophe, confirmés par un renvoi à la mésaventure de la femme de Lot, vv. 34-35, la division des hommes et femmes, v. 36, réponse aux disciples sur le lieu de l'avènement. Disons-le tout de suite : dans cette succession de péricopes plus ou moins diverses, quelques versets apparaissent au premier abord comme des intrus, à savoir les vv. 25, 31, 32, 33. Le verset 25 est presque unanimement considéré comme une addition rédactionnelle de Luc[128]. Nous sommes en présence d'un théologoumenon cher à Luc : *Lc.*, XXIV, 26, 46 ; *Act.*, XIV, 22. Très proche de *Mc.*, XIII, 15-16, le verset 31 cadre mal avec le contexte : les

---

125. Cfr R. A. HOFFMANN, *Das Marcusevangelium und seine Quellen*, p. 160.

126. M.-E. BOISMARD, *op. cit.*, p. 174 signale en effet pour la formule marcienne comme traces d'un vocabulaire récent le mot grec *hamartèma*, les expressions *aphesin echein* et *eis ton aiôna*, et comme traces d'additions : «tant qu'ils auront blasphémé» et l'adjectif «saint» après «Esprit». Il insiste aussi sur la formule exceptionnelle *tois huiois tôn anthôpôn*, qui, soit dit en passant, donna lieu aux spéculations sur la possibilité d'un substrat sémitique mal interprété.

127. Voir H. E. TÖDT, *op. cit.*, p. 44-48. — R. SCHNACKENBURG, *Der eschatologische Abschnitt Lk. 17,20-37*, ap. *Mélanges bibliques Béda Rigaux*, Gembloux, 1970, p. 213-234. — M.-E. BOISMARD, *op. cit.*, p. 301-303. — N. PERRIN, *A Modern Pilgrimage*, p. 35, 61, 64.

128. H. E. TÖDT, *op. cit.*, p. 45 et 100 ; R. SCHNACKENBURG, *art. cit.*, p. 222-223 ; M.-E. BOISMARD, *op. cit.*, p. 303.

conseils y formulés ne conviennent qu'en fonction d'une catastrophe à laquelle on peut échapper par la fuite[129]. Les derniers mots du v. 31 ont probablement suggéré à Luc de rappeler l'exemple de la femme de Lot; d'où le caractère également rédactionnel du v. 32[130]. Ce même caractère vaut pour le v. 33, logion auquel la tradition synoptique conféra des formes et des applications diverses et auquel il est malaisé de donner un sens adéquat en rapport étroit avec *Lc.*, XVII, 31-32 ou 34-35[131].

Une difficulté plus grande surgit à propos de *Lc.*, XVII, 20: s'agit-il d'un logion isolé sans rapport originel avec le discours sur l'avènement du Fils de l'homme ou convient-il de l'y rattacher. Pour l'hypothèse d'un logion isolé se prononcent W.G. Kümmel (1953), R. Bultmann (1961), R. Sneed (1962)[132], M.-E. Boismard[133], et cette manière de voir semble l'emporter. Il faut en effet tenir compte de deux incipits distincts, respectivement aux vv. 20 et 22, s'adressant aux surplus à des destinataires différents, les pharisiens et les disciples. Puis il y a le vocabulaire plutôt particulier des vv. 20-21. On note pour le verset 20 la formule anormale: ἀπεκρίθη καὶ εἶπεν qui n'apparaît pas ailleurs dans les synoptiques, le passif du verbe ἐπερωτάω, «interroger», cas unique dans les évangiles, le substantif παρατήρησις *hapax legomenon* dans le Nouveau Testament[134]. Au v. 21, la préposition ἐντός, «au-dedans de». Tout aussi particulier que le vocabulaire est l'énoncé de Jésus touchant la situation du royaume. Les commentaires proposent diverses versions: «à l'intérieur de vous», «parmi vous», «à portée de vous», et le choix est difficile. Nous avons opté, d'accord avec R. Schnackenburg[135], pour la traduction qui entend signifier que le Royaume de Dieu se présente aux auditeurs de Jésus et les invite à saisir l'appel à s'y rallier[136].

Préoccupé de garder l'unité de la péricope sur l'avènement du Fils de l'homme, R. Schnackenburg élargit le logion de façon à y inclure quelques mots du verset 22, les versets 23 et 24[137]: «Le royaume de Dieu ne viendra pas à l'observer[138]; et ils ne diront pas 'le voici' ou 'le voilà'. (Car voici le royaume de Dieu est à vous!) Des jours viendront où ils vous diront 'Le voilà (ou) le voici!'. Ne vous mettez pas en route ni en quête, car comme l'éclair fulgurant brille d'un point à l'autre du ciel, ainsi sera le Fils de l'homme en son jour»[139]. Cette reconstruction hypothétique de la péricope s'avère difficilement acceptable. On se représente pas mal le rédacteur Luc introduisant deux

---

129. M.-E. BOISMARD, *op. cit.*, p. 303.

130. *Ibid.*, p. 303.

131. *Ibid.*, p. 304.

132. Cités par R. SCHNACKENBURG, *art. cit.*, p. 214, n. 1.

133. *Op. cit.*, p. 301-302.

134. *Ibid.*, p. 302. Cfr R. MORGENTHALER, *Statistik des neutestamentlichen Wortschatzes*, Zurich, 1958.

135. *Art. cit.*, p. 218.

136. J. COPPENS, *Le Messianisme et sa relève prophétique. Les anticipations vétéro-testamentaires. Leur accomplissement en Jésus*, dans *Bibl. Eph. Theol. Lov.*, t. XXXVIII, Gembloux, 1974, p. 220-221.

137. *Art. cit.*, p. 229.

138. La version est difficile. Dans *Les quatre évangiles*, p. 213, H. PERNOT traduit: «Le règne de Dieu ne viendra pas de façon à frapper les regards». En revanche, R. Schnackenburg lit: «Das Reich Gottes kommt nicht unter Beobachtung».

139. *Art. cit.*, p. 229.

incipits et deux destinataires distincts et développant à partir de «des jours viendront» une phrase dont le sens est obscur. Et comment justifier un substrat se contredisant touchant la circulation des dits au sujet de l'endroit où le Fils de l'homme se trouverait. L'hypothèse ne présente qu'un seul avantage : celui d'unir étroitement la venue du Royaume et celle du Fils de l'homme. Mais le prix réclamé est trop élevé et par ailleurs nous n'avons pas besoin de la conjecture pour établir que les deux venues ont été conçues comme liées étroitement. Concluons donc que la péricope *Lc.*, XVII, 20-36 comprend d'abord un logion isolé : 20-21 sur le Royaume, puis et surtout un discours sur l'avènement du Fils de l'homme.

De l'avis de beaucoup d'auteurs, la plupart des éléments de ce discours dérivent de la source Q. C'est le cas de *Lc.*, XVII, 23 (Tödt, Schnackenburg, Boismard), 24 (Tödt, Schnackenburg, Boismard), 26-27 (Tödt, Schnackenburg, Boismard), 28-29 (Schnackenburg, Boismard), 30 (Schnackenburg), 34-35 (Tödt, Schnackenburg, Boismard), 37 (Schnackenburg, Boismard). Il ne s'en suit pas que dans la *Quelle* tous ces éléments se rapportaient à l'avènement eschatologique du Fils de l'homme. Les péricopes XVII, 26-27 et 28-29, où il est question des «jours de Noé» et des «jours de Lot», surtout dans celle concernant Lot, il est naturel de songer comme parallèle à des «jours» au pluriel du Fils de l'homme (cfr v. 22, 26). Ces jours sont à distinguer du «jour» du Fils de l'homme (cfr vv. 24, 30). Ils ne sont pas une création de Luc[140] mais ils dérivent de la source. Ils se rapportent au ministère terrestre de Jésus durant lesquels il offrait, tel Jonas[141], à ses auditeurs l'occasion et le moyen de faire pénitence et de se préparer ainsi au jugement de Dieu[142]. Ils appartiennent donc à un contexte partiellement distinct de celui de l'avènement eschatologique du Fils de l'homme. Luc les a insérés dans son discours sur l'avènement (cfr v. 30), quitte à modifier leur portée primitive[143].

140. H. E. Tödt, *op. cit.*, p. 47.

141. Il surgit ainsi un rapprochement avec le logion sur le signe de Jonas surtout tel que Luc le transmet : XI, 29-30.

142. Aussi bien H. E. Tödt (*op. cit.*, p. 46-47) que R. Schnackenburg (*art. cit.*, p. 223, du moins en ce qui concerne les jours de Noé) reconnaissent que la rédaction lucanienne modifia le sens.

Remarquons que les jours de Lot conviennent mieux à la présentation de l'avènement que ceux de Noé, car eux n'impliquent que la venue soudaine du cataclysme et non pas également une période d'appel à la pénitence et une chance de conversion et de salut. On comprend dès lors que Luc rattacha l'avènement du Fils de l'homme à l'évocation de la ruine de Sodome (v. 30).

143. A la lumière de nos observations sur la distinction à retenir entre «le jour» et «les jours» du Fils de l'homme, le sens du v. 22 nous paraît suffisamment clair. Les «jours du Fils de l'homme» y mentionnés sont ceux de son ministère terrestre, durant lesquels il y avait lieu et moyen de se convertir et de se préparer «au jour du Fils de l'homme». Après le rejet de Jésus par son peuple, pas un de ces jours ne reviendra. L'accès au salut est définitivement révolu.

A cette interprétation s'oppose une difficulté bien soulignée par Th. Zahn, *Das Evangelium des Lucas ausgelegt*, 1re et 2e éd., dans *KNT*, t. III, Leipzig, 1913, p. 602. Le logion tel que nous le comprenons s'entendrait bien s'il concernait ceux appelés à se convertir mais il est censé s'adresser aux disciples déjà ralliés à la cause de Jésus. A tout considérer, l'objection ne tient pas. Le Sauveur adressa son appel à une pénitence urgente, ne souffrant pas de délai, à tous, y compris à ses disciples. D'où aucune difficulté à ce que Luc rapporte l'invitation de Jésus comme les concernant également.

Lc., XVII, 31 est également un verset qui primitivement se rapportait à un autre contexte, celui de la ruine de Jérusalem. L'avènement du Fils de l'homme dont le discours souligne le caractère soudain[144], est entrevu comme une catastrophe à laquelle personne ne pourra se soustraire par la fuite[145].

Nous avons déjà signalé plus haut que les versets 25, 32, 33 proviennent également d'un autre cadre littéraire ou d'une intervention rédactionnelle. En revanche, les versets 34-35 et le verset 36 dérivent de la *Quelle*. Observons aux versets 34-35 une légère aporie : les personnes visées au v. 34 sont surprises la nuit tandis que celles du verset 35 paraissent travailler le jour. Quant au verset 37, son interprétation varie beaucoup. D'après H. E. Tödt[146], le logion se rapporte à l'avènement du Fils de l'homme. Se référant à un passage de *IV Esdr.*, XIII, il commente : «Aussi sûrement qu'une charogne attire les vautours, les hommes discerneront la venue du Fils de l'homme». Mais sous cette paraphrase édulcorée, la comparaison paraît bizarre, sinon choquante[147]. Il vaut mieux, semble-t-il, interpréter le logion en fonction de la place lui assignée, non pas par Matthieu, mais par Luc et croire qu'il s'agit d'une image appelée à illustrer le sort des impies qui seront laissés et non amenés aux cieux avec le Fils de l'homme[148]. Le logion veut donc dire que les vautours viendront se repaître des cadavres des impies. C'est l'image employée par Ap 19, 17.21, dans un contexte de destruction apocalyptique»[149]. Déformant dans une certaine mesure le sens primitif, Luc paraît avoir utilisé le logion pour disposer d'une réponse à la deuxième question des disciples, celle concernant l'endroit de la parousie[150].

De notre enquête ressort que nous sommes autorisé à attribuer au substrat-Q de *Lc.*, XVII, 22-37 les versets 22, 23-24, 26-27, (28-30), 34-35 et 37. La plupart de ces textes se retrouvent dans Matthieu insérés ailleurs, à savoir dans le grand discours eschatologique sur la ruine de Jérusalem et la fin du monde :

Lc., XVII, 22	
XVII, 23	*Mt.*, XXIV, 26
XVII, 24	XXIV, 27
XVII, 26	XXIV, 37
XVII, 27	XXIV, 38-39
XVII, 28-30	
XVII, 34	XXIV, 40
XVII, 35	XXIV, 41
XVII, 37	XXIV, 28[151]

144. La soudaineté résulte de la comparaison avec le déluge et la destruction de Sodome, et, selon beaucoup d'auteurs, également de la comparaison avec l'éclair (v. 24). M.-E. Boismard conteste cette portée du verset 24 (*op. cit.*, p. 202). Elle mettait en évidence le caractère, non pas soudain, mais visible.

145. M.-E. Boismard, *op. cit.*, p. 303.

146. *Op. cit.*, p. 46.

147. M.-E. Boismard, *op. cit.*, p. 303.

149. *Ibid.*, p. 303 et R. Schnackenburg, *art.* cit., p. 225-226.

149. M.-E. Boismard, *op. cit.*, p. 303.

150. R. Schnackenburg, *art. cit.*, p. 225-226.

151. Cfr P. Benoit - M.-E. Boismard, *Synopse des quatre évangiles en français. Avec parallèles des Apocryphes et des Pères*, t. I : *Textes*, Paris, 1965, p. 204-205.

Les versets se suivent de part et d'autre dans le même ordre hormis *Lc.*, XVII, 37 par. *Mt.*, XXIV, 28, où Luc semble avoir conservé la place primitive du logion, du moins à accepter la signification retenue plus haut[152]. Quant à la teneur des logia, la priorité revient tantôt à Luc, tantôt à Matthieu, bien qu'il soit souvent difficile de trancher le différend. Dans la rédaction matthéenne on signale comme éléments rédactionnels particulièrement notables l'introduction du terme «parousie» aux vv. 27, 37, 39 et l'assimilation du Fils de l'homme à Kyrios[153]. Pour Luc on signale une préoccupation parénétique, une tendance à écarter toute spéculation apocalyptique touchant la date et le lieu précis de la venue du Fils de l'homme, voire à tempérer l'attente d'un avènement plus ou moins prochain[154].

A dégager les divers logia des éléments rédactionnels y discernables, sommes-nous en mesure d'y discerner des paroles authentiques de Jésus substantiellement conservées? On n'a pas hésité à le croire, du moins pour *Lc.*, XVII, 24 par. *Mt.*, XXIV, 27; *Lc.*, XVII, 26 par. *Mt.*, XXIV, 37[155] et *Lc.*, XVII, 27c par. *Mt.*, XXIV, 39. De fait ces logia possèdent des traits que pas mal d'auteurs estiment bien cadrer avec la prédication authentique du Sauveur. Ils s'abstiennent de l'imagerie chère aux apocalypses juives et chrétiennes, ils concentrent leur attestation sur l'essentiel : la vigilance et l'obéissance au message évangélique en vue de l'entrée au royaume, ils s'abstiennent d'identifier le Fils de l'homme avec Jésus.

Rien n'empêche toutefois de penser que la réunion des logia en discours est l'œuvre de Luc. Dans la prédication de Jésus et sans doute aussi encore dans la *Quelle*, il s'est agi probablement de paroles plus désunies.

IX. *Lc.*, XII, 39-40 par. *Mt.*, XXIV, 43-44.
La vigilance requise pour l'avènement du Fils de l'homme.

Nous sommes en présence d'un logion fidèlement transmis et reproduit par Luc et Matthieu[156]. On est tenté de prêter au premier évangile quelques légères retouches[157] et de considérer le texte de Luc comme exempt de toute intervention rédactionnelle[158]. Le logion dérive de la *Quelle*, mais il échoua dans les évangiles en des contextes différents. En Luc, il rejoint artificiellement d'autres paroles parénétiques sur le devoir de vigilance. Il y est si peu à sa place que l'on fut tenté de le dépouiller de son sens eschatologique et de le comprendre plutôt du Fils de l'homme venant brusquement voler la «vie» de

---

152. Cfr R. Schnackenburg, *art. cit.*, p. 226.

153. Cfr *Mt.*, XXIV, 42. — Voir H. E. Tödt, *op. cit.*, p. 80-83.

154. H. E. Tödt, *op. cit.*, p. 97-100. — R. Schnackenburg, *art. cit.*, p. 228-232.

155. D'après N. Perrin, *A Modern Pilgrimage*, p. 64, la construction de phrases à deux membres introduites respectivement par *hôsper*, *kathôs* et par *houtos*, *kata ta auta*, est caractéristique de la source Q. Le mérite de l'avoir montré reviendrait à R. A. Edwards, *The Sign of Jonah in the Theology of the Evangelists and Q*, dans *Studies in Biblical Theology*, 2ᵉ sér., t. 19, Londres, 1972.

156. Remarquons que le groupe de manuscrits dit celui de Lake (λ) omet le vers et que Blass l'y rallie.

157. M.-E. Boismard, *op. cit.*, p. 284.

158. H. E. Tödt, *op. cit.*, p. 101.

chacun[159] : exégèse perdant manifestement de vue le sens originel. S'y opposent non seulement la présence du Fils de l'homme auquel nulle part ailleurs une telle démarche n'est attribuée mais également le terme «heure», appelé à signifier le moment de l'événement eschatologique[160].

Des auteurs sont prêts à regarder le logion comme ancien, quitte à en retrancher la mention du Fils de l'homme[161]. Mais, même ainsi dépouillé, il ne remonterait pas à Jésus[162]. En revanche, H. E. Tödt le classe résolument parmi les quelques logia susceptibles de dériver du Sauveur. Plaiderait en faveur de cette provenance notamment le fait que la parole se garde d'identifier le Fils de l'homme avec le Messie ou avec Jésus.

Dans les deux évangiles le logion touchant la nécessité de la vigilance est suivi d'une parabole, celle du serviteur investi de la confiance de son maître. Qu'elle n'appartienne pas au même contexte, Luc paraît le montrer en la présentant comme une réponse de Jésus à une question de Pierre, désireux d'en savoir plus long, à savoir si l'appel à la vigilance concernait aussi le groupe apostolique[163].

X. *Mt.*, X, 23. – *Mt.*, XIX, 28.

Aux logia lucaniens examinés H. E. Tödt ajoute deux paroles du *Sondergut* matthéen dérivant elles aussi selon lui de la *Quelle*, à savoir *Mt.*, X, 23 et XIX, 28[164].

La première contient une promesse du Seigneur faite au collège des Douze tel qu'il exista au cours de son ministère terrestre. Vu la trahison de Judas, l'énoncé fait problème. D'où l'invitation à considérer le logion comme visant le collège postpascal des Douze et le traiter en création de la communauté. L'énoncé cadre d'ailleurs peu avec les autres logia du Fils de l'homme. Il y figure nettement en qualité de juge en compagnie des Douze auxquels il attribue le jugement sur Israël, alors qu'ailleurs il intervient seulement comme témoin, ou garant, ou avocat. À H. Pernot le logion parut même si contraire au contexte qu'il le supprime comme une «suraddition»[165].

159. M.-E. BOISMARD, *op. cit.*, p. 284. — W. GRUNDMANN (*op. cit.*, p. 264) n'écarte pas entièrement l'hypothèse. A l'accepter, il faudrait conclure que Luc y transforme l'attente de la parousie d'une manière analogue à *Jn.*, XIV, 2-3. Th. ZAHN (*Das Evangelium des Lucas*, p. 507, n. 35) observe correctement qu'aussi bien les évangiles que *II Thess.*, V, 2; *II Petr.*, III, 10 se gardent de comparer dans sa venue Jésus à un voleur; dans les deux épîtres la comparaison s'applique non pas au Sauveur mais au «jour» de la parousie: seuls *Apoc.*, III,3 et XVI,15 la mettent dans la bouche du Seigneur. Le dernier verset interrompt la suite des vv. 14,16 et la présentation du sixième fléau. Il ne semble pas bien situé et a l'allure d'un logion isolé.

160. H. E. TÖDT, *op. cit.*, p. 172, avec renvoi à *Dan.*, XI, 40, 45; *Mt.*, XIII, 39, 40, 49; XXIV, 3.

161. N. PERRIN, *A Modern Pilgrimage*, p. 65.

162. *Ibid.*, p. 65, avec renvoi à Ph. Vielhauer.

163. Th. ZAHN se livre à ce propos à des réflexions savantes mais peu pertinentes: *Das Evangelium des Lukas*, p. 509, n. 42.

164. H. E. TÖDT, *op. cit.*, p. 56-57, 84-85 et 57-60.

165. H. PERNOT, *Recherches sur le texte original des Évangiles*, ap. *Collection de l'Institut néo-hellénique de Paris*, t. IV, Paris, 1938, p. 250-256. — LE MÊME, *Les quatre évangiles nouvellement traduits et annotés*, Paris, 1943, p. 327.

Le deuxième logion : *Mt.*, X, 23 n'est pas contesté comme parole prépascale. On estime toutefois que dans la *Quelle* son contexte n'était pas le discours de mission[166]. En Q, il aurait fait partie d'une série d'énoncés que l'on trouve plus ou moins fidèlement groupés et conservés en *Lc.*, XII, 2-9, 11-12, 51 ss.[167]. Dans cet ensemble, elle constituait une parole de consolation[168]. Jésus invitait ses disciples à fuir leurs persécuteurs et à passer d'une ville à une autre pour se soustraire à leurs coups. Il les mettait à l'aise en leur disant qu'ils n'en épuiseraient pas le nombre avant que le Fils de l'homme ne vienne[169]. En plaçant le logion dans le discours de mission, Matthieu en aurait modifié le sens. Désormais Jésus renvoie aux autres villes non comme une réserve en cas de fuite mais comme un terrain resté suffisant pour poursuivre l'œuvre de l'évangélisation[170].

Quel que soit le sens précis du logion, deux traits le caractérisent et plaident pour son origine ancienne, prépascale : il se garde d'identifier formellement Jésus avec le Fils de l'homme et il prévoit une venue prochaine du Fils de l'homme, tout en se gardant de préciser qu'elle coincide avec celle de la parousie[171].

---

166. J. LANGE, *Das Erscheinen des Auferstandenen im Evangelium nach Matthäus. Eine traditions- und redaktionsgeschichtliche Untersuchung zu Mt 28,16-20*, ap. *Forschung zur Bibel*, t. XI, Wurzburg, 1973, p. 252.

167. *Ibid.*, p. 253.

168. *Ibid.*, p. 253. — Notons que pour R. PESCH, *Naherwartungen. Tradition und Redaktion in Mk 13*, ap. *Komm. Beitr. A.N.T.*, Dusseldorf, 1968, p. 205, note 5, le caractère de parole de consolation constitue une difficulté entre l'origine ancienne.

169. J. LANGE, *op. cit.*, 253-255.

170. *Ibid.*, p. 254.

171. Pour une discussion approfondie du logion voir H. SCHÜRMANN, *Zur Traditions- und Redaktionsgeschichte von Mt 10,23*, ap. *Traditionsgeschichtliche Untersuchungen zu den synoptischen Evangelien*, p. 150-156, Dusseldorf, 1968 (reprise de *BZ*, 1959, t. III, p. 82-88). — M. KÜNZI, *Das Naherwartungslogion Matthäus 10,23. Geschichte einer Auslegung*, ap. *BGBEx*, 9, Tubingue, 1970. Parmi des contributions moins récentes signalons J. DUPONT, *Vous n'aurez pas achevé les villes d'Israël avant que le Fils de l'homme ne vienne* (*Mat. X,23*), ap. *NT*, 1958, t. II, p. 228-244 et B. RIGAUX, *La seconde venue de Jésus*, ap. *La Venue du Messie* (*Rech. Bibl.*, VI), Bruges, 1962, p. 173-216. Dans *Die Stellung der « Terminworte » in der eschatologischen Verkündigung des Neuen Testaments*, p. 64, ap. *Gegenwart und kommendes Reich*. Éd. P. FIEDLER-D. ZELLER (*Stuttgarter Bibl. Beiträge)*, Stuttgart, 1975, L. OBERLINNER n'apporte pas d'éléments nouveaux.

CONCLUSION

C'est sous un double aspect que le Fils de l'homme nous apparaît dans les logia communément attribués à la source Q. Il y a d'abord incontestablement le personnage eschatologique dont l'avènement marquera la fin des temps et instaurera dans tout son éclat et d'une façon définitive le royaume de Dieu sur terre. Mais il y a aussi le personnage terrestre aux traits uniques, à l'autorité transcendante, dont la prédication et le ministère annonce les temps eschatologiques, en pose les fondements, appelle et groupe ceux qui en seront les élus.

La *Quelle* est convaincue de l'identité de ces deux personnages bien qu'elle se garde de l'affirmer directement et clairement et qu'elle conserve quelques énoncés où apparaissent les traces d'une certaine distinction. Ce qui l'incline à croire à cette identité, c'est l'autorité, la puissance, l'exousia dont le personnage terrestre fait preuve. Elle se manifeste dans un appel à la pénitence présenté comme la dernière chance de salut offerte par Dieu avant le cataclysme final, puis dans son invitation à le suivre en acceptant de s'engager dans un renoncement total et absolu pour la prédication de son message de salut, puis encore dans sa conception de ce message comme l'annonce véritable du Royaume de Dieu et dans la présentation de l'adhésion y accordée comme condition sine qua non et la garantie de l'obtention du salut. Et dépassant encore toutes ces manifestations d'une conscience prophétique déjà unique il y eut encore la certitude d'une correspondance absolue entre l'attitude que l'on adopterait à son égard et les jugements qu'au grand jour le personnage céleste et eschatologique porterait.

Sur la base de ces données, la *Quelle* n'a pas hésité à donner par anticipation au Jésus terrestre le titre de Fils de l'homme et de le mettre à diverses reprises dans sa bouche pour se désigner soi-même. D'un point de vue rigoureusement critique ces textes ne permettent pas de conclure si de fait Jésus lui-même n'a pas déjà procédé ainsi, du moins à partir d'une certaine étape de sa carrière. Nous sommes disposé à le croire. Croire en l'identité avec le Fils de l'homme, ou du moins à sa vocation divine d'être appelé par Dieu à assumer un jour ce rôle, n'était-ce pas la condition requise pour pouvoir s'arroger l'unique autorité dont il fit preuve et pour pouvoir présumer de l'identité parfaite de vues et de jugements entre lui-même et le personnage de l'avenir? Cette identité apparut par approximations successives à mesure qu'il se dévoilait comme le message du jugement en [...], comme son témoin et garant [...] et finalement comme lui-même en dernier ressort le juge glorieux.

NOTE SUR L'ARTICLE DE H. SCHÜRMANN[172]

A ma connaissance, H. Schürmann est le seul auteur qui se soit appliqué à situer les logia de la *Quelle* dans le développement progressif de ce document sur la base d'un critère emprunté à la fonction littéraire qu'ils y remplissent. Les conclusions auxquelles il aboutit peuvent se ramener aux positions suivantes.

1. En tenant compte des meilleurs travaux, il y a lieu d'attribuer à Q dix paroles du Fils de l'homme :

Lc., VI, 22-23
Lc., VII, 34 par. *Mt.*, XI, 19.
Lc., IX, 58 par. *Mt.*, VIII, 20
Lc., XI, 29 par. *Mt.*, XII, 39-40
Lc., XII, 8 par. *Mt.*, X, 32-33
Lc., XII, 10 par. *Mt.*, XII, 31. Cfr *Mc.*, III, 28-29
Mt., X, 23
Lc., XII, 40 par. *Mt.*, XXIV, 44
Lc., XVII, 24 par. *Mt.*, XXIV, 27
Lc., XVII, 26 par. *Mt.*, XXIV, 37

En revanche, ne doivent pas être attribués à Q :

Lc., XXII, 29-30 par. *Mt.*, XIX, 18
Lc., XVII, 22
Lc., XVII, 25

2. De ces dix paroles une seule introduit un logion : *Lc.*, IX, 57-58, tandis que les neuf autres sont étroitement unies à un logion précédent qu'éventuellement elles complètent, relisent, commentent, réinterprètent : *Lc.*, VI, 22-23 ; VII, 33-34 ; XI, 30 ; XII, 8 ; XII, 10 ; XII, 40 ; XVII, 24 ; XVII, 26b.30 ; *Mt.*, X, 23[173].

3. Ces rapprochements paraissent avoir été accomplis déjà avant l'insertion de ces logia dans un complexe littéraire quelque peu étendu[174] ; qui plus d'une fois prit naissance grâce au mot-cheville auquel fut due originellement la fonction[175].

4. Le *Sitz im Leben* qui donna lieu aux divers rapprochements semble avoir été la prédication parénétique[176] dont les prophètes du christianisme naissant auraient été les spécialistes[177].

5. Dans ces diverses combinaisons, l'appel au Fils de l'homme ne vaut pas

---

172. H. SCHÜRMANN, *Beobachtungen zum Menschensohn-Titel in der Redequelle. Sein Vorkommen in Abschluss- und Einleitungswendungen*, ap. R. PESCH-R. SCHNACKEN-BURG (éd.), *Jesus und der Menschensohn. Für Anton Vögtle*, Fribourg-en-Br., 1975, p. 124-147.

173. *Ibid.*, p. 140.

174. *Ibid.*, p. 141.

175. *Ibid.*, p. 141, note 94. — L'auteur renvoie à *Lc.*, VI, 20b-21 ; VII, 31-35 ; IX, 57-58 ; XI, 29-30 ; XII, 8-9, 10 ; XII, 11 — *Mt.*, X, 23 ; XII ; 39-40 ; XVII, 23-24.

176. *Ibid.*, p. 141.

177. *Ibid.*, p. 141.

uniquement pour appuyer le logion où il figure mais s'étend également au logion lui associé[178].

6. A propos de quelques logia, à savoir *Lc.*, VI, 22-23, VII, 34(?), IX, 57-58, XII, 8-9, XII, 10, on est en droit de se demander si la mention du Fils de l'homme a appartenu dès les origines à leur énoncé, mais en règle générale il n'y a pas lieu d'en douter[179].

7. Quant à savoir si les logia en question remontent à Jésus ou à une communauté du christianisme naissant, leur rapprochement avec une parole interprétative constitue tout au plus une présomption pour une origine communautaire[180].

8. Non seulement les logia du Fils de l'homme ont été augmentés de paroles interprétatives, ils ont également été insérés dans les évangiles de façon à introduire[181] ou à conclure[182] une suite plus large de logia amenés par mots-crochets. Là où ils servent d'introduction, ils ne jouent aucun rôle rédactionnel[183]; en revanche, quand ils font fonction de conclusion, ce choix semble avoir été délibérément envisagé et voulu[184], toutefois sans qu'il serve à inculquer quelque motif christologique ou sotériologique ou à marquer le recours à une titulature christologique relevée[185].

9. Au-delà des groupements conditionnés par mots-crochets, les logia du Fils de l'homme ont même fini par introduire[186] ou conclure[187] la composition de vrais discours d'inspiration communautaire[183]. Toutefois il ne semble pas que dans la constitution et dans la rédaction finale de ces discours, l'insertion du logion du Fils de l'homme même déjà réuni avec son logion-commentaire le titre du Fils de l'homme ait joué un rôle rédactionnel[189].

10. Il ne semble pas que la rédaction finale, hellénistique de *Quelle* ait elle-même fabriqué des logia du Fils de l'homme; elle s'est contentée d'en transmettre[190]. Tel fut aussi le cas de Marc, de Jean, de la rédaction de Luc et de Matthieu[191], et, a fortiori, de Paul qui même le néglige complètement[192].

---

178. *Ibid.*, p. 142, note 99. — L'auteur renvoie à *Lc.*, XI, 30; XII, 8-9; *Mt.*, X, 23; *Lc.*, XII, 39-40; XVII, 23-24; XVII, 26-30 et à *Lc.*, VI, 22-23; VII, 33-34; IX, 57-58; XII, 10.

179. *Ibid.*, p. 142, note 100.

180. *Ibid.*, p. 142.

181. *Ibid.*, p. 142, note 102 et p. 143, note 105. — L'auteur renvoie à *Lc.*, VI, (20bf), 22-23; IX; 57-58; XVII, 23-24 et à *Lc.*, VI, 20b-23 (24ss.); IX; 57-62; XII, 39-40; peut-être XVII,23; XVIII,10.

182. *Ibid.*, p. 142, note 101 et p. 143, note 103. — L'auteur renvoie à *Mt.*, X, 23; *Lc.*, VII, 33-34; XI, 30; XII, 8-9; XII, 10; XII, 40; XVII, 26, 30.

183. *Ibid.*, p. 143.

184. *Ibid.*, p. 142.

185. *Ibid.*, p. 143.

186. *Ibid.*, p. 143, note 107. — Voir note 105, cité *supra*, note 181.

187. *Ibid.*, p. 143, note 106. — L'auteur renvoie à *Lc.*, VII, (18-30), 31-35; XI, (14-26), 29-32, (33-36?); XII, (1-7), 8-9, 10 (ss. + *Mt.*, X, 23?); XII, (13-34, 35-38), 39.

188. *Ibid.*, p. 143.

189. *Ibid.*, p. 143-144.

190. *Ibid.*, p. 144.

191. *Ibid.*, p. 144.

192. *Ibid.*, p. 144.

11. Il semble même qu'il ne convient pas d'attribuer à la rédaction finale de la *Quelle*, contrairement à ce qui vaut pour la rédaction des quatre évangiles, une préoccupation rédactionnelle spéciale pour son maintien des références au Fils de l'homme [193].

12. En particulier, il n'est nullement prouvé que la rédaction finale a centré sa christologie sur le titre et la notion du Fils de l'homme [194] ou qu'elle a fait appel au titre et à la notion pour fonder en dernière analyse l'autorité de Jésus et de son message [195]. Que cette rédaction hellénistique n'ait pas concentré sa christologie autour du Fils de l'homme ressort notamment du fait qu'elle ne s'est nullement préoccupée d'unifier la conception qu'elle en transmettait [196]. Et pour qu'on pût affirmer qu'elle rattacha à cette figure transcendante l'autorité du Sauveur il faudrait attribuer à deux textes : *Lc.*, XII, 8-9, voire à *Lc.*, X, 21-22 une portée sur l'ensemble des logia du Fils de l'homme à laquelle ils n'ont pas droit [197].

L'enquête menée par H. Schürmann conclut [198] : les logia du Fils de l'homme ne remontent probablement pas à la strate la plus ancienne de la *Quelle*; ils appartiennent à une couche qui les transmettait déjà accompagnés de paroles complémentaires et interprétatives; la rédaction finale ne les a pas privilégiés christologiquement. Cette rédaction témoigne d'un pluralisme christologique et met en lumière l'autorité de Jésus plus par une suite de paroles encadrées narrativement que par le recours à un titre d'honneur privilégié [199].

193. *Ibid.*, p. 144 et note 109.
194. *Ibid.*, p. 145-146.
195. *Ibid.*, p. 146.
196. *Ibid.*, p. 145.
197. *Ibid.*, p. 146.
198. *Ibid.*, p. 146-147.
199. *Ibid.*, p. 147.

INDEX DES PRINCIPAUX PASSAGES BIBLIQUES EXPLIQUÉS

INDEX DES AUTEURS CITÉS

BIBLIOTHECA EPHEMERIDUM THEOLOGICARUM LOVANIENSIUM

1. *Miscellanea dogmatica in honorem Eximii Domini J. Bittremieux.* Louvain, 1947. In-8°, 235 p. FB 220.
2-3. *Miscellanea moralia in honorem Eximii Domini Arthur Janssen.* Louvain, 1948. 2 vol. in-8°, 672 p. (épuisé).
4. Gérard PHILIPS. *La grâce des justes de l'Ancien Testament.* Louvain, 1948. In-8°, 78 p. (épuisé).
5. Gérard PHILIPS. *De ratione instituendi tractatum de gratia nostrae sanctificationis.* Louvain, 1953. In-8°, 20 p. (épuisé).
6-7. *Recueil Lucien Cerfaux.* Gembloux, Duculot, 1954. 2 vol. in-8°, 504 et 577 p. FB 500 par tome. Cf. *infra,* n° 18.
8. Gustave THILS. *Histoire doctrinale du mouvement œcuménique.* Nouvelle édition. Louvain, Imprimerie Orientaliste, 1963. In-8°, 338 p. FB 135.
9. Joseph COPPENS, Lucien CERFAUX, Gustave THILS, Albert VAN ROEY, Roger AUBERT, Gérard PHILIPS. *Études sur l'Immaculée Conception. Sources et sens de la doctrine.* Gembloux, Duculot, 1955. In-8°, 110 p. FB 150.
10. James A. DONOHOE. *Tridentine Seminary Legislation. Its Sources and its Formation.* Louvain, Publications Universitaires, 1957. In-8°, 194 p. (épuisé).
11. Gustave THILS. *Orientations de la théologie.* Louvain, Ceuterick, 1958. In-8°, 188 p. (épuisé).
12-13. *Sacra Pagina. Miscellanea Biblica Congressus Internationalis Catholici de Re Biblica.* Ediderunt Joseph COPPENS, Albert DESCAMPS, Édouard MASSAUX. Gembloux, Duculot, 1959. 2 vol. in-8°, 579 et 486 p. (épuisé).
14. Son Éminence le Cardinal VAN ROEY, Son Excellence Mgr FORNI, Son Excellence Mgr VAN WAEYENBERGH, J. COPPENS, L. HALKIN, R. POST, M.-L. STOCKMAN. *Le Pape Adrien VI, sa personne et son œuvre. Mémorial du cinquième centenaire de sa naissance.* Gembloux, Duculot, 1959. In-8°, 150 p. (épuisé).
15. F. CLAEYS BOÚÚAERT. *Les déclarations et serments imposés par la loi civile aux membres du clergé belge sous le Directoire (1795-1801).* Gembloux, Duculot, 1960. In-8° 74 p. (épuisé).
16. Gustave THILS. *La « Théologie Œcuménique ». Notion-Formes-Démarches.* Louvain, Imprimerie Orientaliste, 1960. In-8°, 84 p. FB 42.
17. Gustave THILS. *Primauté pontificale et prérogatives épiscopales. « Potestas ordinaria » au Concile du Vatican.* Louvain, Imprimerie Orientaliste, 1961. In-8°, 104 p. FB 50.
18. *Recueil Lucien Cerfaux,* t. III. Gembloux, Duculot, 1961. In-8°, 458 p. (épuisé). Cf. *supra,* n°s 6-7.
19. J. COPPENS (éd.), *Foi et réflexion philosophique. Mélanges Franz Grégoire* par P. Asveld, R. Aubert, J. Coppens, A. Dondeyne, J. Étienne, A. Lambert, M. Nédoncelle, J. Palsterman, H. van Waeyenbergh, G. Van Riet, A. Vergote. Gembloux, Duculot, 1961. In-8°, 231 p. (épuisé).
20. J. COPPENS (éd.), *Mélanges Gonzague Ryckmans,* par L. Cerfaux, R.F. Collins, J. Coppens, R. De Langhe, L. Dequeker, J. Giblet, J. Luyten, É. Massaux,

P. Naster, F. Neirynck, J. Pirenne, J. Ryckmans, H. van Waeyenbergh, J. Vergote. Gembloux, Duculot, 1963. In-8°, 168 p. (épuisé).

21. Gustave THILS. *L'infaillibilité du peuple chrétien « in credendo »*. Louvain, Imprimerie Orientaliste; Bruges-Paris, Desclée De Brouwer, 1963. In-8°, 66 p. FB 50.

22. J. FÉRIN et L. JANSSENS. *Progestogènes et morale conjugale*. Gembloux, Duculot, 1963. In-8°, 48 p. (épuisé).

23. *Collectanea Moralia in honorem Eximii Domini Arthur Janssen*. Gembloux, Duculot, 1964. FB 200.

24. H. CAZELLES (éd.). *L'Ancien Testament et son milieu d'après les études récentes. De Mari à Qumrân* (Hommage J. Coppens, I), par J. Angénieux, A. Charue, M. Dahood, R. Le Déaut, A. Descamps, G. Dossin, A.-M. Dubarle, E. Jacob, J. Lust, A. Petitjean, J. Scharbert, A. Schoors, G. Thils, D. Winton Thomas, J. van der Ploeg, L. Van Peteghem. Gembloux, Duculot, 1969. In-8°, 158*-370 p. FB 800.

25. I. DE LA POTTERIE (éd.). *De Jésus aux évangiles. Tradition et rédaction dans les évangiles synoptiques* (Hommage J. Coppens, II), par P. Bonnard, J. Delorme, A.-M. Denis, M. Didier, A. George, J. Lambrecht, X. Léon-Dufour, S. McLoughlin, F. Neirynck, E. Rasco, M. Sabbe, B. M. F. van Iersel. Gembloux, Duculot, 1967. In-8°, 272 p. FB 500.

26. G. THILS et R. E. BROWN (éd.). *Exégèse et théologie* (Hommage J. Coppens, III), par P. Asveld, R. E. Brown, J. Cahill, P. Grelot, L. Malevez, M.-L. Ramlot, U. Scheire, G. Thils, S. Trooster, G. Van Riet, A. Vögtle. Gembloux, Duculot, 1968. In-8°, 328 p. FB 550.

27. J. COPPENS (éd.), *Ecclesia Spiritu sancto edocta. Mélanges Gérard Philips*, par N. Afanassieff, G. Alberigo, G. Balič, A. Charue, Y. Congar, J. Coppens, P. De Haes, Ph. Delhaye, A. Descamps, S. Dockx, A. Dondeyne, N. Garcia, G. Geenen, J. Grootaers, J. Heuschen, A. Houssiau, J. Lecuyer, L. Malevez, Ch. Moeller, P. Molinari, P. Parente, K. Rahner, B. Rigaux, O. Rousseau, J. Salaverri, H. Schauf, Th. F. Torrance, S. Tromp, J. Van Haelst, H. Walgrave. Gembloux, Duculot, 1961. In-8°, 640 p. FB 580.

28. J. COPPENS (éd.). *Célibat et Sacerdoce. Études historiques et théologiques*, par A. Charue, P. Chauchard, H. Crouzel, G. Cruchon, A. de Bovis, J. Folliet, J. Guitton, P. Hacker, L. Hödl, J. Höffner, H. Jedin, J. Kosnetter, L. Legrand, L. Leloir, M. Marini, J.-P. Massaut, M. Nédoncelle, G. Rambaldi, A. M. Stickler, F. Van Steenberghen. Gembloux, Duculot, 1971. In-8°, 740 p. FB 600.

29. M. DIDIER (éd.). *L'évangile selon Matthieu. Rédaction et théologie*, par É. Cothenet, A. Descamps, M. Devisch, J. Dupont, K. Gatzweiler, L. Hartman, J. Kahmann, J. Lambrecht, S. Légasse, C. M. Martini, F. Neirynck, D. Senior, J. Smit Sibinga, G. Strecker, F. Van Segbroeck, A. Vögtle. Gembloux, Duculot, 1971. In-8°, 432 p. FB 750.

30. J. KEMPENEERS. *Le Cardinal van Roey en son temps*. Gembloux, Duculot, 1971. In-8°, 312 p. (épuisé).

31. F. NEIRYNCK. *Duality in Mark. Contributions to the Study of the Markan Redaction*. Leuven, University Press, 1972. In-8°, 214 p. (épuisé).

32. F. NEIRYNCK (éd.). *L'évangile de Luc. Problèmes littéraires et théologiques. Mémorial Lucien Cerfaux*, par L. Cerfaux, J. Coppens, B. Dehandschutter, J. Delobel, A. Denaux, A. Descamps, J. Duplacy, J. Dupont, E. E. Ellis, W. G. Kümmel, F. Neirynck, R. Pesch, É. Samain, W. C. van Unnik. Gembloux, Duculot, 1973. In-8°, 385 p. (épuisé).

33. C. BREKELMANS (éd.). *Questions disputées d'Ancien Testament. Méthode et Théologie*, par J. Barr, P. A. H. de Boer, P. Buis, M. Dahood, L. Dequeker, E. Kutsch, J. Lévêque, D. J. McCarthy, R. Martin-Achard, H. D. Preuss, J. F. A. Sawyer. Leuven, University Press; Gembloux, Duculot, 1974. In-8°, 202 p. (épuisé).

34. M. SABBE (éd.). *L'évangile selon Marc. Tradition et rédaction*, par K. Aland, H. W. Bartsch, E. Best, M.-É. Boismard, J. Coppens, B. Dehandschutter, A. Descamps, M. Devisch, D. L. Dungan, W. Hendriks, J. Konings, J. Lambrecht, P. Mourlon Beernaert, F. Neirynck, N. Perrin, R. Pesch, J. Radermakers, J. M. Robinson, T. Snoy, J. M. Van Cangh. Leuven, University Press; Gembloux, Duculot, 1974. In-8°, 596 p. (épuisé).

35. B. WILLAERT (éd.). *Miscellanea Albert Dondeyne. Godsdienstfilosofie. Philosophie de la religion*, par E. De Keyser, N. de Pater, A. de Waelhens, U. Dhondt, A. Dondeyne, H. Duméry, L. Dupré, J. Étienne, A. Gesché, J. Grootaers, J. Ladrière, O. Laffoucrière, P. Masterson, M. Nédoncelle, G. Philips, J. Plat, C. Troisfontaines, J. Van der Veken, J. Van de Wiele, G. Van Riet, A. Vergote, J. Walgrave, A. Wylleman. Gembloux, Duculot, 1974. In-8°, 456 p. FB 500.

36. G. PHILIPS. *L'Union personnelle avec le Dieu vivant*. Gembloux, Duculot, 1974. In-8°, 302 p. (épuisé).

37. F. NEIRYNCK in collaboration with T. HANSEN and F. VAN SEGBROECK. *The Minor Agreements of Matthew and Luke against Mark with a Cumulative List*. Leuven, University Press, 1974. In-8°, 330 p. FB 800. Distribution: Duculot, Gembloux.

38. J. COPPENS. *Le Messianisme et sa Relève prophétique. Les anticipations vétérotestamentaires. Leur accomplissement en Jésus*. Leuven, University Press; Gembloux, Duculot, 1974. In-8°, 270 p. (épuisé).

39. D. SENIOR, *The Passion Narrative according to Matthew. A Redactional Study*. Leuven, University Press, 1975. In-8°, 433 p. Distribution: Duculot, Gembloux (épuisé).

40. J. DUPONT (éd.). *Jésus aux origines de la christologie*, par P. Benoit, M. de Jonge, I. de la Potterie, A. L. Descamps, J. Dupont, E. E. Ellis, J. A. Fitzmyer, A. George, E. Käsemann, X. Léon-Dufour, E. Linnemann, D. Lührmann, J. B. Muddiman, F. Neirynck, M. Rese. Leuven, University Press; Gembloux, Duculot, 1975. In-8°, 376 p. (épuisé).

41. J. COPPENS (éd.). *La notion biblique de Dieu. Du Dieu révélé au Dieu des Philosophes. Volume jubilaire des Journées Bibliques*, par Card. B. Alfrink, A. P. Ackroyd, J. Coppens, A. Baruch, P. Bonnard, H. Cazelles, K. P. Donfried, A. Gesché, J. Giblet, M. Gilbert, A. Houssiau, J. Jónsson, L. Légasse, L. Legrand, N. Lohfink, J. Lust, B. Rigaux, E. Schweizer, H. Servotte, J. Van der Veken, W. C. van Unnik, A. Vögtle, W. Zimmerli. Leuven, University Press; Gembloux, Duculot, 1976. In-8°, 504 p. FB 1100.

42. J. LINDEMANS – H. DEMEESTER (éd.). *Liber Amicorum Monseigneur Onclin*, par R. Baccari, P. Ciprotti, P. A. D'Avack, F. X. De Ayala, A. Del Portillo, W. Delva, A. Dordet, P. Fedele, G. Franssen, J. Gaudemet, J. H. Herbots, J. Herranz, J. Hervada, S. Kuttner, G. Leclerc, P. Lombardia, R. Metz, C. Moeller, K. Mörsdorf, M. Petroncelli, J. S. Quinn, J. Ronse, L. Spinelli, W. Van Gerven, W. Van Hecke. Leuven, University Press; Gembloux, Duculot, 1976. In-8°, 396 p. FB 900.

43. R. E. HOECKMAN (éd.), *Pluralisme et Oecuménisme en Recherches théologiques. Mélanges offerts au R.P. Dockx, O.P.*, par Y. Congar, G. Dejaifve, H. de Lubac, P. de Vooght, J. Guitton, J. Hajjar, R. E. Hoeckman, T. I. Jiménez-Urresti, J. Lécuyer, P. Meinhold, É. Melia, Methodios, M. Nédoncelle, K. Rahner, J. Ratzinger, E. Schlink, E. Schweizer, T. F. Torrance, J. J. von Allmen, J. H. Walgrave, N. Zernov. Gembloux, Duculot, 1976. In-8°, 316 p. FB 900.

44. M. DE JONGE (éd.). *L'Évangile de Jean*, par M.-É. Boismard, P. Bonnard, P. Borgen, R. Brown, J. Coppens, M. de Jonge, I. de la Potterie, J. Delobel, K. P. Donfried, J. Giblet, K. Hanhart, C. J. A. Hickling, Y. Janssens, B. Lindars, J. L. Martin, F. Neirynck, J. Painter, T. L. Pollard, E. Ruckstuhl, M. Sabbe, R. Schnackenburg, S. M. Schneiders, B. Schwank, J. Seynaeve, H. Thyen. Gembloux, Duculot; Leuven, University Press, 1977. In-8°, 416 p. FB 950.

45. E. J. M. VAN EYL (éd.). *Facultas S. Theologiae Lovaniensis 1432-1797. Bijdragen tot haar geschiedenis. Contributions to its History. Contributions à son histoire*, par A. J. Black, H. J. Brandt, L. Burie, L. Ceyssens, E. J. M. van Eyl, J. IJsewijn, W. Lourdaux, E. De Maesschalck, J. Orcibal, J. Roegiers, M. Rotsaert, G. Tournoy, A. Vanneste, L. Vinken. Leuven, University Press, 1977. In-8°, 570 p. FB 1500. — Avec une bibliographie comprenant 1026 titres (pp. 495-551), sur le passé de la Faculté. Distribution : Duculot, Gembloux.

46. M. DELCOR (éd.). *Qumrân. Sa piété, sa théologie et son milieu*, par M. Baillet, P. M. Bogaert, H. W. Brownlee, A. Caquot, J. Carmignac, J. Coppens, M. Delcor, H. J. Fabry, M. Hengel, N. Ilg, A. Jaubert, B. Jongeling, E. M. Laperrousaz, H. Lichtenberger, J. T. Milik, H. Pabst, S. Sabugal, J. Schmitt, P. W. Skehan, J. Starcky, H. Stegemann, E. Szysman, S. Talmon, J. van der Ploeg, A. S. van der Woude, Y. Yadin. Gembloux, Duculot; Leuven, University Press, 1978. In-8°, 432 p. FB 1550.

47. M. CAUDRON (éd.). *Foi et Société*, par P. Asveld, R. Aubert, J. Billiet, E. Boné, H. Borrat, K. Börresen, F. De Graeve, K. Dobbelaere, F. Dumont, A. Gesché, F. Houtart, J. Kerkhofs, H. Legrand, J. F. Lescrauwaet, A. Pitrou, J. Ponthot, J. Remy, E. Schillebeeckx, M.-T. Van Lunen-Chenu, J. Van Nieuwenhoven, A. Vergote. Gembloux, Duculot, 1978. In-8°, 304 p. FB 1150.

48. J. KREMER (éd.), *Les Actes des Apôtres. Traditions, rédaction, théologie*, par E. Bammel, C. K. Barrett, F. Bovon, J. Coppens, B. Dehandschutter, M. Dumais, J. Dupont, R. H. Fuller, E. Grässer, F. Hahn, C. J. A. Hickling, J. Jervell, G. D. Kilpatrick, W. Kirchschläger, J. Lambrecht, C. Martini, P. G. Müller, F. Neirynck, E. Nellessen, S. J. Noorda, J. Pathrapankal,

E. Plümacher, M. Rese, M. Sabbe, J. Schmitt, G. Schneider, W. C. van Unnik, M. Wilcox, R. McL. Wilson. Gembloux, Duculot; Leuven, University Press, 1979. In-8°, 590 p. FB 1600.

49. F. NEIRYNCK avec la collaboration de J. Delobel, T. Snoy, G. Van Belle, F. Van Segbroeck. *Jean et les Synoptiques. Examen critique de l'exégèse de M.-É. Boismard*. Leuven, University Press, 1979. In-8°, XII-428 p. FB 950. Distribution : Duculot, Gembloux.

50. J. COPPENS. *La relève apocalyptique du messianisme royal. I. La royauté – Le règne – Le royaume de Dieu. Cadre de la relève apocalyptique*. Leuven, Peeters & University Press, 1979. In-8°, 330 p. FB 848.

51. M. GILBERT (éd.). *La Sagesse dans l'Ancien Testament*, par S. Amsler, P. Beauchamp, P.-É. Bonnard, C. Brekelmans, H. Cazelles, J. Coppens, J. L. Crenshaw, G. Fohrer, M. Gilbert, B. Lang, J. Lévêque, N. Lohfink, J. Luyten, D. Lys, J. Marböck, W. McKane, G. L. Prato, F. Raurell, J. M. Reese, N. J. Tromp, J. P. M. van der Ploeg, J. Vermeylen, R. N. Whybray. Gembloux, Duculot; Leuven, University Press, 1979. In-8°, 424 p. FB 1700.

52. B. DEHANDSCHUTTER. *Martyrium Polycarpi. Een literair-kritische studie*. Leuven, University Press, 1979. In-8°, 296 p. FB 950. Distribution : Duculot, Gembloux.

53. J. LAMBRECHT (éd.). *L'Apocalypse johannique et l'Apocalyptique dans le Nouveau Testament*, par G. R. Beasley-Murray, O. Böcher, P.-M. Bogaert, R. F. Collins, J. Coppens, B. Dehandschutter, M. de Jonge, J. Delobel, A. S. Geyser, L. Hartman, T. Holtz, Y. Janssens, T. Korteweg, J. Lambrecht, E. Lövestam, J. Lust, G. Mayeda, G. Mussies, F. Neirynck, R. Pesch, P. Prigent, M. Rese, E. Schüssler Fiorenza, U. Vanni, A. P. van Schaik, M. Wilcox, A. Yarbro Collins. Gembloux, Duculot; Leuven, University Press, 1980. In-8°, 458 p. FB 1400.

54. P.-M. BOGAERT (éd.), *Le Livre de Jérémie. Le prophète et son milieu. Les oracles et leur transmission*, par W.A.M. Beuken, P.-M. Bogaert, C. Brekelmans, G. Brunet, H. Cazelles, C. de Jong, M. Gilbert, S. Herrmann, W.L. Holladay, F. D. Hubmann, N. Lohfink, J. Lust, B. Renaud, J. Scharbert, J.A. Soggin, E. Tov, H.W.M. van Grol, J. Vermeylen, H. Weippert. Leuven, Peeters & University Press, 1981. In-8°, 410 p. FB 1500.

55. J. COPPENS, *La relève apocalyptique du messianisme royal. III. Le Fils de l'homme néotestamentaire*. Leuven, Peeters & University Press, 1981. In-8°, XIV-197 p. FB 800.